呼吸系统疾病

临床诊疗和护理方案解析

主编 老奋坚 广州医科大学附属第二医院
许丹媛 广州医科大学附属第二医院
王银燕 广州医科大学附属第二医院
莫秋弟 广州医科大学附属第二医院
洪珊珊 广州医科大学附属第二医院
杨丹丹 广州医科大学附属第二医院

中国出版集团有限公司

世界图书出版公司
广州 · 上海 · 西安 · 北京

图书在版编目（CIP）数据

呼吸系统疾病临床诊疗和护理方案解析 / 老奋坚等主编 . -- 广州 : 世界图书出版广东有限公司 , 2024. 12. -- ISBN 978-7-5232-1970-6

Ⅰ. R56

中国国家版本馆 CIP 数据核字第 20258UE261 号

书　　名	呼吸系统疾病临床诊疗和护理方案解析 HUXI XITONG JIBING LINCHUANG ZHENLIAO HE HULI FANG'AN JIEXI
主　　编	老奋坚　许丹媛　王银燕　莫秋弟　洪珊珊　杨丹丹
责任编辑	刘　旭　曾跃香
责任技编	刘上锦
装帧设计	树青文化洪丹
出版发行	世界图书出版有限公司　世界图书出版广东有限公司
地　　址	广州市海珠区新港西路大江冲 25 号
邮　　编	510300
电　　话	（020）84460408
网　　址	http://www.gdst.com.cn
邮　　箱	wpc_gdst@163.com
经　　销	新华书店
印　　刷	广州小明数码印刷有限公司
开　　本	787 mm × 1092 mm　1/16
印　　张	18.25
字　　数	305 千字
版　　次	2024 年 12 月第 1 版　2024 年 12 月第 1 次印刷
国际书号	ISBN 978-7-5232-1970-6
定　　价	148.00 元

主编简介

硕士毕业于广州医科大学，现工作于广州医科大学附属第二医院呼吸内科，主治医师。从事临床工作近10年，对呼吸系统疾病（如肺部感染性疾病、慢性阻塞性肺疾病、支气管哮喘、支气管扩张、肺部肿瘤等）的诊断、治疗和预防有丰富的临床经验，尤其对肺部肿瘤的诊治及肺结节良恶性判断有独特的见解。担任广州市医学会呼吸病学分会会员、广东省卫生信息网络协会胸部疾病信息化分会常务委员。曾参与国家级、省级科研项目多次，发表论文数篇。

老奋坚

硕士毕业于广州呼吸健康研究院，现工作于广州医科大学附属第二医院呼吸内科，主治医师。擅长呼吸内科常见病、危重症的临床诊治，尤其对慢性咳嗽、支气管哮喘、慢性阻塞性肺疾病等慢性气道炎症疾病、肺部感染性疾病有丰富的临床经验。担任广东省医师协会呼吸医师分会青年学组组员、广东省胸部疾病学会重度哮喘精准诊治委员会委员。参与国家自然科学基金、广东省科技计划、广州市重点研发计划等科研项目多项，发表论文数篇。

许丹媛

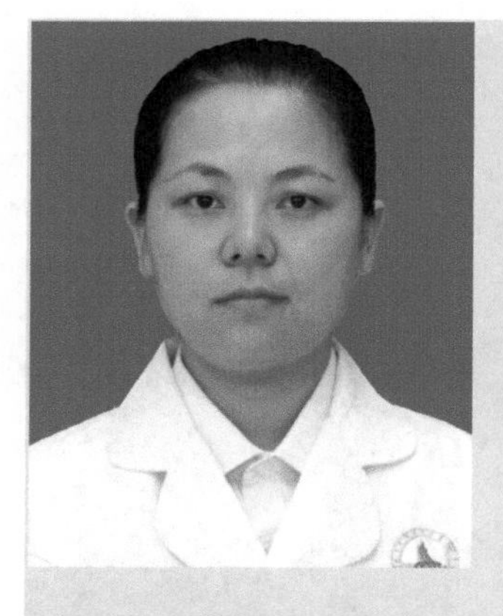

王银燕

硕士毕业于广州医科大学，现工作于广州医科大学附属第二医院呼吸内科，主治医师。师从广州呼吸健康研究院全国知名危重医学专家。从事临床工作近20年，擅长呼吸内科常见病及危重症患者的救治，如慢性阻塞性肺疾病、支气管扩张、支气管哮喘、慢性咳嗽、肺癌、重症肺炎及呼吸衰竭等，尤其对呼吸衰竭、膈肌功能评估及呼吸机肺康复治疗等有丰富经验。担任广东省胸部疾病学会胸膜纵隔疾病专业委员会委员、广东省呼吸与健康学会肿瘤专业委员会委员。参与课题1项。

莫秋弟

硕士毕业于广州医科大学内科学专业，现工作于广州医科大学附属第二医院呼吸内科，主治医师。擅长肺动脉高压、支气管哮喘、慢性阻塞性肺疾病、支气管扩张、肺部肿瘤、肺部感染及其他疑难复杂肺部疾病的诊断和治疗。参与国家自然科学基金项目1项、广东省自然科学基金项目2项，发表论文5篇。

本科毕业于广东医科大学，现工作于广州医科大学附属第二医院呼吸内科，主管护师，呼吸内科护士长。从事临床护理工作16年余，担任呼吸内科护士长10年余。擅长呼吸内科专科疾病的临床常规护理、危重症患者的护理指导、呼吸慢病管理路径、呼吸康复指导、呼吸疾病预防等。担任广东省护理学会肺康复护理专业委员会委员、广州护理学会呼吸疾病护理专业委员会委员。参与课题2项，发表论文1篇。

洪珊珊

本科毕业于安徽医科大学护理专业，现工作于广州医科大学附属第二医院呼吸与危重症医学科，主管护师，护理组长，教育专科护士。擅长呼吸系统常见疾病专科护理、危重症患者护理、肺康复护理。担任广东省护理学会肺康复护理专业委员会委员。发表论文3篇。

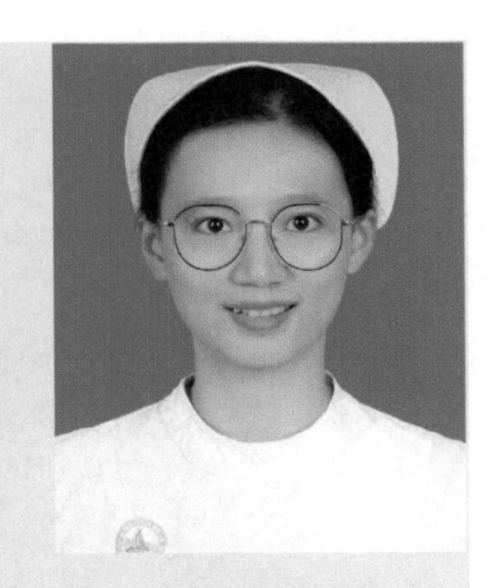

杨丹丹

前 言

呼吸系统疾病以其普遍性和日益增长的发病率，已成为全球公共卫生领域关注的焦点。这类疾病不仅严重干扰患者的呼吸功能，降低生活质量，还因其复杂性与其他系统疾病的紧密关联性，如心血管疾病、代谢性疾病等，而增加了临床诊疗与护理的难度。随着医学科技的飞速发展，现今的呼吸系统疾病诊疗技术已取得了显著进步，这些进步既体现在精准诊断与个性化治疗方案的制定上，也反映在护理实践的持续优化与创新中。为了整合呼吸系统疾病的临床诊疗与护理经验，特编写了本书。

本书分为诊疗篇和护理篇。诊疗篇涵盖了细菌感染性疾病、真菌感染性疾病、传染性疾病、弥漫性肺部疾病等多个方面，通过详细剖析典型病例，将疾病的临床表现、辅助检查、诊断思路、治疗方案清晰呈现，帮助读者加深对理论知识的理解与掌握；护理篇分享了感染性疾病和通气功能障碍性疾病的护理实践，在介绍病例的病史、诊疗经过的基础上，详细展示了护理措施及护理效果的全过程，为护理人员提供了宝贵的实践指导。

本书在编写过程中，虽经多次审校，但由于编者众多，文笔风格不尽一致，书中若有疏漏和不足之处，诚挚欢迎广大读者对本书提出宝贵意见和建议，以便在未来的修订中不断完善，更好地服务于临床实践。

编　者

目 录

诊疗篇

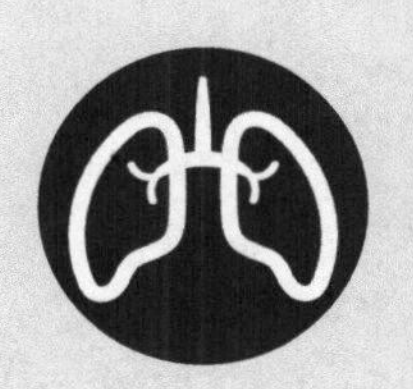

一 诊疗篇

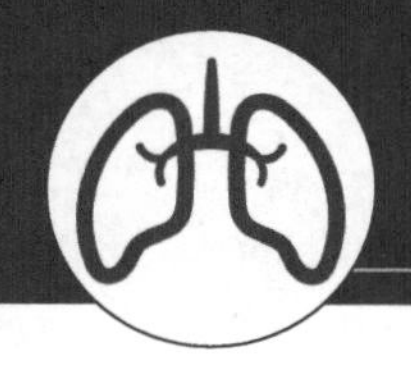

第一章　细菌感染性疾病

◎ 肺诺卡菌病

案例介绍

患者女，82 岁，于 2022-07-05 入院。

主诉：反复咳嗽、咳黄痰 10 余年，加重 2 周。

现病史：患者于 10 余年前开始出现反复咳嗽、咳黄痰，每天以晨起咳嗽为重，易于受凉感冒后及天气变化时诱发，痰为黄白色黏液样，间断咳黄色脓性痰，无咯血、胸痛、胸闷，无潮热、盗汗。间伴有发作性喘息，曾多次因“支气管扩张合并感染，支气管哮喘”住院治疗，经治疗后症状改善出院，院外定期门诊复诊，吸入“信必可”等药物治疗。2016 年曾诊断为“诺卡菌肺炎”，经药物治疗后好转出院。10 年来上述症状反复出现。1 月余前患者咳嗽增加，咳痰增多，为黄白色脓痰，并伴发热，以中度发热为主，遂到当地医院就诊并住院治疗好转后出院，出院后仍间有咳嗽，有黄痰，间有喘息发作，同时伴有胃灼热感，部位在剑突下上腹部，无放射至他处，无伴明显恶心、呕吐，无身目黄染，无伴明显阵发性腹部绞痛，无心前区翳闷感，曾到消化科门诊就诊，对症治疗后仍未见好转。2 周前，患者上述症状再次加重，并有发热，体温最高

39℃伴喘息发作，其余大致同前，遂到外院住院治疗，诊断为“支气管扩张合并感染”予“头孢曲松、阿奇霉素”抗感染、化痰、止咳等对症支持治疗，但仍有反复发热，现为求进一步诊治，遂转入呼吸内科。起病以来，患者精神、睡眠、胃纳可，二便如常，体重无明显变化。

检查

体格检查：T 36.8℃，P 88 次 / 分，R 21 次 / 分，BP 125/73 mmHg。发育正常，营养中等，神志清楚，精神一般，自主体位，应答切题，查体合作。全身皮肤黏膜色泽正常，弹性欠佳，未见皮疹，无皮下结节、瘢痕，未见皮下出血点及瘀斑，未见肝掌，未见蜘蛛痣。鼻腔通气良好，双鼻窦区均无压痛。口唇红润，伸舌居中，口腔黏膜正常，牙龈无出血。咽正常无充血，扁桃体无肿大。呼吸节律正常，双肺叩诊呈清音，双肺呼吸音增粗，右下肺可闻及干、湿啰音，左肺可闻及少许干啰音。心脏、腹部未见明显异常。

诊断

初步诊断：支气管扩张合并感染；支气管哮喘（部分控制）。

最终诊断：肺诺卡菌病；支气管扩张合并感染；糜烂性胃炎；幽门螺杆菌感染；反流性食管炎；支气管哮喘；冠状动脉粥样硬化性心脏病；右冠状动脉（RCA）支架植入术后；慢性鼻－鼻窦炎；高血压 3 级，极高危；中度贫血；低蛋白血症；多发性肾囊肿；多发性肝囊肿。

诊疗经过

入院后查 2022–07–05 血常规（CDN）：白细胞计数 22.01×10^9/L，分叶细胞比例 94.0%，血红蛋白 78 g/L，血小板计数 265×10^9/L；脑利尿钠肽 257.00 pg/mL；2022–07–05 生化：尿素 10.5 mmol/L，肌酐 121.2 μmol/L，β_2–微球蛋白 3.81 mg/L，胱抑素 C 1.69 mg/L，白蛋白 24.3 g/L，钙 2.85 mmol/L。2022–07–05 静息 12 导联心电图：窦性心律；偶发房性早搏；左心室高电压。2022–07–05 胸部平扫（图 1–1）：双肺广泛支气管扩张合并感染，较前加重，建议治疗后复查。慢支肺

气肿，双侧胸膜增厚。右侧甲状腺增大。2022-07-06 痰真菌免疫荧光染色检测：涂片检出菌丝（少许）。2022-07-06 结核菌涂片检查：涂片未检出抗酸杆菌。2022-07-07 支气管镜：左下叶炎症水肿狭窄，气管、支气管腔内未见明显新生物。2022-07-08 肺泡灌洗液病原微生物检测报告：豚鼠耳炎诺卡菌（序列数 502），白念珠菌（序列数 2）。2022-07-11 厌氧菌培养及鉴定：未见厌氧菌生长；2022-07-11 血培养：未见细菌生长，未见真菌生长。2022-07-12 细菌培养（需氧菌 + 真菌）及鉴定：未见真菌生长；血常规（CDN）：白细胞计数 6.96×10^9/L，分叶细胞比例 73.2%，血红蛋白 73 g/L，血小板计数 281×10^9/L。2022-07-12 凝血 5 项：活化部分凝血活酶时间 39.16 秒，纤维蛋白原 5.29 g/L，抗凝血酶活性 32.60%，D- 二聚体测定 4.32 mg/L；脑利尿钠肽 211.00 pg/mL；2022-07-12 生化：肌酐 107.4 μmol/L，钾 3.46 mmol/L，钠 136 mmol/L。2022-07-12 痰细菌培养及鉴定：有豚鼠耳炎诺卡菌生长，菌落数≥ 10^5 CFU/mL；2022-07-12 血液厌氧菌培养及鉴定：未见厌氧菌生长。2022-07-13 胸部正侧位：双肺多发炎症，较前明显进展，未排除合并左上肺占位性病变，建议治疗后短期复查或完善 CT。慢性支气管炎、肺气肿。主动脉硬化。2022-07-19 生化：葡萄糖 3.71 mmol/L，肌酐 126.1 μmol/L，尿素 5.3 mmol/L，钾 4.4 mmol/L，钠 143.0 mmol/L，氯 106.0 mmol/L，钙 2.68 mmol/L，总胆红素 8.3 μmol/L，直接胆红素 1.0 μmol/L，丙氨酸氨基转移酶 11 U/L，天门冬氨酸氨基转移酶 38 U/L，总胆汁酸 3.4 μmol/L，间接胆红素 7.3 μmol/L，总蛋白 59.5 g/L，白蛋白 25.3 g/L，前白蛋白 95.52 mg/L，白蛋白 / 球蛋白 0.74；2022-07-19 血常规（CDN）：白细胞计数 5.03×10^9/L，分叶细胞比例 61.0%，分叶细胞绝对值 3.07×10^9/L，单核细胞比例 12.9%，单核细胞绝对值 0.65×10^9/L，血红蛋白 65 g/L，血小板计数 346×10^9/L；2022-07-19 脑利尿钠肽 130.00 pg/mL。2022-07-19 复查胸部 CT 见图 1-2。

入院后先后予“哌拉西林舒巴坦 + 莫西沙星（07-05 ~ 07-08）”“亚胺培南西司他汀 + 阿米卡星（07-08 ~ 07-13）”“亚胺培南西司他汀 + 复方磺胺甲噁唑（07-13 ~ 07-15）”“亚胺培南西司他汀 + 利奈唑胺（07-15 ~ 07-20）”抗感染、化痰、止咳、纠正低蛋白血症等对症支持治疗，现患者病情改善，予带药出院。

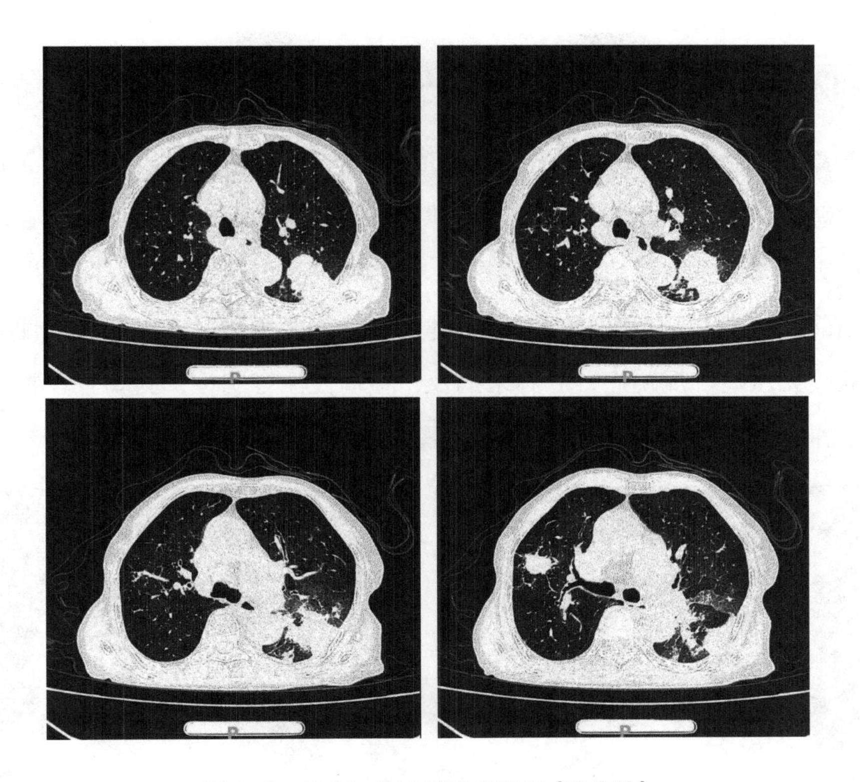

图 1-1　2022-07-05 胸部平扫（治疗前）

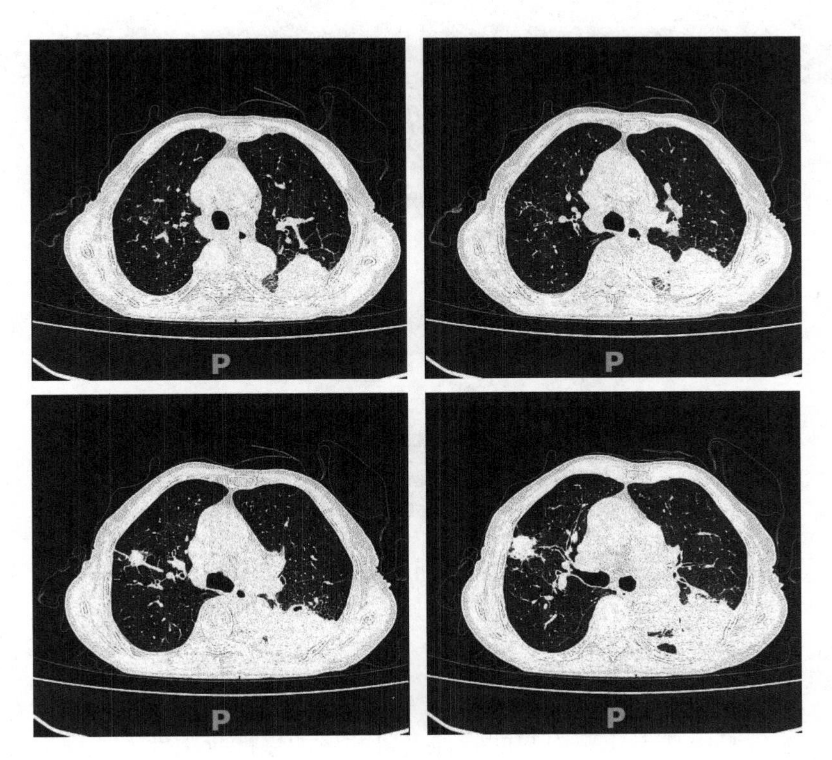

图 1-2　2022-07-19 胸部 CT（治疗中）

出院情况

患者无再发热，有咳嗽，咳白痰，量少，静息状态下无喘息发作，无胸闷胸痛，无恶心、呕吐，无腹痛腹泻，精神、睡眠、胃纳可，二便如常。查体：神清，呼吸节律正常，双肺叩诊呈清音，双肺呼吸音增粗，双肺可闻及少许湿啰音。心前区无隆起，心率 78 次 / 分，律齐，各瓣膜听诊区未闻及病理性杂音。腹平软，无压痛、反跳痛，肝脾未扪及，移动性浊音阴性，肠鸣音正常。双下肢无水肿。2022-11-16 复查胸部 CT 见图 1-3。

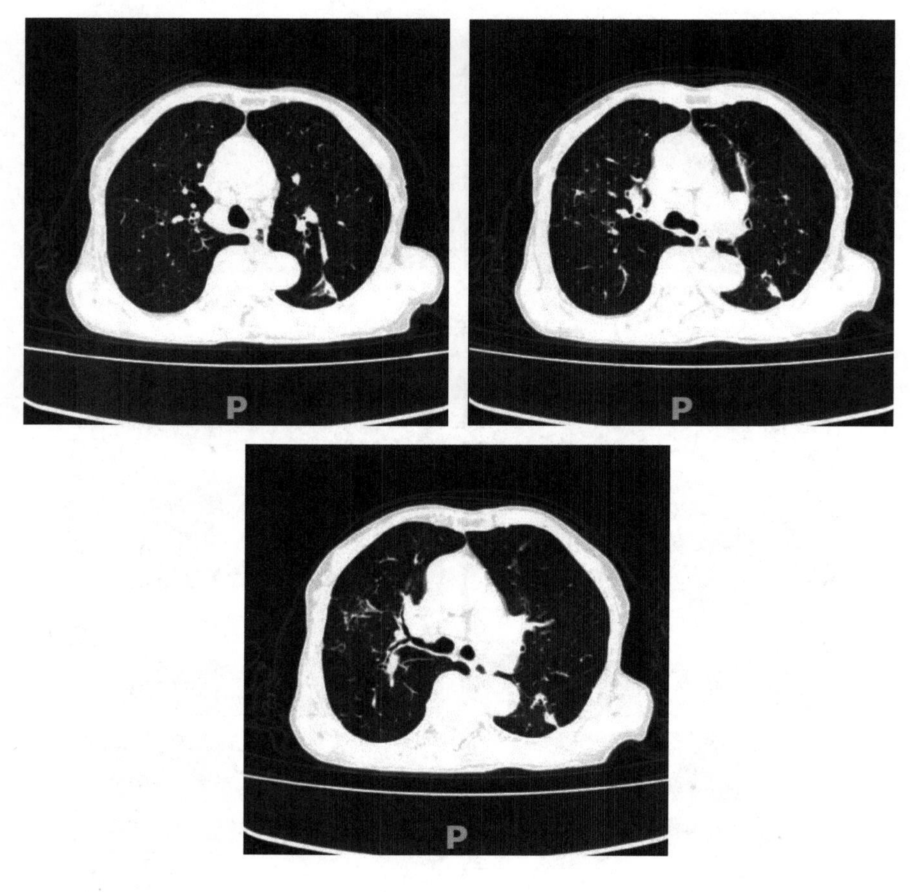

图 1-3　2022-11-16 胸部 CT（治疗后）

讨论

诺卡菌病是由诺卡氏菌引起的一种人兽共患的慢性化脓性（或肉芽肿性）疾病。诺卡菌为革兰氏阳性需氧杆菌，多为腐生寄生，广泛分布在土壤、水、植物、腐败的食物中，经呼吸道或消化道、破损的皮肤黏膜进入人体，引起局部或播散性感染。

诺卡菌病呈世界性分布，但多见于温带和热带地区，任何年龄均可发病，但以中年男性多见，农民、牧民、饲养宠物者及免疫功能低下者为易感人群。主要通过呼吸道吸入本菌的孢子而感染，也可经消化道或皮肤伤口侵入。

1．临床表现

诺卡菌病临床表现多种多样，无特异性，常见症状包括发热、咳嗽、胸痛、呼吸困难等，严重者可出现败血症和多器官功能衰竭。根据感染部位和临床表现的不同，诺卡菌病可分为肺诺卡菌病、脑诺卡菌病、皮肤诺卡菌病等类型。其中肺诺卡菌病最为常见，约占所有诺卡菌病的 80%，其他感染部位包括中枢神经系统、皮肤、肾脏、眼、骨、关节、甲状腺、肾上腺、心内膜及腹膜等。中枢神经系统（达 1/3）是最常受累的肺外脏器。

2．辅助检查

实验室检查：通过涂片、培养等方法检测诺卡菌，涂片检查可见革兰氏阳性分枝状菌丝，培养可得诺卡菌菌落，生化反应可鉴别菌种。检测患者血清中诺卡菌抗体，可用于辅助诊断和判断病情。常用方法有酶联免疫吸附试验（ELISA）、凝集试验等。

影像学检查：诺卡菌影像学检查缺乏特异性、表现多样，包括肺实变、空洞、结节等，可伴有胸腔积液。对于颅内诺卡菌病，MRI 检查可显示病变部位、范围和性质，有助于诊断和评估病情。

分子生物学诊断：随着分子生物学技术的进步，肺泡灌洗液的病原学宏基因测序有助于诊断。

3．诊断

综合患者临床表现、实验室检查、影像学检查和分子生物学诊断结果进行诊断，对于有疑似症状的患者，应及时进行相关检查以明确诊断。

4．治疗

磺胺类药物是治疗诺卡菌病的首选药物，如磺胺嘧啶（SD）和磺胺甲噁唑（SMZ）等。

首选：磺胺甲嘧唑－甲氧苄啶（SMZ-TMP）15 mg/（kg·d）（按 TMP 计算）口服，治疗 3 ～ 4 周，后 10 mg/（kg·d）分 2 ～ 4 次，治疗 3 ～ 4 个月。

次选：亚胺培南 / 西司他丁 + 阿米卡星（7.5 mg/kg 静脉滴注，1 次 /12 小时）治疗 3 ～ 4 周，后 SMZ-TMP 治疗 3 ～ 4 个月。

参考文献

［1］黄慧，陆志伟，徐作军．诺卡菌感染 26 例临床特点分析［J］．中华结核和呼吸杂志，2010，33（9）：5.

［2］赵蕊，邹俊．诺卡菌病诊治研究进展［J］．临床误诊误治，2022，35（10）：113-116.

［3］况红艳，蒋亚芬，赵志刚，等．宏基因组二代测序在免疫功能低下宿主肺炎诊断中的价值［J］．中华实用诊断与治疗杂志，2024，38（3）：275-279.

（老奋坚）

◎ 葡萄球菌性败血症

案例介绍

患者男，65 岁，于 2023-07-31 入院。

主诉：全身皮疹 4 天，发热伴下肢水肿 2 天。

现病史：患者 4 天前大量出汗后出现全身散发丘疹，伴有红肿疼痛，无瘙痒，当时无其他不适，未重视。2 天后出现头痛、头晕、畏寒、寒战，遂到外院门诊就诊，测体温 39.5℃，发热无规律性。伴有下肢水肿，有轻度关节不适感，有咽痛，无咳嗽，无咳痰，无胸痛，无呼吸困难，无盗汗，无腹痛，无腹泻，无尿急，无尿频，无尿痛，查血常规：白细胞（WBC）11.74×10^9/L，血红蛋白 96 g/L，血小板计数 300×10^9/L，中性粒细胞 10.16×10^9/L，中性粒细胞比例 86.5%；C 反应蛋白（CRP）163.3 mg/L，给予“退热和静滴头孢呋辛”等治疗后，发热、头痛好转，但全身丘疹较前增多，下肢水肿较前加重，为进一步诊断治疗来我院就医，在门诊拟诊断为“发热原因待查”收入院。自发病以来精神状态较差，食欲一般，进食可，睡眠良好，大便正常，小便正常，体力情况较差，体重无明显变化，无意识障碍。

检查

体格检查：T 36.8℃，P 77 次 / 分，R 20 次 / 分，BP 126/66 mmHg。发育正常，营养良好，神志清楚，自主体位，应答切题，查体合作。全身皮肤黏膜色泽正常，全身有散发皮疹，双手有皮下瘀斑，无皮下结节、瘢痕，未见肝掌，未见蜘蛛痣。全身浅表淋巴结未扪及肿大。口唇红润，咽正常无充血，扁桃体无肿大。双肺叩诊呈清音，双肺呼吸音清，未闻及干、湿啰音。心律齐整，各瓣膜听诊区未闻及杂音。腹肌柔软，无压痛、反跳痛，未触及腹部包块，肝脏肋下未触及，脾脏肋下未触及，肾脏未触及，墨菲阴性，肝浊音界存在，移动性浊音阴性，肾区无叩击痛，肠鸣音正常。

诊断

初步诊断：发热原因待查（病毒感染？风疹？）；双下肢水肿；高血压病 3 级，高危。

最终诊断：葡萄球菌性败血症；高血压病 3 级，很高危；2 型糖尿病；肝功能不全；双肾囊肿；肾功能不全；中度贫血。

诊疗经过

入院后 2023-07-31 血常规 +SAA+CRP：快速 CRP > 320.00 mg/L，血清淀粉样蛋白 A > 320.00 mg/L，白细胞计数 20.27×10^9/L，分叶细胞比例 90.0%，血红蛋白 83 g/L，平均红细胞体积 63.5 fL，平均红细胞血红蛋白量 20.2 pg，血小板计数 265×10^9/L；脑利尿钠肽 138.00 pg/mL；降钙素原定量 2.4 ng/mL；2023-08-01 凝血 5 项：纤维蛋白原 7.09 g/L，D- 二聚体测定 1.94 mg/L；2023-08-01 甘油三酯 2.19 mmol/L，总胆固醇 5.73 mmol/L，低密度脂蛋白胆固醇 3.53 mmol/L，葡萄糖 12.00 mmol/L，肌酐 292.0 μmol/L，丙氨酸氨基转移酶 91 U/L，白蛋白 31.4 g/L，钾 3.3 mmol/L，钠 133.0 mmol/L；肿瘤糖类抗原 19-9 88.50 U/mL；大便、尿常规未见明显异常。2023-08-01 静息 12 导联心电图：窦性心律；大致正常心电图。2023-08-02 肝胆脾胰超声：符合脂肪肝声像。肝内囊性病变，符合囊肿声像。胆囊多发结石。脾、胰未见明显异常。2023-08-02 双肾输尿管膀胱超声：双肾囊性病变，符合囊肿声像。双输尿管、膀胱未见明显异常。2023-08-02 双下肢血管超声：双侧下肢股总动脉、股浅动脉、腘动脉硬化并斑块形成。双侧下肢股总静脉、股浅静脉、腘静脉及大隐静脉近段未见明显异常。2023-08-02 心脏 + 心功能超声：主动脉硬化，二尖瓣反流（轻度），左室收缩功能未见明显异常，舒张功能减退。2023-08-03 血沉（ESR）120 mm/h；血常规（CDN）+CRP：CRP 283.85 mg/L，白细胞计数 19.82×10^9/L，血红蛋白 78 g/L，血小板计数 316×10^9/L；脑利尿钠肽 194.00 pg/mL；凝血 5 项：纤维蛋白原 7.92 g/L，D- 二聚体测定 2.25 mg/L；降钙素原定量 2.97 ng/mL；贫血三项：铁蛋白 659.40 ng/mL；糖化血红蛋白 8.4%；肌酐 285.2 μmol/L，β_2- 微球蛋白 10.89 mg/L，总胆红素 28.3 μmol/L，直接胆红素 17.4 μmol/L，丙氨酸氨基转移酶 76.5 U/L，天门冬氨酸氨基转移酶 53.8 U/L，碱性磷酸酶 347 U/L，γ－谷氨酰转移酶 554.3 U/L，白蛋白 31.6 g/L；2023-08-04 抗肾小球基底膜抗体阳性（+）；呼吸病原体、痰涂片、血管炎、类风湿抗体、自身抗体组未见明显异常。血液病原学宏基因测序：金黄色葡萄球菌。2023-08-07 血常规（CDN）+CRP：快速 CRP 139.09 mg/L，白细胞计数 18.41×10^9/L，分叶细胞比例 84.3%，血红蛋白 79 g/L，血小板计数 460×10^9/L；凝血 5 项：纤维蛋白原 6.59 g/L，D- 二聚体测定 7.15 mg/L；降钙素原定量 0.77 ng/mL；肌酐 262.4 μmol/L，总胆红素 25.1 μmol/L，丙氨酸氨基转移酶 139 U/L，天门冬氨酸氨基转移酶 124 U/L，白蛋白 28.0 g/L。血培养、外周血涂片、抗环瓜氨酸肽抗体、血管炎抗体组未见明显异常。入院后予“莫西沙星＋利奈唑胺”抗感染、化痰、止咳等对症支持治疗，现患者病情改善，予带药出院。

出院情况

患者无明显不适，左下肢仍有轻度水肿，左下肢皮温稍高，其余无特殊不适，精神可，睡眠可，胃纳可。查体：生命体征平稳，神清，双肺呼吸音清，未闻及啰音。心前区无隆起，心率（HR）56 次 / 分，律齐，各瓣膜听诊区未闻及病理性杂音。腹平软，无压痛、反跳痛，肝脾未扪及，移动性浊音阴性，肠鸣音正常。左下肢轻度水肿。

讨论

败血症是由病原菌侵入血液循环中生长繁殖，并产生毒素和其他代谢产物所引起的全身性疾病。主要临床特征：急性起病、畏寒、寒战、高热，毒血症症状，以及皮疹、关节痛、肝脾肿大等，部分患者有迁徙性病灶，严重者有感染性休克和中毒性脑病等并发症。血培养常培养出细菌。

1．病因

败血症的病因绝大多数为细菌，其次为真菌，偶可为支原体。其中绝大多数为需氧菌，约占 92%，尤其是革兰氏阳性菌多见，如葡萄球菌、链球菌、肠球菌，其次是革兰氏阴性菌，如大肠埃希菌、铜绿假单胞菌、阴沟肠杆菌、肺炎克雷伯菌等。其次是厌氧菌，占 5% ~ 7%，脆弱类杆菌、难辨梭状芽孢杆菌及消化链球菌多见。真菌性败血症相对少见，占 4.5% ~ 9%，如念珠菌、曲菌、隐球菌，除此以外，李斯特杆菌引起的败血症也有报道。

2．入侵途径

葡萄球菌：静脉导管、皮肤、伤口、呼吸道。

肺炎球菌：呼吸道。

大肠杆菌：泌尿道、肠道、胆道。

真菌：呼吸道、肠道。

3．临床表现

不同种类细菌引发的败血症的临床表型有一定的差异性，但也有一定的共性，败血症的共同临床表现：毒血症症状、皮肤损害、关节症状、肝脾肿大、迁徙病灶、原发病灶。

4．诊断

通过血常规、降钙素原、血培养、影像学及病原学宏基因测序，败血症的诊断并不困难。

5．治疗

抗菌治疗是治疗败血症的重中之重，使用原则：及时、有效、足量、联合用药。联合用药需注意以下原则：原病菌尚未查明的严重感染（免疫缺陷者的感染）、单一抗菌药物不能控制的需氧菌、厌氧菌 2 种或 2 种以上混合感染、单一药物不能控制的感染性心内膜炎或败血症等重症感染需长疗程，病原菌易耐药，如结核病、深部真菌。

参考文献

[1] 黄登，谢月群. 金黄色葡萄球菌医院感染的临床及耐药性分析[J]. 养生保健指南：医药研究，2015（7）：1.

[2] 马序竹，李湘燕，侯芳，等. 成人败血症 249 例回顾性临床分析[J]. 中华医院感染学杂志，2010（5）：3.

[3] 张亚莉，耿穗娜，李中齐，等. 235 例败血症病原菌及其耐药特性分析[J]. 中华医院感染学杂志，2004，14（12）：3.

（老奋坚）

◎ 钩端螺旋体肺炎

案例介绍

患者男，48 岁，于 2024-06-23 入院。

主诉：发热 4 天，气促半小时。

现病史：患者于 4 天前无明显诱因发热，体温 37.5 ~ 38℃，伴头痛、咽干、全身乏力、肌肉酸痛、食欲缺乏，偶有咳黄痰，无畏寒、寒战，胸闷、气促、咯血，无恶心、呕吐、腹痛等，休息后可缓解，患者未予治疗。今晨患者突然出现呼吸急促，端坐呼吸，不伴有畏寒、胸闷、胸痛，立即到急诊就诊，胸部 CT 示双肺炎症。急诊予布洛芬退热、对症补液后患者仍气促，为进一步诊断治疗来呼吸内科就医，拟诊断为“肺炎”收入院。自发病以来精神状态较差，食欲一般，进食一般，睡眠良好，大便正常，小便正常，体力情况如常，体重无明显变化，无意识障碍。

既往史：自诉有高尿酸血症，曾吃过止痛药。否认高血压、冠心病、糖尿病等慢性病史，否认肝炎、结核等传染病史，否认手术史、外伤史，否认输血史，否认过敏史，预防接种史不详。

检查

体格检查：T 38.1℃，P 98 次 / 分，R 12 次 / 分，BP 147/79 mmHg。发育正常，肥胖，神志清楚，自主体位，应答切题，查体合作。双肺叩诊呈清音，双肺呼吸音清，未闻及干、湿啰音。

诊断

诊断：钩端螺旋体肺炎；肾功能不全；脂肪肝。

诊疗经过

入院查血常规：白细胞计数 7.25×10^9/L，快速 CRP 167.95 mg/L，血红蛋白 116 g/L，淋巴细胞绝对值 0.43×10^9/L，淋巴细胞比例 5.9%，中性粒细胞绝对值 6.45×10^9/L，中性粒细胞比例 89.1%；生化：肌酸激酶 533 U/L，肌酐 161.6 μmol/L，钠 135.0 mmol/L，降钙素原定量 0.63 ng/mL。动脉血气分析：pH 7.41，PCO_2 31.4 mmHg，PO_2 75 mmHg，血乳酸（LAC）0.9 mmol/L，HCO_3^- 21.1 mmol/L，T 39.4℃，SpO_2 84%。心电图提示：窦性心动过速；Q–T 间期延长。凝血 5 项：纤维蛋白原 6.27 g/L，D– 二聚体测定 1.17 mg/L；血清尿酸测定（URIC）+ 血脂 4 项 + 心肌酶 5 项（AMI5）+ 肝功全套（13 项）：尿酸 545 μmol/L，甘油三酯 2.06 mmol/L，天门冬氨酸氨基转移酶 68 U/L，丙氨酸氨基转移酶 53 U/L，白蛋白 36.2 g/L；血清肌红蛋白测定：433.20 ng/mL；甲功 5 项：游离三碘甲状腺原氨酸（FT_3）2.74 pmol/L；2024–06–25 痰细菌涂片检查（一般细菌 + 真菌）：涂片染色找细菌未找到细菌，涂片找真菌未发现真菌；结核菌涂片检查：未发现抗酸菌；2024–06–29 血液厌氧菌培养及鉴定：培养 5 天，未见厌氧菌生长；细菌培养（需氧菌 + 真菌）及鉴定：培养 5 天，未见细菌生长，培养 5 天，未见真菌生长；2024–06–25 支气管镜（图 1–4）：支气管炎症（轻度）；肺泡灌洗液第二代测序（NGS）：肾脏钩端螺旋体，序列数 206。2024–06–25 心脏 + 心功能超声：左房增大。左室收缩功能未见异常；舒张功能减退。2024–06–26 肝胆脾胰超声：符合脂肪肝声像；胆囊息肉。2024–06–27 颅脑 MRI 平扫：脑部 MRI 平扫未见异常。左侧上颌窦黏膜下囊肿。2024–07–02 胸部平扫（含三维 MPR）：双肺散在炎症，较前明显吸收，建议继续治疗后复查。右下肺单发实性小结节，考虑炎性结节，建议定期复查。轻度脂肪肝，请结合临床。入院后止咳、化痰、雾化、平喘、哌拉西林他唑巴坦抗感染治疗，症状好转出院。治疗前后胸部 CT 对比见图 1–5。

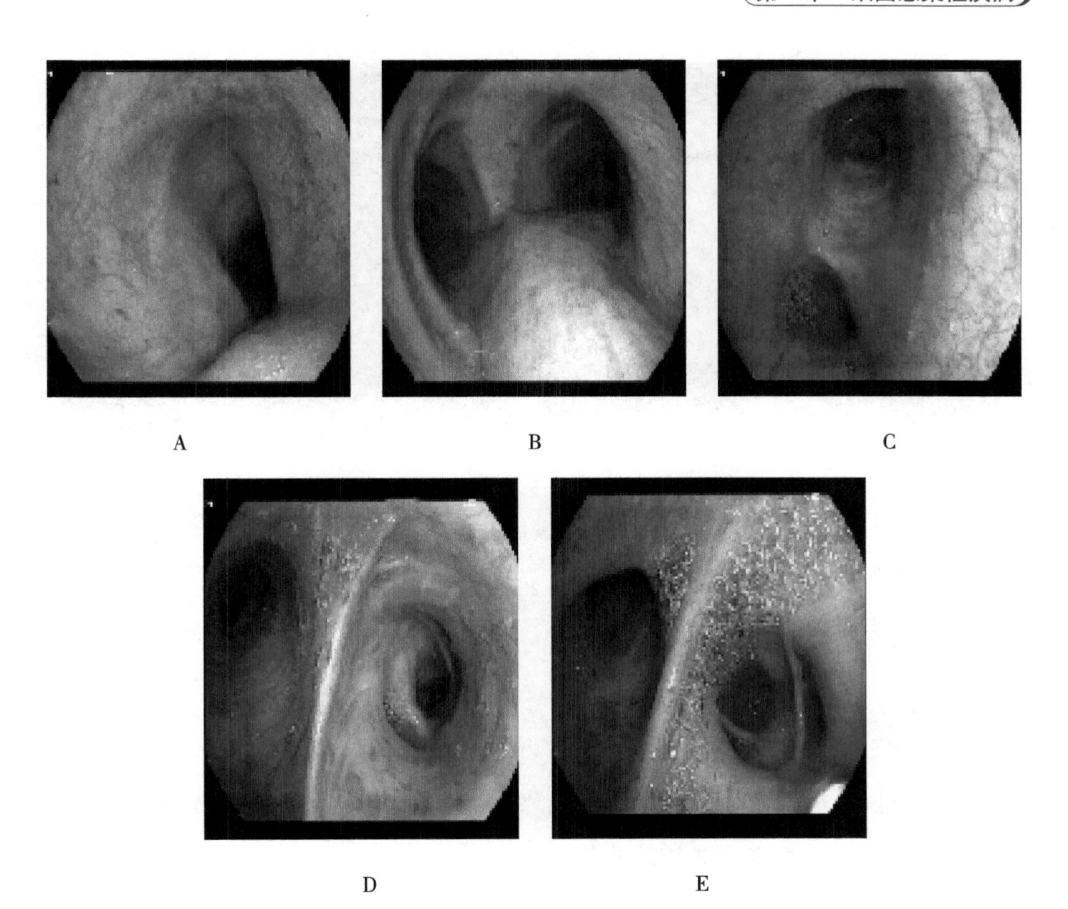

图 1-4　支气管镜情况（彩插 1）

注：A. 气管见声门下 3 cm 处见狭窄；B. 隆突正常；C. 左上、下支气管正常；D. 右上支气管正常；E. 右中、下叶支气管正常

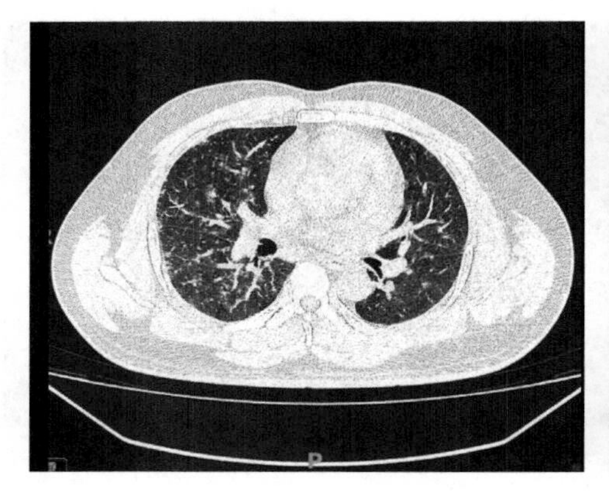

A

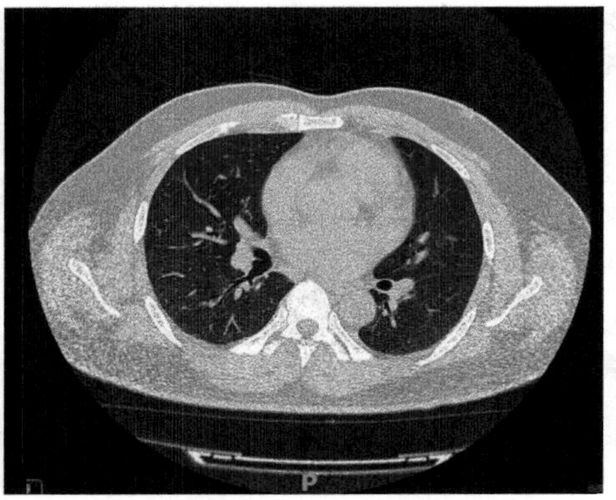

B

图 1-5 治疗前后胸部 CT 对比

注：A. 2024-06-23；B. 2024-07-01

出院情况

患者无再发热，咳少量白黏痰，无恶心、呕吐，无腹痛、腹泻，精神可，睡眠可，胃纳可。复查肾功能较前改善。

讨论

本例患者以发热、全身乏力及全身肌肉酸痛为主要表现，后突发气促急诊收住院。影像学表现为双肺广泛多发小病灶，气管镜下气道炎症情况不明显，气道分泌不多。本例患者借助于肺泡灌洗液 NGS 检查诊断钩体病，在呼吸科不常见。后进一步追溯病史，患者为船务工作者，经常开船清理河涌垃圾及杂草，存在易感因素。

（王银燕）

◎ 支气管扩张合并感染

案例介绍

患者男，61 岁，于 2022-10-12 入院。

主诉：反复咳嗽、咳痰 30 余年，加重伴发热、咯血 1 天。

现病史：患者于 30 年前始无明显诱因出现反复咳嗽、咳痰，咳黄色脓痰，多发生于“感冒”之后，间有咯血、咯血丝痰，伴有活动后气促，曾反复在外院住院治疗，考虑诊断为“支气管扩张合并感染、慢性阻塞性肺疾病”，经应用抗生素及止血药物后病情缓解，长期家庭氧疗。3 个月前因上述症状再次加重住院治疗，诊断为肺炎，痰培养提示铜绿假单胞菌感染，予治疗后症状好转出院。曾反复因上述症状加重住院治疗，2022-07-10 再次到外院住院治疗，诊断为肺炎，痰培养提示多重耐药铜绿假单胞菌感染，予治疗后症状好转出院，1 天前无明显诱因上述症状加重，咳嗽、咳大量黄痰，间伴有咯血丝痰，伴有活动后气促，伴有发热，最高体温为 38℃，无畏寒，无寒战，不伴有咽痛、胸痛，无气短，不伴有盗汗、乏力。未予就诊，现为进一步诊断治疗来就医，门诊拟诊断为“肺炎”收入院。自发病以来精神状态一般，食欲一般，进食可，睡眠良好，大便正常，小便正常，体力情况如常，体重无明显变化。

既往史：有高尿酸血症、前列腺增生等病史，予“非布司他、非那雄胺、坦索罗辛”口服药治疗。

检查

体格检查：T 36.6℃，P 110 次 / 分，R 12 次 / 分，BP 118/75 mmHg，SpO_2 96%。神志清楚，颜面无水肿，全身浅表淋巴结未触及肿大，咽部无充血，双侧扁桃体无肿大；双肺叩诊呈清音，双肺呼吸音粗，右上肺闻及干啰音，左下肺闻及湿啰音。心律齐，未闻及心脏杂音。腹平软，肝脾肋下未触及。双下肢无水肿。

辅助检查：2022-07-18 外院痰培养示：多重耐药菌铜绿假单胞菌感染，亚胺培南、美洛培南、阿米卡星敏感。2022-08-26 我院门诊胸部 CT 示，慢性支气管炎、肺气肿征；两肺多发散在支气管扩张合并感染，大致同前。右肺上叶尖段、右肺下叶后基底段及左肺下叶外基底段不规则软组织密度影，较前相仿，建议追踪复查。两次胸膜增厚、粘连。纵隔多个稍大淋巴结，较前相仿。

诊断

初步诊断：支气管扩张合并感染；慢性阻塞性肺疾病；前列腺增生；高尿酸血症；左肾结石。

鉴别诊断：慢性支气管炎；肺结核。

最终诊断：支气管扩张合并感染；铜绿假单胞菌肺炎；慢性阻塞性肺疾病；前列腺增生；高尿酸血症；左肾结石。

诊疗经过

入院后查 2022-10-12 血气分析：酸碱度 7.363，二氧化碳分压 44.2 mmHg，氧分压 75.6 mmHg；2022-10-12 凝血 5 项：凝血酶原时间 15.96 秒，国际标准化比率 1.33，纤维蛋白原 6.05 g/L，D- 二聚体测定 1.80 mg/L；2022-10-12 生化八项 + 血清尿酸测定（URIC）+ 生化八项 + 心肌酶 5 项（AMI5）+ 肝功全套（13 项）：肌酐 121.3 μmol/L，尿酸 494 μmol/L；2022-10-12 血常规 +CRP：快 CRP 124.20 mg/L，血红蛋白 109 g/L，PCT 未见异常。真菌 G 试验、痰真菌免疫荧光、结核菌涂片检查未见异常。2022-10-15 真菌培养及鉴定：有酵母样真菌生长（少量）。肺泡灌洗液多种病原体靶向测定结果提示金黄色葡萄球菌、铜绿假单胞菌感染。2022-10-13 静息 12 导联心电图：窦性心动过速。2022-10-13 胸部平扫（含三维 MPR）：两肺多发散在支气管扩张合并慢性炎症，大致同前。右肺上叶尖段、右肺下叶后基底段及左肺下叶外基底段软组织影，考虑增殖灶，大致同前，建议随访复查。肺气肿。两侧胸膜增厚、粘连；纵隔多个稍大淋巴结，同前。

2022-10-12 入院后根据外院痰培养药敏结果予阿米卡星 0.4 g qd+ 头孢曲松

他唑巴坦，2022-10-15 因肺泡灌洗液多种病原体靶向测定结果提示金黄色葡萄球菌感染 MRS（+），2022-10-15 开始予万古霉素 0.5 g q8h 抗感染治疗（2022-10-15 至 2022-10-27），2022-10-16 因头孢曲松他唑巴坦药库缺药改用头孢他啶（2022-10-16 至 2022-10-22）。因患者治疗效果欠佳，咳嗽、痰多加重，2022-10-18 痰细菌培养及鉴定：金黄色葡萄球菌阳性，万古霉素（S）≤ 0.5，MRS（+），暂停阿米卡星；2022-10-18 痰细菌培养及鉴定：铜绿假单胞菌阳性。2022-10-21 胸部平扫（含三维 MPR）：两肺多发散在支气管扩张合并慢性炎症，右侧胸腔少量积液，大致同前。右肺上叶尖段、右肺下叶后基底段及左肺下叶外基底段软组织影，考虑增殖灶，大致同前，建议随访复查。肺气肿。两侧胸膜增厚、粘连；纵隔多个稍大淋巴结，同前。2022-10-22 停用头孢他啶，改用美罗培南 1.0 g q8h 抗感染治疗，其余予止咳化痰、平喘、护肾、降尿酸等对症治疗。患者症状逐渐缓解。

出院情况

患者痰量减少，无发热，活动后稍气促，无咯血，一般情况可。查体：生命体征平稳，神清，胸廓桶状胸，呼吸运动正常，呼吸节律正常，双肺叩诊呈过清音，双肺呼吸音粗，双肺可闻及吸气末湿啰音。患者于 2022-10-27 出院。

讨论

此患者有长达 30 年的反复咳嗽、咳痰病史，既往有慢性阻塞性肺疾病病史，结合胸部 CT 显示的慢性支气管炎、肺气肿、支气管扩张和感染征象，支气管扩张合并感染诊断是成立的，而慢性阻塞性肺疾病的诊断需要肺功能检查进一步验证。此患者长期存在慢性咳嗽、咳痰，近期出现急性加重，表现为发热和咯血，提示可能存在新的感染或并发症。痰培养提示铜绿假单胞菌为多重耐药菌，对多种抗生素不敏感，增加了治疗难度。因此，在此特别关注其多重耐药铜绿假单胞菌感染的治疗策略。铜绿假单胞菌是一种广泛存在于环境中的革兰氏阴性杆菌，它能够在医院环境中存活较长时间，并通过直接接触或空气传播给免疫力低下的患者。近年来，随着抗生素的广泛使用，多重耐药铜绿假单胞菌感染的发生率不断上升，尤其在慢性肺部疾病患者中更为常见。多重耐药铜绿假单胞菌感染的治疗面临诸多挑战，包括有限的抗生素选择、药物的不良反应及治疗成本的增加。针对多重耐药铜绿假单胞菌感染，需根据药敏试验结果选择敏感的抗生素。在此病例中，痰培养显示对亚胺培南、美洛培南、阿米卡星敏感。因此，治疗方案中使用了阿米卡星和头孢曲松他唑巴坦，后续根据肺泡灌洗液的病原体靶向测定及痰培养结果，调整为万古霉素和美罗培南。这种个体化治疗策略是应对多重耐药铜绿假单胞菌感染的关键。在某些情况下，联合使用两种或以上的抗生素可能提高治疗效果，尤其是在面对广泛耐药的菌株时。然而，联合用药需要权衡其潜在的不良反应和治疗成本。需要综合运用个体化抗生素治疗，同时，非抗生素治疗手段及严格的感染控制措施同为重要。另外值得注意的是，此患者痰培养结果提示铜绿假单胞菌、金黄色葡萄球菌感染，但肺泡灌洗液只检测出金黄色葡萄球菌，需进一步明确感染的主要致病病原体。

对于支气管扩张症患者，常见的并发症包括急性加重、慢性肺源性心脏病、肺栓塞等，及时发现并处理这些并发症是改善患者预后的关键。定期进行肺功能测试、胸部影像学检查和心脏超声检查，有助于早期发现并发症。在本病例中，患者出现了发热和咯血等症状，提示可能存在急性加重或其他并发症。应密切监测患者的生命体征和症状变化，及时进行必要的辅助检查，如血气分析、胸部 CT 等，以明确诊断并给予相应的治疗。

对于慢性疾病如支气管扩张，制定长期管理计划至关重要。这包括定期的医疗随访、药物治疗、肺康复训练、营养支持和心理支持等。药物治疗应根据患者的病情和药物敏感性测试结果进行调整。肺康复训练有助于改善患者的肺功能和生活质量。此外，教育患者和家属进行关于疾病的自我管理，如正确使用吸入器、识别急性加重的征兆等，也是长期管理的重要组成部分。

参考文献

中华医学会呼吸病学分会. 中国成人支气管扩张症诊治专家共识 [J]. 中华结核和呼吸杂志，2012，35（7）：485-490.

（莫秋弟）

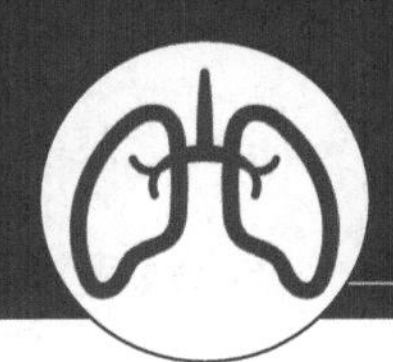

第二章　真菌感染性疾病

◎ 隐球菌肺炎

案例介绍

患者男，37 岁，于 2020-09-11 入院。

主诉：反复咳嗽 1 年余，胸痛 4 个月余。

现病史：患者于 1 年余前无明显诱因出现咳嗽，以干咳为主，无发热、畏寒、寒战，无胸痛、胸闷，无气促、喘息，无潮热、盗汗、乏力，无咯血，曾在当地医院门诊治疗，查胸部 CT 可见“双肺结节”，考虑“炎性结节”，门诊予“头孢、西林（具体不详）”治疗，自觉效果改善不明显。4 个月前患者出现右侧胸痛，为隐痛，与呼吸无明显关系，再次到当地医院就诊，查胸部 CT 可见“双肺磨玻璃样渗出病灶，部分可见晕征”，考虑“真菌感染”，建议停用原抗菌药物，未予特殊治疗，上述症状仍反复出现，2 天前再次在当地医院就诊，查胸部 CT 提示“双肺磨玻璃样渗出病灶，部分可见晕征，较前进展”，现患者为求进一步诊治，遂到门诊就诊，门诊拟“双肺病变查因”收入呼吸内科。起病以来，患者精神、睡眠、胃纳可，二便如常，体重无明显变化。

既往史：平素身体良好，否认高血压、冠心病、糖尿病等慢性病史，有“小三阳”多年，否认结核等传染病史，否认手术史、外伤史，否认输血史，否认过敏史，预防接种史不详。

检查

体格检查：发育正常，营养良好，神志清楚，自主体位，应答切题，查体合作。全身皮肤黏膜色泽正常，未见皮疹，未见肝掌，未见蜘蛛痣。全身浅表淋巴结未扪及肿大。鼻腔通气良好，双鼻窦区均无压痛。口唇红润，咽正常无充血，扁桃体无肿大。心肺未见明显异常。腹软，无压痛、反跳痛，未触及腹部包块。脊柱正常，四肢无畸形，关节无红肿、活动自如，双下肢无水肿。

诊断

初步诊断：双肺病变查因（双肺炎？）。

最终诊断：隐球菌肺炎。

诊疗经过

入院后查血气分析（2020-09-11）：酸碱度 7.425，二氧化碳分压 39.7 mmHg，氧分压 80.0 mmHg，氧饱和度 96.0%，实际碳酸氢盐 26.3 mmol/L，实际碱剩余 2.4 mmol/L，标准碱剩余 1.70 mmol/L，标准碳酸氢盐 26.4 mmol/L；2020-09-11 血常规（CDN）：白细胞计数 9.84×10^9/L，分叶细胞比例 70.40%，分叶细胞绝对值 6.92×10^9/L，单核细胞绝对值 0.85×10^9/L，血红蛋白 168 g/L，血小板计数 238×10^9/L；2020-09-11 血脂七项、心肌酶五项 +IMA、肾功 6 项、肝功全套（13 项）、离子四项、肺部细菌感染血清抗体二项、PCT、二便常规、甲胎蛋白、CA19-9、前列腺特异性抗炎两项、真菌 G 试验、痰培养、结核分枝杆菌相关 γ－干扰素、总 IgE 大致正常；2020-09-11 凝血 5 项：凝血酶原时间 9.9 秒，国际标准化比率 0.84；2020-09-14 感染八项定性：乙肝病毒表面抗原阳性（+），乙肝病毒 e 抗体阳性（+），乙肝病毒核心抗体阳性（+）；2020-09-14 肺癌 4 项：神经元特异烯醇化酶 30.590 μg/L。2020-09-14 胸部 CT：右肺下叶见多发结节灶伴晕征，考虑感染性病变，真菌感染可能性大。请治疗后复查。左肺上叶舌段少许炎性纤维灶。2020-09-15 支气管镜活检：为肺隐球菌病。肺泡灌洗液：TB-DNA、X-pert 均阴性。2020-09-23 头颅 MRI：平扫未见明确病变。诊断为：隐球菌肺炎。予“氟康唑”抗感染、化痰、止咳等对症支持治疗后，病情改善，予带药出院。胸部 CT 见图 2-1。

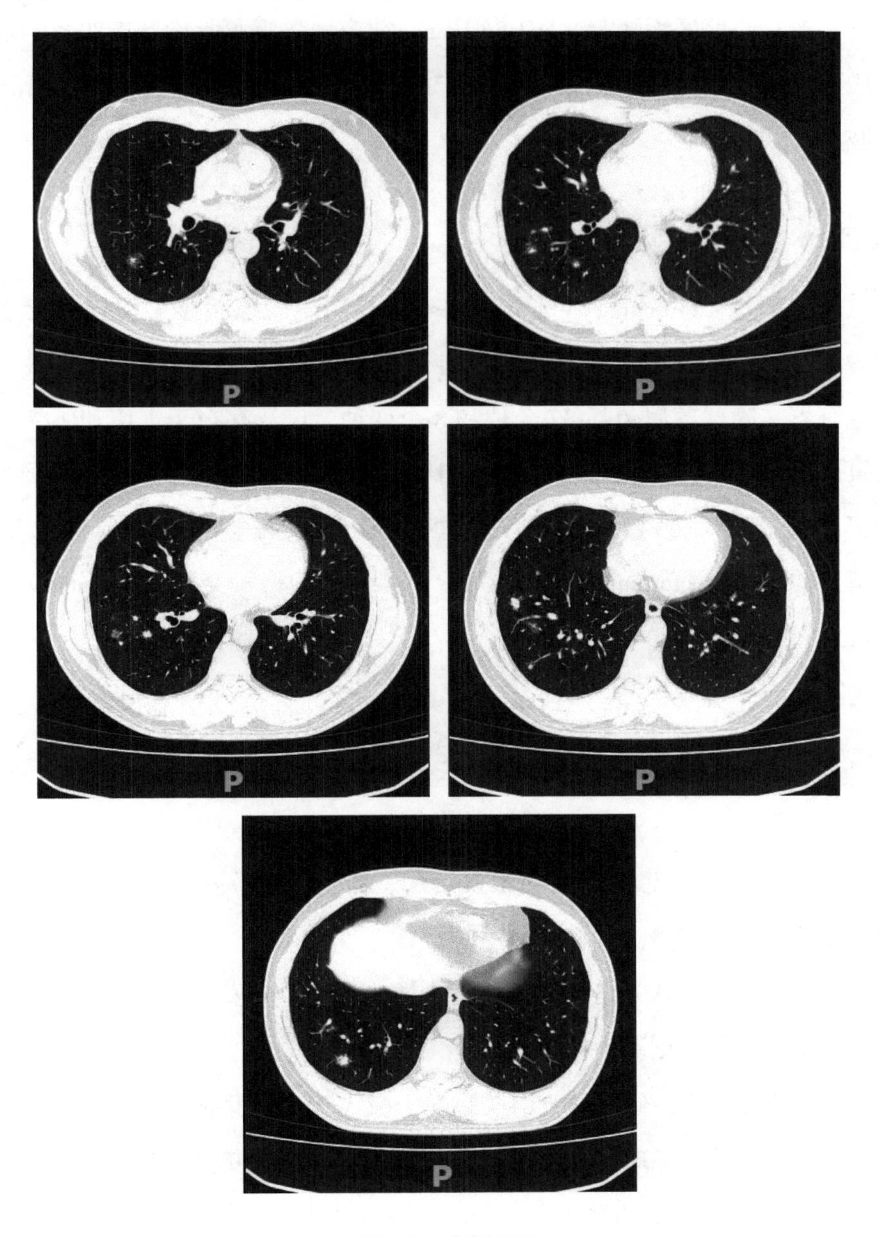

图 2-1　胸部 CT

出院情况

患者偶有咳嗽，无咳痰，无发热、畏寒，无腹痛、腹泻，精神可，睡眠可，胃纳可，大小便正常。查体：BP 116/78 mmHg，神清，双肺呼吸音清，未闻及干、湿啰音。心前区无隆起，HR 56 bpm，律齐，各瓣膜听诊区未闻及病理性杂音。腹平软，无压痛、反跳痛，肝脾未扪及，移动性浊音阴性，肠鸣音正常。双下肢无水肿。

讨论

隐球菌肺炎（pulmonary cryptococcosis）是新生隐球菌感染引起的亚急性或慢性内脏真菌病。主要侵犯肺和中枢神经系统，也可以侵犯骨骼、皮肤、黏膜和其他脏器。隐球菌属包括 37 个种和 8 个变种，广泛存在于土壤和鸽粪中。根据荚膜抗原性的不同，新生隐球菌复合群有 A、B、C、D 四个血清型，国内以 A 型居多，其次为 B 型和 D 型。血清 A 型为格卢比变种（var grubii），血清 D 型为新型变种（var neoformans），血清 B、C 型主要为格特变种（var gattii）。

（一）流行病学

多为散发，年发病率为（0.4 ~ 0.9）/10 万。有免疫功能损害者，尤其是 HIV 感染者，隐球菌肺炎发病率为 6% ~ 10%。

（二）病因

危险因素：AIDS 患者、长期激素治疗、器官移植、恶性肿瘤、糖尿病、结节病、慢性肺部疾病等。

传染源：鸽粪被认为是最重要的传染源，但至今未发现动物 – 人，以及人 – 人之间直接传播的证据。

可能的传播模式：鸽粪→气溶胶颗粒→吸入肺泡→发病。

值得注意的是，隐球菌入侵不一定发病，宿主的免疫状态在此过程中起着决定性的作用。免疫正常的宿主可能仅有放射学改变而无症状，但如果有上述危险因素的宿主，就有可能全身播散、症状严重，尤其是肺部和中枢神经系统。

（三）诊断

1．临床表现

（1）无特异性临床表现，轻重不一，根据临床表现可分为：无症状型、慢性型及急性型。

无症状型：患者多为免疫功能正常者，无任何的临床症状，绝大多数的病例是在接受胸部影像时偶然发现。

慢性型：常为隐匿性起病，表现为咳嗽、咳痰、胸痛、发热、夜间盗汗、气急、体重减轻、全身乏力和咯血，查体一般无阳性体征。

急性型：较为少见，多见于 AIDS 患者，临床上表现为高热、显著的气促和低氧血症，与肺孢子菌肺炎（PCP）十分相似。查体有时双肺可闻及细湿啰音，极少数患者并发胸腔积液而出现相应临床体征。

（2）肺外表现：上腔静脉阻塞、Pancoast 综合征、Horner 综合征、嗜酸性粒细胞性肺炎、气胸及纵隔气肿、累及胸壁。

2．辅助检查

（1）实验室检查：无特异性表现，白细胞计数可以有轻至中度升高，中后期可出现血红蛋白及细胞数减少。

（2）影像学改变：孤立或多个结节影，可见晕征，直径大于 5 mm，一般为 2 ~ 10 cm，可见支气管影，多发小结节状阴影，双肺分布粟粒状阴影，或网状结节影样间质改变，炎症浸润病变，可呈小片状、节段性或叶性分布，空洞、纤维化、胸腔积液与肺门淋巴结肿大等。

（3）病原学诊断：传统真菌镜检和培养是肺部新生隐球菌感染诊断的重要依据。肺泡灌洗液的宏基测序的应用也能作为重要依据。经皮肺穿刺、细针活检对诊断也有重要意义。

（四）治疗

隐球菌感染的治疗策略要根据病变部位与宿主的免疫状况而定。治疗前评估：是否存在免疫功能缺陷、是否合并有中枢神经系统（CNS）隐球菌感染、病情的轻重程度。一般不推荐外科手术治疗。

1．免疫功能正常

（1）无症状，有影像学改变，但不严重的。密切观察，口服氟康唑 200 ~ 400 mg/d，3 ~ 6个月。

（2）轻到中度症状的，口服氟康唑 200 ~ 400 mg/d，6 ~ 12 个月，或伊曲康唑 200 ~ 400 mg/d，6 ~ 12 个月，或两性霉素 B 0.5 ~ 1.0 mg/（kg·d）（总剂量 1 ~ 2 g），期间动态复查胸部 CT，评估疗效。

2．免疫功能异常

（1）轻到中度症状的，氟康唑或伊曲康唑 200 ~ 400 mg/d，终身使用，或氟康唑 400 mg/d+ 氟胞嘧啶 100 ~ 150 mg/（kg·d），10 周。

（2）重症或伴有 CNS 感染者，两性霉素 B 0.7 ~ 1.0 mg/（kg·d）+ 氟康唑 100 mg/（kg·d），6 ~ 10 周，或两性霉素 B 0.7 mg/（kg·d）+5- 氟胞嘧啶 100 mg/（kg·d），2 周，然后口服氟康唑 400 mg/d，10 周。是否需要氟康唑维持治疗视情况而定，对于 HIV 感染者一般要氟康唑终身维持。

（五）小结

肺隐球菌感染多为散发案例，对免疫功能缺陷患者，尤其是 HIV 阳性的患者，如果肺内发现结节，特殊有晕征，要警惕该病，一旦确诊肺隐球菌病，必须常规行脑脊液检查，排除中枢神经系统感染，药物治疗为首选，不建议手术治疗，避免引起病原扩散。

参考文献

[1] 温海. 隐球菌感染诊治专家共识 [J]. 中国真菌学杂志，2010，5（2）：65-68.

[2] 施毅. 肺隐球菌病的诊断与治疗 [J]. 中华结核和呼吸杂志，2007，30（11）：4.

[3] 饶志刚，赵子文. 真菌抗原检测在侵袭性肺真菌病诊断中的价值 [J]. 广东医学，2012，33（21）：3.

[4] 应可净，江立斌，陈恩国，等. 肺隐球菌病九例分析 [J]. 中华结核和呼吸杂志，2005，28（7）：4.

（老奋坚）

◎ 新型隐球菌肺炎

案例介绍

患者男，36 岁，于 2024-06-03 入院。

主诉：反复咳嗽、咳痰 5 个月。

现病史：患者于 5 个月前感染新型冠状病毒后出现咳嗽、咳痰，痰为黄脓色，每日咳痰多，伴有鼻塞、流涕，无咯血，无发热，无畏寒，无寒战，不伴有咽痛，不伴有胸痛，无气短，不伴有盗汗、乏力。到当地医院就诊，经对症治疗后症状好转。3 个月前患者再次咳嗽、咳痰加重，咽痒，无气促、发热，无恶心、呕吐，无头痛、头晕，无乏力，期间曾出国 1 次，自诉发生重感冒 1 次，咳嗽逐渐加重，性质同前，2024-05-17 到外院住院治疗，胸部 CT 提示双肺炎症，2024-05-21 支气管镜肺组织穿刺活检病理结果提示新型隐球菌感染。肺泡灌洗液 NGS 提示隐球菌感染，头颅 MRI 提示双侧侧脑室旁白质高信号，双侧窦炎，住院期间尝试腰椎穿刺术检查 2 次，未成功，住院期间开始予氟康唑 400 mg qd 抗真菌治疗 5 天，但咳嗽未见好转，现为进一步诊断治疗就医，在门诊拟诊断为“肺炎”收入院。自发病以来精神状态一般，食欲一般，进食可，睡眠良好，大便正常，小便正常，体力情况如常，体重无明显变化，无意识障碍。

检查

体格检查：T 36.4 ℃，P 123 次 / 分，R 20 次 / 分，BP 120/83 mmHg，SpO_2 96%。神志清楚，颜面无水肿，全身浅表淋巴结未触及肿大，咽部无充血，双侧扁桃体无肿大；双肺叩诊呈清音，双肺呼吸音清，未闻及干、湿啰音。心律齐，未闻及心脏杂音。腹平软，肝脾肋下未触及。双下肢无水肿。

辅助检查：2024-05-22 外院支气管镜诊断性肺灌洗分子病理示新型隐球菌。左下肺外基底段活检常规病理示慢性炎症伴肉芽肿性炎，组织细胞胞浆内可见大量小、圆形孢子样物，考虑隐球菌。2024-05-23 肺泡灌洗液液基制片可见少量的支气管柱状上皮细胞、组织细胞及炎细胞，未见癌细胞。肺泡灌洗液分子病理示，结核分枝杆菌复合群 DNA-PCR 检测阴性。

诊断

诊断：新型隐球菌肺炎；鼻窦炎。

鉴别诊断：慢性阻塞性肺疾病；肺癌。

诊疗经过

入院后检查血常规 +CRP（2024-06-03）：快速 CRP 24.59 mg/L，白细胞计数 9.51×10^9/L，单核细胞绝对值 0.92×10^9/L，红细胞计数 4.86×10^{12}/L，血红蛋白 41 g/L，血小板计数 472×10^9/L；凝血 5 项：纤维蛋白原 5.54 g/L；真菌免疫荧光染色检测涂片检出孢子（+++），隐球菌涂片检查未见发现隐球菌。生化八项、血清肌钙蛋白 I、降钙素原、尿常规、大便常规、细菌涂片、结核分枝杆菌涂片、真菌 G 试验未见明显异常。2024-06-04 胸部 CT 平扫示：右肺上叶后段及双肺下叶炎症，建议治疗后复查。心电图示：窦性心律，逆钟向转位，T 波改变。

入院后于 2024-06-03 开始予哌拉西林钠舒巴坦（特灭菌）6 g q12h（4 天）+ 氟康唑（大扶康）400 mg qd（8 天）抗感染治疗，2024-06-05 支气管镜下肺泡灌洗液 MetaCAPTM 病原微生物核酸高通量测序报告：新型隐球菌，序列数 1719；因仍咳嗽明显，于 2024-06-06 开始予两性霉素 B 雾化吸入治疗（2 天），因两性霉素 B 雾化后出现明显咳嗽暂停用药，并停用哌拉西林舒巴坦；2024-06-09 痰培养：新型隐球菌阳性，两性霉素 B、氟康唑、伏立康唑敏感；继续氟康唑抗真菌，其余予止咳化痰、平喘、抗过敏等对症支持治疗。2024-06-11 患者症状逐渐好转出院。

出院情况

患者咳嗽好转，少痰，无发热、气促，无头痛，一般情况尚可，查体：BP 122/82 mmHg，胸廓正常，呼吸运动正常，呼吸节律正常，双肺叩诊呈清音，双肺呼吸音清，未闻及干、湿啰音，心前区无隆起，心尖搏动范围正常，心前区未触及震颤和心包摩擦感，心脏相对浊音界正常，心率 90 次 / 分，心律齐整，各瓣膜听诊区未闻及杂音。继续氟康唑 400 mg po qd 抗真菌治疗，其余予对症治疗，抗真菌治疗至少 6 个月，门诊定期复查，切勿私自停药。

讨论

新型隐球菌肺炎是由新型隐球菌引起的一种机会性感染，主要影响免疫功能低下的患者，尤其是 HIV/AIDS 患者。然而，免疫正常的个体也可能感染，尤其是在接触了隐球菌孢子的环境后。

根据最新的指南和专家共识，新型隐球菌肺炎的诊断标准通常包括以下几点：

（1）临床症状：患者通常表现为非特异性的呼吸系统症状，如咳嗽、咳痰、胸痛、发热等。

（2）影像学检查：胸部 X 线或 CT 扫描显示肺部浸润或结节。

（3）实验室检测：痰液、支气管肺泡灌洗液或组织样本中检测到新型隐球菌，包括涂片镜检、培养或分子生物学方法（如 PCR）。

（4）组织病理学：组织样本中发现新型隐球菌的典型形态，如荚膜形成的酵母细胞。

（5）抗真菌治疗反应：对新型隐球菌敏感的抗真菌治疗有反应。

在此病例中，患者有反复咳嗽、咳痰的症状，结合其新型冠状病毒感染史和免疫力低下的背景，这些症状与新型隐球菌肺炎的临床表现相符。影像学检查显示双肺炎症，支气管镜肺组织穿刺活检病理结果提示新型隐球菌感染，肺泡灌洗液分子病理也提示隐球菌感染。此外，痰培养结果为新型隐球菌阳性，且对两性霉素 B、氟康唑、伏立康唑敏感。这些结果均支持新型隐球菌肺炎的诊断。此外，患者还有鼻窦炎的诊断，这可能与隐球菌感染有关，因为隐球菌可以侵犯多个器官系统。

在讨论此病例的治疗方案时，需遵循最新的临床指南和专家共识，以确保对新型隐球菌肺炎进行有效管理。治疗原则包括及时的抗真菌治疗、支持性治疗及长期管理，以预防复发。根据患者的具体情况，包括免疫状态和药物耐受性，选择适宜的治疗方案至关重要。具体治疗方案通常分为三个阶段：诱导期、巩固期和维持期。在诱导期，推荐使用两性霉素 B［0.7 ～ 1.0 mg/（kg·d）］联合氟胞嘧啶［100 mg/（kg·d）］，分四次静脉给药，持续至少 2 周。然而，此病例中患者对两性霉素 B 雾化治疗出现不良反应，因此，应考虑使用氟康唑（400 ～ 800 mg/d）作为替代治疗方案。巩固期使用氟康唑（400 ～ 800 mg/d）口服，持续 8 ～ 10 周，以清除残留的真菌。对于免疫抑制患者，如 HIV/AIDS 患者，在巩固治疗后继续使用氟康唑进行维持治疗，以预防复发。在选择治疗方案时，应考虑药物的可获得性、患者的耐受性和药物敏感性测试结果。治疗疗程通常包括 2 周的诱导治疗，随后是 8 ～ 10 周的巩固治疗。对于免疫抑制患者，可能需要更长时间的维持治疗。治疗过程中的注意事项包括监测药物不良反应，如氟康唑可能导致肝功能损害，以及两性霉素 B 可能引起肾功能损害。同时，需注意药物间的相互作用，如氟康唑与华法林或苯妥英钠的相互作用。在 HIV/AIDS 患者中，抗反转录病毒治疗可能导致免疫重建炎症综合征，需要密切监测。此外，患者教育是治疗成功的关键，确保患者理解治疗的重要性并遵守治疗方案。

此病例提供了一个宝贵的临床案例，通过对其诊疗过程的分析，可以更好地理解新型隐球菌肺炎的特点和治疗策略。未来的研究应进一步探索新型隐球菌肺炎的发病机制、优化诊疗方案，并加强患者的长期管理，以提高治疗效果和改善患者的生活质量。

参考文献

中华医学会呼吸病学分会哮喘学组. 变应性支气管肺曲霉病诊治专家共识（2022 年修订版）［J］. 中华结核和呼吸杂志，2022，45（12）：1169-1179.

（莫秋弟）

◎ 肺隐球菌病合并糖尿病

案例介绍

患者男，33 岁，于 2021-12-21 入院。

主诉：体检发现右肺多发占位性病变 1 周余。

现病史：患者于 1 周余前常规体检查胸部 CT 平扫示“右肺中叶外侧段肿块，性质待定，建议增强 CT 检查；右肺中叶病灶，考虑感染”，遂于 2021-12-20 来门诊就诊，查胸部增强 CT 示“右肺中叶多发结节、斑片状密影，外侧段结节见支气管气体影及小空洞，边缘可见晕征，增强扫描较致密部分轻度强化，考虑感染性病变可能性大（真菌？）；左肺下叶外基底段小结节，考虑炎性肉芽肿”。患者发病以来，无咳嗽、咳痰、咯血，无发热，无畏寒，无寒战。不伴有咽痛，不伴有胸痛，无气短。不伴有盗汗、乏力。门诊拟诊断为“肺部感染”收入院。自发病以来精神状态良好，食欲一般，进食可，睡眠良好，大便正常，小便正常，体力情况如常，近 1 年体重降低约 6 kg，无意识障碍。

既往史：2021 年 1 月因“口干、多尿、消瘦 1 年，加重 1 月”在内分泌科住院治疗，诊断为 2 型糖尿病肾病Ⅱ期，目前给予“利拉鲁肽注射液（诺和力）（1.80 mg H qd）”降糖治疗，家庭监测空腹血糖波动于 5 ～ 7 mmol/L，餐后血糖不详。

检查

体格检查：T 36.8℃，P 102 次 / 分，R 20 次 / 分，BP 106/74 mmHg。神志清楚，全身浅表淋巴结未扪及肿大。咽无充血，双侧扁桃体无肿大，胸廓正常，呼吸运动正常，呼吸节律正常，双肺叩诊呈清音，双肺呼吸音清，未闻及干、湿啰音。心律齐整，各瓣膜听诊区未闻及杂音。腹软，无压痛、反跳痛，未触及腹部包块，肝脾肋下未触及，双下肢无水肿。

辅助检查：2021-12-20 门诊胸部 CT 增强（图 2-2）结果见现病史。

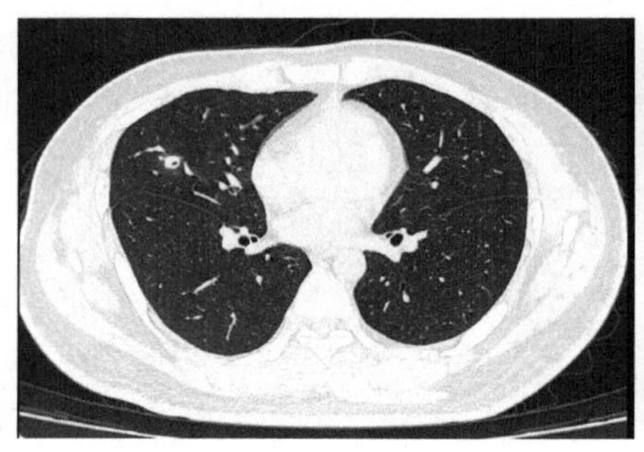
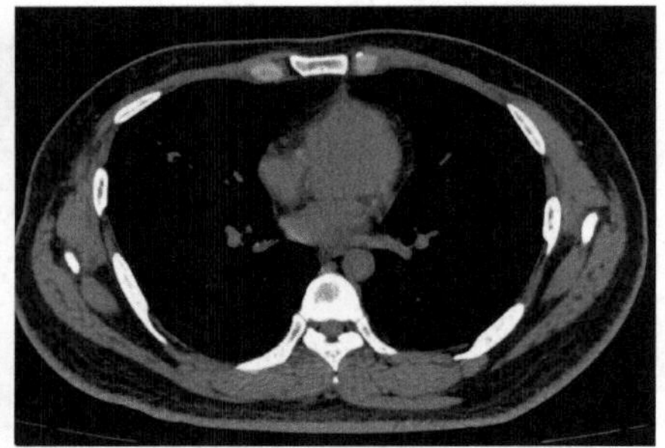

图 2-2　胸部 CT

诊断

初步诊断：右肺中叶结节查因（感染？）；2 型糖尿病，糖尿病肾病Ⅱ期。

最终诊断：肺隐球菌病（糖尿病基础，体检胸部 CT 发现肺部结节伴空洞）；2 型糖尿病，糖尿病肾病Ⅱ期。

诊疗经过

入院后完善相关检查，2021-12-21 血气分析：酸碱度 7.353，二氧化碳分压 43.8 mmHg，氧分压 78.9 mmHg；血常规：白细胞计数 7.80×10^9/L，分叶细胞比例 75.7%，淋巴细胞比例 19.5%。肺癌 4 项：神经元特异烯醇化酶 15.920 μg/L。总 IgE 测定（过敏）：219.42 IU/mL。凝血功能、降钙素原、肌钙蛋白 I、脑利尿钠肽、尿便常规、真菌 G 试验、痰涂片及培养、T-spot 无特殊。2021-12-21 静息 12 导联心电图：窦性心律；正常心电图。

入院后予“左氧氟沙星氯化钠注射液 0.5 g qd 静脉滴注”抗感染。2021-12-22 支气管镜：支气管腔内未见明显异常。经支气管肺泡灌洗术。肺泡灌洗液宏基因组检测提示新型隐球菌感染。改予“氟康唑氯化钠注射液抗真菌治疗（首日 0.4 g ivd qd，第二天开始 0.2 g ivd qd）”，其余予控制血糖等对症支持治疗。

出院情况

患者无咳嗽、咳痰，无发热、咯血等不适，查体：生命体征平稳，双肺呼吸音清，未闻及干、湿啰音。出院带药：氟康唑胶囊（大扶康）200 mg po qd，利拉鲁肽注射液（诺和力）1.80 mg H qd。嘱其出院后切勿自行停药、减量。1周后呼吸内科门诊随诊，复查血常规、肝肾功能，连续服药1个月后复查胸部CT。患者后续门诊复查胸部CT（图2-3）示右肺中叶病灶逐步吸收。

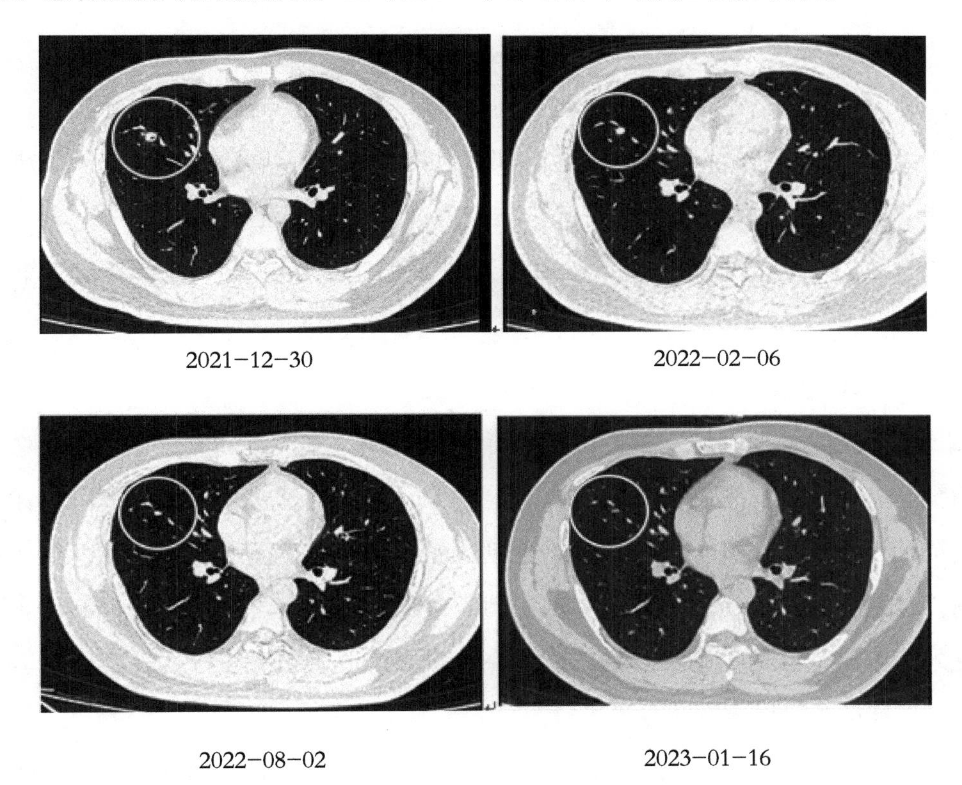

图2-3　复查胸部CT

讨论

肺隐球菌病是由隐球菌经人体呼吸道侵入肺部而导致的一种呼吸道深部真菌感染性疾病。隐球菌是一种单体酵母样真菌，与人类致病性密切相关的是新型隐球菌、格特隐球菌，隐球菌分布较广泛，以出芽方式生殖，不形成菌丝，菌体被宽厚的荚膜包裹，在组织中呈圆形或卵圆形，常在被鸽子或其他鸟类的粪便污染的土壤中检出，具有机会性致病特征，肺部是隐球菌最常侵犯的器官之一，仅次于中枢神经系统。人类常不经意吸入隐球菌孢子而患病，肺隐球菌病各年龄人群皆可发病，临床报道的以青壮年多见，男性发病率高于女性。可能与青壮年男性从事体力活动，接触致病源有关。一般情况下正常人吸入隐球菌孢子多可被机体免疫系统清除而不致病，发病者多有免疫功能受损，如HIV、恶性肿瘤、器官移植、糖尿病、慢性肾功能不全或长期接受免疫抑制药物治疗的患者。

1. 临床表现

肺隐球菌病的临床症状和体征表现无特异性，多为亚急性、慢性起病，偶可为急性起病。症状轻重不一，可表现为咳嗽、咳痰、胸痛、咯血等，发热相对少见，且多合并细菌感染或有基础疾病，也可以无症状体检发现，少数呈急性肺炎表现，高热、气急、低氧血症，多见于免疫力低下合并其他感染的患者。

2. 辅助检查

（1）肺隐球菌病的实验室检查主要包括：GM（半乳甘露聚糖）试验、隐球菌荚膜多糖抗原、墨汁染色及mNGS检测等。需要注意的是临床上常用于真菌检测的还有G试验（1，3-β-D葡聚糖试验），G实验可用于怀疑侵袭性真菌病，包括念珠菌病、曲霉病、肺孢子菌病等，但并不包含隐球菌病和毛霉病。此外对于疑似隐球菌脑膜炎者，建议完善腰穿、留取脑脊液行脑脊液病原学检查，墨汁染色可快捷有效查找隐球菌。

（2）肺隐球菌病影像表现无特异性，病灶多分布在肺野外带或胸膜下区域，多分布在下叶，其胸部CT表现如下。①结节状高密度团块影：可为单个或多个，大多分布在胸膜下或靠近胸膜，边界可清楚，可出现渗出、晕征，部分可见分叶或毛刺，结节或肿块部分呈融合趋势，结节出现液化和坏死时可形成空洞。②斑片状高密度实变影：病灶可呈大叶或节段性排列，边界模糊，密度不均，可见空气支气管征，需与大叶性肺炎相鉴别。③多发粟粒结节影：病灶表现为两肺弥漫性多发结节，直径3～5 mm不等，边界较模糊，短时间内结节可聚集融合成片，该类患者病情常为血行播散感染，病情较重，进展较快，容易出现呼吸衰竭。④间质性肺炎型：病灶表现磨玻璃样改变和微小结节性影像，目前该型病例报道较少，较为罕见。⑤混合型：可表现为团块、实变、多发结节及斑片状阴影等多种病灶共存，易与其他感染或肿瘤性疾病相混淆，临床需注意应用其他办法进行鉴别。

本例患者存在糖尿病基础病，存在隐球菌感染高危因素。胸部CT以结节影为主要表现，伴有晕征、空洞，mNGS发现新型隐球菌，经过氟康唑治疗后，肺部病灶逐步吸收。临床上对于存在高危因素、胸部影像学存在上述特点患者，注意进行相应实验室及病理检查，明确诊断。

参考文献

[1] 中华医学会热带病与寄生虫学分会艾滋病学组. 艾滋病合并侵袭性真菌病诊治专家共识[J]. 中华传染病杂志，2019，37（10）：581-593.

[2] 中国医疗保健国际交流促进会临床微生物学分会，中华医学会检验医学分会临床微生物学组，中华医学会微生物学和免疫学分会微生物学组. 侵袭性真菌病真菌学检查指南[J]. 中华检验医学杂志，2023，46（06）：541-557.

[3] 北京医学会检验医学分会. 重症社区获得性肺炎病原微生物实验室诊断专家共识[J]. 中华医学杂志，2020，100（19）：1459-1464.

[4] 中华医学会感染病学分会. 隐球菌性脑膜炎诊治专家共识[J]. 中华传染病杂志，2018，36（4）：193-199.

（许丹媛）

◎ 慢性阻塞性肺疾病合并流感相关肺曲霉病

案例介绍

患者男，81 岁，于 2023-12-10 入院。

主诉：反复咳嗽、咳痰 2 年，气促半年，加重 1 天。

现病史：患者于 2 年前始出现反复咳嗽、咳痰，咳嗽呈阵发性、非金属样咳嗽，多为白色泡沫样痰，每年发作时间累计超过三个月，多于天气转变或受凉后出现。半年前始出现活动后气促，劳动耐力逐年下降，上楼时、快步行走即有出现，休息后缓解。未正规就诊及检查。1 天前无明显诱因出现咳嗽、咳痰增加，痰为黄白黏痰，气促加重，稍活动即可出现，可闻及喘鸣音，伴有鼻塞、流清涕、打喷嚏，间中有胸闷，无畏寒、发热，无心悸、夜间阵发性呼吸困难等。今到医院急诊就诊，胸部 CT 提示双肺多发小结节及磨玻璃影，右上肺陈旧性纤维增殖灶。予“甲泼尼龙 40 mg、头孢哌酮他唑巴坦 2.25 g、氨茶碱注射液 0.25 g”静滴后，患者气促稍改善，为进一步诊治收入呼吸内科。患者自起病以来，精神、胃纳、睡眠可，小便踌躇，大便干结，体重改变不详。

个人史：吸烟 60 余年，平均 20 支 / 日，未戒烟。

检查

体格检查：T 37.0℃，P 98 次 / 分，R 22 次 / 分，BP 129/90 mmHg。神志清楚，全身浅表淋巴结未扪及肿大。球结膜水肿。咽无充血，双侧扁桃体无肿大，胸廓桶状胸，呼吸运动双侧减弱，呼吸节律正常，双肺叩诊呈过清音，双肺呼吸音减弱，呼吸相延长，可闻及呼气相哮鸣音。心前区无隆起，心尖搏动范围正常，心前区未触及震颤和心包摩擦感，心脏相对浊音界正常，心律不齐，可闻及早搏。腹软，无压痛、反跳痛，未触及腹部包块，肝脾肋下未触及，双下肢无水肿。

辅助检查：2023-12-10 急诊血常规 +CRP 示，中性粒细胞比例 69.3%，白细胞计数 4.19×10^9/L，红细胞计数 3.48×10^{12}/L，血小板计数 119×10^9/L，快速

CRP 3.32 mg/L；2023-12-10 高敏肌钙蛋白 I 24.0 pg/mL。2023-12-10 生化八项 + 心肌酶五项 +IMA：钾 4.3 mmol/L，肌酸激酶 67 U/L，尿素 3.7 mmol/L，肌酐 106.0 μmol/L，钠 137.0 mmol/L，天门冬氨酸氨基转移酶 60 U/L，肌酸激酶同工酶 MB 活性 11 U/L。胸部 CT 提示双肺多发小结节及磨玻璃影，右上肺陈旧性纤维增殖灶。

诊断

初步诊断：慢性阻塞性肺疾病伴有急性加重；双肺多发结节性质待定。

鉴别诊断：支气管哮喘急性发作；支气管扩张；心源性哮喘。

最终诊断：慢性阻塞性肺疾病伴有急性加重，Ⅱ型呼吸衰竭；肺曲霉病；流行性感冒；双肺多发结节性质待定；快速型心房颤动；冠状动脉粥样硬化性心脏病？糖尿病；鼻窦炎；肝功能不全；胆囊结石；电解质紊乱。

诊疗经过

入院后予完善相关检查，2023-12-10 D- 二聚体测定 0.65 mg/L；2023-12-10 血气分析：酸碱度 7.334，二氧化碳分压 36.8 mmHg，氧分压 92.3 mmHg，氧饱和度 96.6%，实际碳酸氢盐 19.7 mmol/L，氧合指数 318.3。2023-12-10 肝功全套（13 项）：天门冬氨酸氨基转移酶 55 U/L，γ- 谷氨酰转移酶 61 U/L。2023-12-10 脑利尿钠肽 467.00 pg/mL。2023-12-11 尿液分析：葡萄糖 3+。糖化血红蛋白 7.8 mmol/L。2023-12-10 流感抗原阴性；新冠抗原阴性。

2023-12-11 肺炎支原体抗体阳性（1 ∶ 40），结核分枝杆菌 IgG 抗体阴性（-）。2023-12-11 结核涂片检查：未发现抗酸菌。痰培养阴性。2023-12-11 多通道 12 导联心电图检查：快速型心房颤动；ST-T 轻度改变。2023-12-11 肝胆脾胰 B 超：胆囊结石。肝、脾、胰未见明显异常。2023-12-11 前列腺精囊 B 超：前列腺稍大并钙化。2023-12-11 双肾输尿管膀胱 B 超：双肾、双输尿管、膀胱未见明显异常。2023-12-11 心脏心功能 + 彩超：主动脉硬化声像。左室收缩功能未见异常。2023-12-12 动态心电图：快速型心房颤动 - 心房扑动；偶发室性早搏；ST-T 改变。2023-12-11 副鼻窦平扫（含三维 MPR）：双侧上颌窦炎症。双侧基底节区多发性腔隙性脑梗死。双侧脑室旁脑白质变性改变。脑萎缩。

入院后予“左氧氟沙星氯化钠注射液 0.5 g qd 静脉滴注（2023-12-10 至 2023-12-16）、注射用头孢哌酮钠舒巴坦钠 3 g q12h 静脉滴注（2023-12-12 至 2023-12-18）”抗感染、祛痰、解痉平喘、抗炎、间断无创呼吸机辅助通气、抗凝、纠正电解质紊乱、胰岛素控制血糖、护肝等治疗，患者气促、喘息仍有加重，2023-12-16 复查胸部 CT（图 2-4）提示：慢性支气管炎并肺气肿；双肺新增散在分布多发结节、空洞影，结合病史考虑存在真菌感染；右肺中叶肺不张、相应气管腔内少许黏液栓可能；心包少量积液；双侧胸腔积液。

考虑合并真菌感染，予“注射用伏立康唑”静脉滴注抗真菌感染。2023-12-17 支气管镜下见大量黄白黏痰，支气管壁见白斑，肺泡灌洗液呼吸道多种病原学靶向检测结果：烟曲霉（序列数 674），甲型流感病毒 H3N2（序列数 69356）。住院期间先后予多次支气管镜吸痰治疗，同时加强营养支持、呼吸康复锻炼等干预后，患者咳嗽、咳痰明显减少，气促改善，于 2024-01-07 出院。

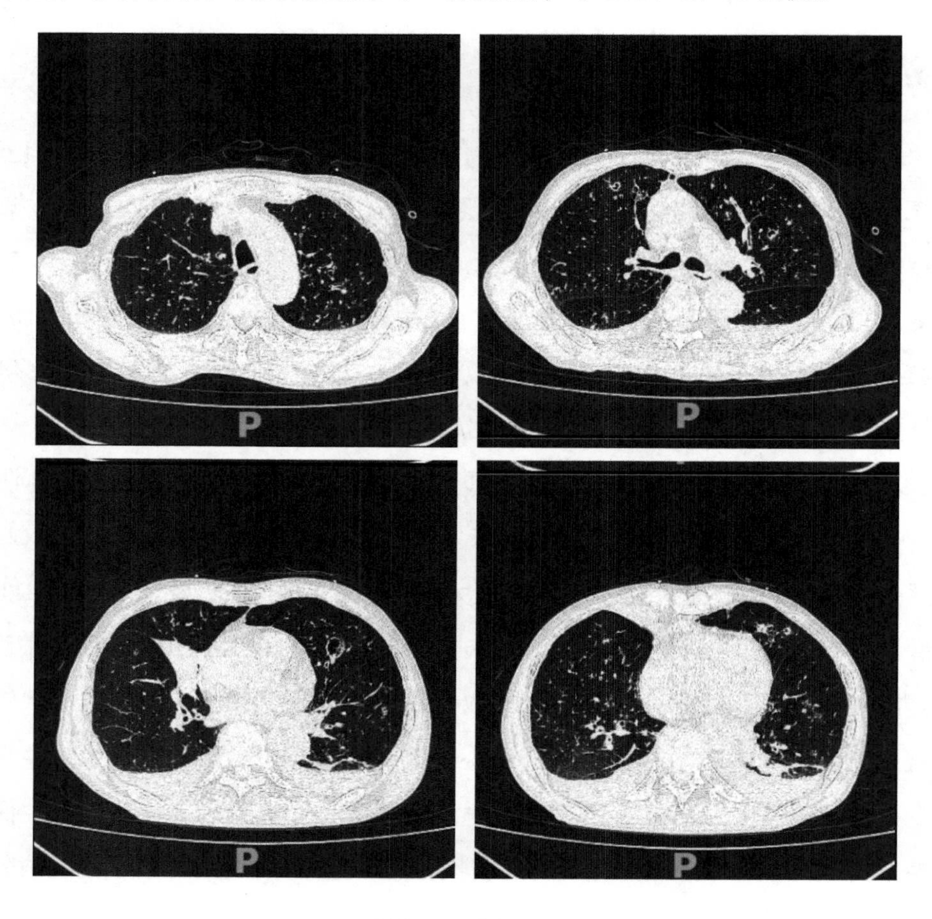

图 2-4　胸部 CT

出院情况

患者间中有少许咳嗽，咳少许白黏痰，气促较前改善，无喘息发作，无畏寒、发热。查体：生命体征平稳，桶状胸，双肺呼吸音减弱，未闻及干、湿啰音，心律不齐，可闻及早搏。双下肢无水肿。出院带药：伏立康唑片 200 mg po bid；盐酸氨溴索分散片 30 mg po tid；复方甲氧那明胶囊 2 粒 po tid；孟鲁司特钠片（顺尔宁）10 mg po qn；非那雄胺片 5 mg po qd；（哈乐）坦索罗辛缓释胶囊 0.20 mg po qn；利伐沙班片（邦悦妥）10 mg po qd；阿卡波糖 50 mg po tid；布地格福吸入气雾剂 2 吸 q2h（用后漱口）。

嘱其注意保证能量和蛋白质供给，防止营养不良；坚持使用吸入药物、家庭氧疗、呼吸康复锻炼（缩唇呼吸、腹式呼吸），注意预防感染（每年 9 ~ 11 月份注射流感疫苗，每 5 年注射肺炎疫苗 1 次）；监测血糖；门诊随诊。

讨论

本例患者有慢性阻塞性肺疾病基础，流感后出现咳嗽、咳痰、气促加重，进展快，短时间内出现呼吸衰竭加重，胸部 CT 肺部病灶增加，且出现空洞病变。病原学发现流感病毒、肺曲霉菌，经过抗真菌治疗、呼吸支持、解痉平喘等治疗后逐渐好转。

流感相关肺曲霉病（IAPA）是一种病情发展非常迅速的疾病。流感引起炎症、上皮损伤和对真菌病原体的免疫反应的改变使患者容易受到曲霉菌和细菌的双重感染，且由于产孢造成了极大的真菌负担，引起该病的快速侵袭和进展。另外，在治疗流感时通常开具神经氨酸酶抑制剂如奥司他韦或全身用糖皮质激素，但有研究发现，奥司他韦及糖皮质激素的使用也是 IAPA 的危险因素。

IAPA 在危重的患者中较为常见，发病率约为 32%，死亡率也较非危重患者翻了一倍（51% vs 28%）。IAPA 的发病较早，通常在流感确诊后 2 ~ 5 天内，患者可出现发热、咳血及呼吸衰竭。虽然痰培养和气管内抽吸物虽然获取较为简单，但其敏感性并不高，也无法区分曲霉是否为侵袭性。半乳甘露聚糖是曲霉细胞壁的主要成分，血清半乳甘露聚糖指数＞ 0.5 是诊断 IAPA 的良好指标，约 80%的 IAPA 患者的血清半乳甘露聚糖呈阳性。血清 β –D– 葡聚糖也可作为辅助检查。

IAPA 的常见影像学包括结节影、沿气道分布的结节及斑片影、“树芽征”等，“晕征”、空洞等多见于伴中心粒细胞减少的患者。

多数（约 55%）IAPA 患者有曲霉性气管支气管炎（ATB），其在气管镜下的典型表现为假膜、溃疡、结节样的病损，当重症流感患者在气管镜下出现上述典型表现时应高度怀疑曲霉感染。肺泡灌洗液半乳甘露聚糖指数＞ 1，对诊断 IAPA 有很高的特异性。肺泡灌洗液 NGS 可帮助尽早明确病原体。

IAPA 的病死率极高，延迟治疗十分危险，早期诊治非常重要，并建议可以对使用机械通气的流感患者采取预防性的治疗。IAPA 的一线治疗包括伏立康唑和艾沙康唑，两性霉素 B 脂质体和棘球白素联合对于怀疑对康唑类药物耐药时也可使用。对于孕妇，禁用康唑类药物，可首选多烯类药物。

参考文献

［1］刘晓，宋营改，李若瑜. 重症呼吸道病毒感染并发/继发侵袭性真菌感染［J］. 中国真菌学杂志，2021，16（3）：211-216.

［2］中华医学会呼吸病学分会. 慢性阻塞性肺疾病伴肺曲霉病诊治和管理专家共识［J］. 中华结核和呼吸杂志，2024，47（7）：604-622.

（许丹媛）

◎ 侵袭性肺曲霉病

案例介绍

患者男，33 岁，于 2023-09-12 入院。

主诉：反复咳嗽、咳痰 5 年余，咯血丝痰 1 个月。

现病史：患者于 5 年余前无明显诱因出现反复咳嗽，为阵发性连声咳，无明显昼夜规律，有咳黄白黏痰，气促有发热，体温最高 37.8℃，咳嗽剧烈时有气促，伴有鼻塞、流涕、夜间盗汗，无畏寒、寒战，无喘息、胸闷、胸痛、心悸，无咯血、消瘦，2018 年 1 月入院，胸部平扫（含三维 MPR）："漏斗胸"术后改变，双上肺支扩并慢性炎症，双侧胸膜增厚。诊断"双肺支气管扩张合并感染；漏斗胸术后"，查肺炎支原体抗体 1 ∶ 320，予"哌拉西林他唑巴坦钠 + 阿奇霉素 + 氟康唑"抗感染，以及祛痰、舒张支气管等药物治疗。患者咳嗽、咳痰明显减少。出院后未规律定期复查，2019-03、2021-05 因再次出现发热，最高 38℃，伴咳嗽、咳黄色黏痰增多，无明显活动后气促，考虑"双肺支气管扩张合并感染"住院，分别予"阿奇霉素 + 头孢哌酮舒巴坦、头孢他啶"抗感染、祛痰、平喘等治疗后症状好转出院，出院后仍间有咳嗽、咳痰，咳黄白痰，伴有活动后气促，无咯血，自行服用"阿斯美、孟鲁司特、合心爽"等对症处理。2023-05 患者因咽痛、发热，新冠抗原阳性于呼吸内科就诊，予"头孢哌他唑巴坦"抗感染、"莫诺拉伟"抗病毒、止咳化痰、增强免疫力等治疗。2023-07 患者因反复发热、咳嗽、痰多到外院就诊，查肺炎支原体血清学试验 1 ∶ 160，超广谱病原微生物 mNGS 检测检出肺炎链球菌，先后予"哌拉西林他唑巴坦、亚胺培南西司他汀"抗感染、止咳化痰等治疗后症状好转出院，出院后予"西他沙星"等药口服后出现荨麻疹发作，予停用。1 月前患者无明显诱因出现咯少量血丝痰，伴咳嗽，咳黄黏痰，量多，无畏寒、寒战，无流涕、鼻塞、咽痛，无胸闷、胸痛、心悸，无夜间阵发性呼吸困难及端坐呼吸，口服肾上腺色腙片后患者咯血痰症状可缓解，但反复，到当地医院门诊就诊，口吐痰菌培养示烟曲霉感染，伊曲康唑、泊沙康唑、伏立康唑敏感。现为进一步治疗就诊，门诊拟“双肺支气管扩张合并感染”收入呼吸内科。患者自本次发病以来，精神、胃纳可，大小便正常。体重如常。

既往史：自幼患漏斗胸，2006 年在外院行胸廓矫形手术。对沙星类（如苹果酸奈诺沙星注射液、西他沙星）、曲马多、造影剂等药物过敏，表现为“荨麻疹发作”。

检查

体格检查：T 36.9 ℃，P 106 次 / 分，R 23 次 / 分，BP 109/77 mmHg，SpO_2 93%。神志清楚，颜面无水肿，全身浅表淋巴结未触及肿大，咽部无充血，双侧扁桃体无肿大；双肺叩诊呈清音，双肺呼吸音粗，未闻及干、湿啰音。心率 106 次 / 分，心律齐，未闻及心脏杂音。腹平软，肝脾肋下未触及。双下肢无水肿。

辅助检查：2023–07 外院结核分枝杆菌快速分子鉴定及利福平耐药基因均为阴性。抗核抗体 + 血管炎五项、抗核抗体谱十一项均为阴性。呼吸道病原菌核酸检测示：肺炎链球菌、金黄色葡萄球菌、大肠埃希菌、肺炎克雷伯菌、铜绿假单胞菌、流感嗜血杆菌、嗜军团菌、结核分枝杆菌复合群、肺炎支原体均为阴性。2023–09–04 痰真菌培养示烟曲霉感染，伊曲康唑、泊沙康唑、伏立康唑敏感。

诊断

初步诊断：双肺支气管扩张合并感染；漏斗胸术后；肺动脉高压。

鉴别诊断：慢性阻塞性肺疾病；肺癌。

最终诊断：侵袭性肺曲霉病；双肺支气管扩张合并感染、咯血；双上肺毁损；漏斗胸术后；肺动脉高压。

诊疗经过

入院后完善检查，2023–09–12 血常规（CDN）：白细胞计数 9.68×10^9/L，分叶细胞比 75.1%，淋巴细胞比例 15.5%，血红蛋白 123 g/L；凝血 5 项：纤维蛋白原 4.91 g/L；生化：氯 98.0 mmol/L，葡萄糖 9.73 mmol/L。胸部 CT 平扫（含

三维 MPR）提示："肺部感染"治疗后复查，双上肺、右中肺支气管扩张合并慢性炎症，较前相仿；胸廓塌陷，双侧胸膜增厚；肺动脉高压。心电图提示窦性心动过速。

入院后先予"哌拉西林舒巴坦 6.0 g q12h+ 伏立康唑 200 mg q12h"抗真菌、氨溴索化痰、肾上腺色腙片止血、营养支持等对症治疗。

2023-09-14 支气管镜下肺泡灌洗液呼吸道多种病原体靶向测序报告示烟曲霉序列数 2813。考虑曲霉菌感染，于 2023-09-15 开始予卡泊芬净联合伏立康唑抗真菌感染治疗。2023-09-16 痰真菌培养及鉴定：有丝状真菌生长。纤支镜痰真菌培养及鉴定：有丝状真菌生长。

经治疗后患者咳嗽、咳痰症状好转，2023-09-17 开始停用伏立康唑。2023-09-19 支气管镜检测与前次相比，气道内分泌物较前减少，继续用卡泊芬净 + 哌拉西林舒巴坦抗感染治疗，其余予化痰、止咳、止血等对症支持治疗。2023-09-21 痰真菌培养及鉴定：有霉菌生长（少量）。2023-09-25 痰细菌培养及鉴定：有少量丝状真菌生长；痰真菌培养及鉴定：未见真菌生长。

2023-09-28 患者出现咯血增多，咯鲜红色血，约 10 mL，因造影剂过敏，未行支气管动静脉计算机体层血管成像（CTA）检查，暂予肾上腺色腙片 5 mg tid、蛇毒凝血酶注射用 1 U iv q12h、氨甲环酸 0.5 g qd 止血等治疗，患者症状逐渐缓解。

出院情况

复查痰细菌培养、真菌培养未见明显异常。患者偶有咳嗽，咳少量黄黏痰，未诉其他特殊不适，精神、胃纳、睡眠可，二便正常。查体：生命体征平稳，神清，双肺呼吸音粗，双肺可闻及少许湿啰音。于 2023-09-12 出院。出院后继续口服裸花紫珠颗粒 3 g tid；肾上腺色腙片 5 mg tid；伏立康唑片 200 mg q12h；阿莫西林克拉维酸钾片 0.375 g tid 治疗。

讨论

侵袭性肺曲霉病（IPA）的诊断通常依据宿主因素、临床特征、影像学表现、微生物学证据和组织病理学结果综合评估。主要包括以下几点。①宿主因素：患者通常具有免疫抑制状态，如长期使用免疫抑制剂、血液系统恶性肿瘤、实体器官或造血干细胞移植、慢性肉芽肿病等。②临床表现：急性起病，表现为发热、咳嗽、咳痰，严重时可出现呼吸困难、胸痛、咯血等症状。③影像学表现：胸部 CT 可见多发性、斑片状或结节状浸润影，可伴有空洞形成或“晕轮征”等。④微生物学证据：痰液、支气管肺泡灌洗液或血液培养出曲霉菌，或通过 PCR 检测到曲霉菌 DNA。⑤组织病理学证据：组织活检发现曲霉菌侵入血管引起血栓形成和坏死。在鉴别诊断上需排除其他肺部感染性疾病，如细菌性肺炎、肺结核、肺脓肿、肺念珠菌病等，这些疾病在临床表现和影像学上可能与 IPA 相似，但通过病原学检查和病理学检查可以明确诊断。针对此病例，该患者有反复咳嗽、咳痰 5 年余的病史，伴有咯血，胸部 CT 提示“漏斗胸”术后改变，双上肺支扩并慢性炎症，肺动脉高压。痰真菌培养提示烟曲霉感染，且对伏立康唑等抗真菌药物敏感。这些临床表现和检查结果符合侵袭性肺曲霉病的诊断标准。患者既往有漏斗胸手术史，可能存在胸廓畸形导致的局部免疫功能下降，增加了 IPA 的风险。因此，此病例符合侵袭性肺曲霉病的诊断依据。

针对侵袭性肺曲霉病的治疗，根据相关文献及专家共识，侵袭性肺曲霉病的治疗首选伏立康唑，成人初始剂量为每 12 小时 6 mg/kg，维持剂量为每 12 小时 4 mg/kg，治疗疗程通常需要持续到症状和影像学改善后至少 7 ~ 14 天，总疗程可能需要 6 ~ 12 周或更长时间。对于不能耐受伏立康唑的患者，可考虑使用伊曲康唑、泊沙康唑或两性霉素 B 脂质体。治疗期间需密切监测患者的肝功能、肾功能和血药浓度，以调整剂量和预防药物不良反应。此外，对于免疫抑制的患者，还需调整免疫抑制剂的使用，并采取支持治疗，包括维持水电解质平衡、营养支持、氧疗等。在此病例中，患者接受了哌拉西林舒巴坦联合伏立康唑的治疗方案，后改为卡泊芬净联合伏立康唑，治疗后症状有所好转。此治疗方案符合当前的治疗指南，但在治疗过程中应注意药物的不良反应和患者的耐受性，定期监测肝功能、肾功能等。

对于此病例，其治疗和预后需要综合考虑其侵袭性肺曲霉病、支气管扩张合并感染、咯血、漏斗胸术后胸廓塌陷畸形及肺动脉高压等多个因素。治疗上，除了针对侵袭性肺曲霉病的抗真菌治疗外，还需要对支气管扩张合并感染进行积极的抗感染治疗，同时采取措施控制咯血，并针对肺动脉高压进行相应的治疗。在抗真菌治疗方面，患者已经使用了伏立康唑，并在病情加重时改用卡泊芬净联合治疗，这是符合当前治疗原则的。未来治疗中，应继续监测患者的病情变化和药物不良反应，适时调整治疗方案。对于支气管扩张合并感染，除了抗感染治疗外，还应重视痰液引流和呼吸功能锻炼，以减少感染的反复发作。咯血是该患者病情中的一个紧急情况，需要及时止血治疗。在此病例中，使用肾上腺色腙片、蛇毒凝血酶注射液等药物进行止血治疗是合适的。未来应注意监测患者的凝血功能，并在必要时采取更为积极的止血措施。漏斗胸术后胸廓塌陷畸形可能会影响患者的呼吸功能，需要通过呼吸功能锻炼和物理治疗来改善。肺动脉高压的治疗则需要根据患者的具体情况，可能需要使用降肺动脉压的药物，并定期监测肺动脉压力。

由于患者存在多个并发症，治疗复杂，预后可能不佳。但是，通过积极的综合治疗和良好的病情管理，可以尽可能地改善患者的生活质量和预后。为避免再次住院的发生，建议患者：①定期复查，包括胸部影像学检查、痰培养等，以及时发现感染的复发或加重。②加强自我管理，包括合理饮食、适度运动、戒烟戒酒等，以提高机体免疫力。③呼吸功能锻炼，如腹式呼吸、呼吸操等，以改善呼吸功能。④避免感染源，减少前往人群密集的地方，避免接触感冒、流感等呼吸道感染患者。⑤合理用药，遵医嘱规律服用药物，不擅自停药或更改药物剂量。⑥心理支持，保持良好的心态，必要时可寻求心理咨询帮助。通过上述措施，可以降低患者再次住院的风险，提高其生活质量。

参考文献

[1] 中华医学会呼吸病学分会. 肺曲霉病诊断和治疗专家共识[J]. 中华结核和呼吸杂志，2018，41(4)：255-280.

[2] 中华医学会呼吸病学分会. 肺部真菌感染疾病诊治专家共识[J]. 中华结核和呼吸杂志，2020，43(4)：255-280.

（莫秋弟）

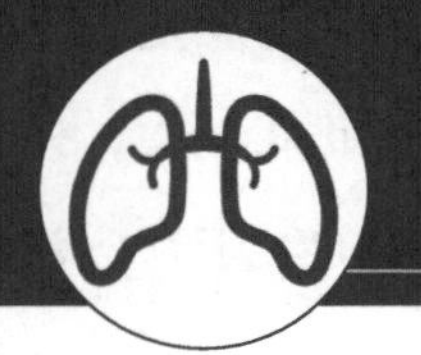

第三章　传染性疾病

◎ 类鼻疽肺炎

案例介绍

患者女，69 岁，于 2023-07-11 入院。

主诉：发热、咳嗽、咳痰 10 余天。

现病史：患者于 10 余天前无明显诱因出现发热，最高体温 39.5℃，伴畏寒、寒战、头痛，2 天后出现咳嗽咳痰，痰呈偏黄，稀薄样，无胸痛、胸闷，无潮热、盗汗、咯血，无心悸、心慌，遂到外院就诊，查胸部 CT“考虑左肺下叶背段炎症；右肺上叶全段实性结节”，经治疗后诉已无发热（具体治疗过程不详），仍有剧烈咳嗽，自行出院后，7 月 7 日到外院就诊，查胸部 CT“左肺下叶背段巨大空洞、左肺下叶前内基底段及右肺上叶前段小空洞，考虑感染可能；左肺上叶前段结节；主动脉壁见钙化斑”，予“利奈唑胺、哌拉西林他唑巴坦”治疗后，咳嗽未见明显好转，痰出现黄黑色，患者及家属要求转上级医院就诊，今为进一步诊断治疗就医，在门诊拟诊断为“肺炎”收入院。自发病以来精神状态较差，食欲很差，睡眠很差，大便正常，小便正常，体力情况差，体重明显减轻，减轻 5 kg 余。

检查

体格检查：T 36.9℃，P 81 次 / 分，R 20 次 / 分，BP 139/96 mmHg。发育正常，营养良好，神志清楚，自主体位，应答切题，查体合作。全身皮肤黏膜色泽偏暗，双手和背部散发瘀点、瘀斑。呼吸节律正常，双肺叩诊呈清音，双肺呼吸音粗，闻及少量干、湿啰音。心脏相对浊音界正常，心律齐整，各瓣膜听诊区未闻及杂音。腹部膨隆，腹式呼吸存在，腹肌柔软，无压痛、反跳痛，未触及腹部包块。

诊断

初步诊断：左肺脓肿。

最终诊断：类鼻疽肺炎，左肺脓肿；双侧肺动脉分支血栓形成；颅骨多发占位；颅内多发腔隙性脑梗死；双侧比目鱼肌间静脉、右侧腘静脉、小隐静脉、胫后静脉、腓静脉、胫腓干静脉血栓形成；药物性肝损害；轻度贫血。

诊疗经过

入院后查 2023-07-11 血常规 +SAA+CRP：快速 CRP 71.04 mg/L，血清淀粉样蛋白 A 113.06 mg/L，白细胞计数 11.23×10^9/L，分叶细胞比例 83.0%，分叶细胞绝对值 9.32×10^9/L，血红蛋白 107 g/L；2023-07-11 凝血 5 项：纤维蛋白原 5.14 g/L，D- 二聚体测定 2.96 mg/L；2023-07-11 生化：葡萄糖 11.97 mmol/L，白蛋白 27.5 g/L，钾 2.6 mmol/L，钠 136.0 mmol/L，肝肾功能正常。2023-07-11 胸部 CT 见图 3-1。2023-07-12 痰细菌涂片检查（一般细菌 + 真菌）：涂片染色找细菌发现 G^- 杆菌；2023-07-12 感染八项定性：乙肝病毒表面抗体阳性（+）；2023-07-12 肺癌 4 项：神经元特异烯醇化酶 22.160 μg/L，细胞角蛋白 19 片段 3.980 μg/L。2023-07-13 血管炎抗体组（内科）：抗中性粒细胞胞浆抗体阴性（-）。2023-07-13 肺泡灌洗液 mNGS：类鼻疽伯克霍尔德菌（序列数 24225）。2023-07-13 痰细菌培养及鉴定：类鼻疽伯克霍尔德菌，米诺环素、头孢他啶、甲氧苄啶 / 磺胺甲噁唑敏感，亚胺培南、头孢哌酮 / 舒巴坦、头孢曲松、哌拉西林 / 他唑巴坦、左旋氧氟沙星、头孢吡肟、阿米卡星、替加环素耐药，美罗培南中介。

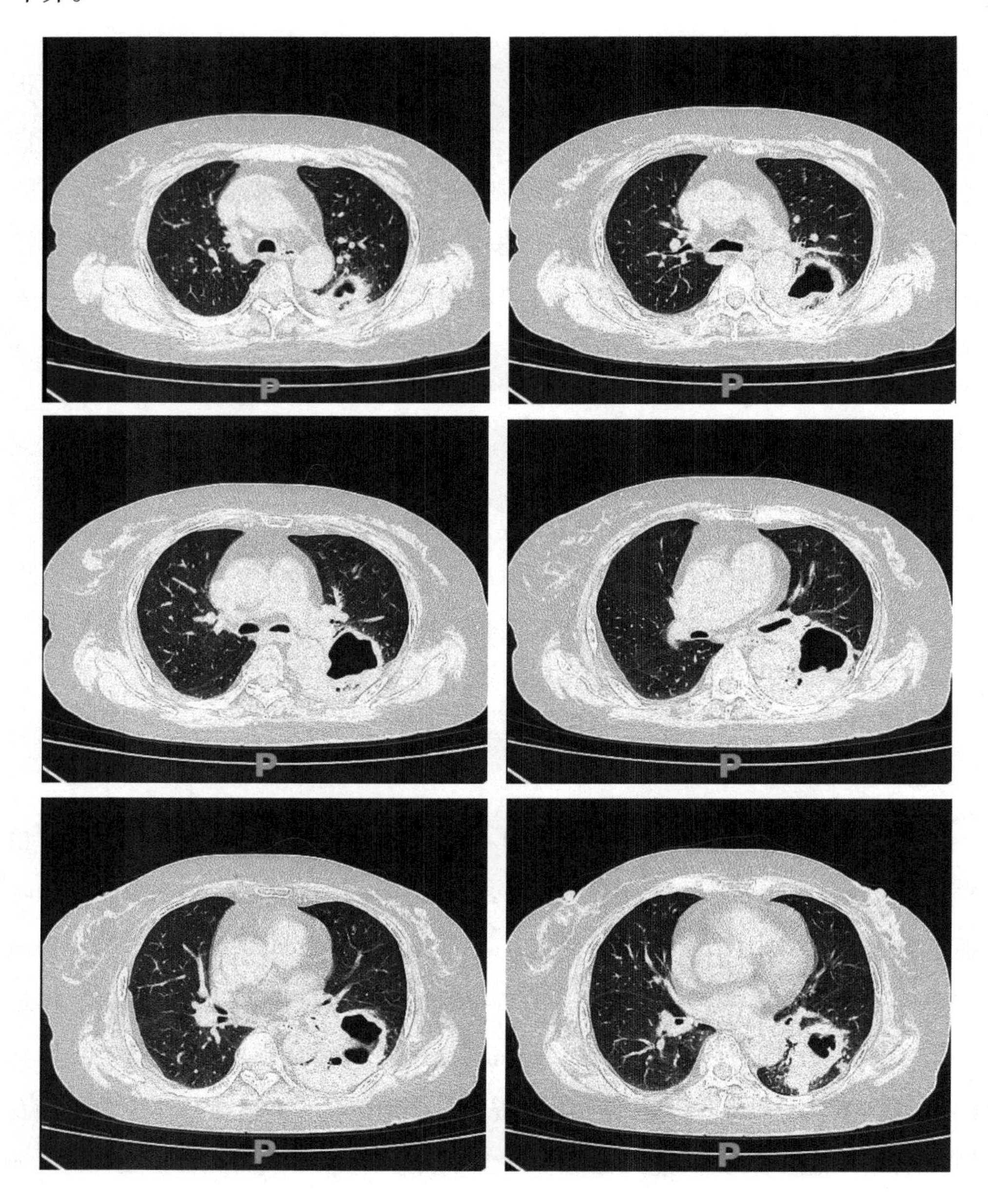

图 3-1　2023-07-11 胸部 CT（治疗前）

2023-07-14 床边双下肢血管彩超：双侧下肢动脉硬化并斑块形成，双侧比目鱼肌间静脉、右侧腘静脉、小隐静脉、胫后静脉、腓静脉、胫腓干静脉血栓形成（部分阻塞），其余下肢静脉结构及血流未见明显异常。2023-07-14 左下叶背段灌洗液液基细胞学制片：镜下检出大量中性粒细胞、少量组织细胞和支气管黏膜上皮，其内可见小团念珠菌。未见恶性肿瘤细胞。特殊染色：PAS（+），PASM（+），抗酸染色（-）。2023-07-14 易栓症 A：狼疮抗凝物 DRVVT 筛查比值 1.22，蛋白 C 活性（发色法）52%，狼疮抗凝筛查试验 45.1 秒，活化部分凝血活酶时间 49.5 秒，凝血酶原时间 15.2 秒。

2023-07-15 凝血 5 项：凝血酶原时间 26.96 秒，国际标准化比率 2.28，活化部分凝血活酶时间 44.85 秒，纤维蛋白原 4.59 g/L，D- 二聚体测定 2.28 mg/L；2023-07-15 生化：钠 130.0 mmol/L，氯 96.0 mmol/L，钙 2.02 mmol/L，葡萄糖 8.56 mmol/L；2023-07-15 血气分析：二氧化碳分压 28.6 mmHg，氧分压 63.0 mmHg；2023-07-15 血常规（CDN）+CRP：快速 CRP 188.78 mg/L，白细胞计数 15.71×10^9/L，分叶细胞比例 92.6%，血红蛋白 107 g/L，红细胞比容 31.5%。2023-07-17 生化：钠 134.0 mmol/L，氯 98.0 mmol/L，葡萄糖 6.72 mmol/L，γ - 谷氨酰转移酶 67 U/L，碱性磷酸酶 136 U/L，白蛋白 30.2 g/L，腺苷脱氨酶 23.1 U/L；2023-07-17 颅脑平扫：脑内多发腔隙性脑梗死；脑萎缩，双侧脑室旁脑白质疏松；MRA 示脑动脉硬化；颅骨见多发类圆形低信号，建议 CT 进一步检查。

2023-07-21 凝血 5 项：凝血酶原时间 17.44 秒；2023-07-21 生化：钠 131.0 mmol/L，氯 96.0 mmol/L，葡萄糖 6.58 mmol/L，直接胆红素 8.5 μmol/L，白蛋白 36.5 g/L；2023-07-21 脑利尿钠肽 34.00 pg/mL；2023-07-21 血常规（CDN）+CRP：快速 CRP 10.32 mg/L，分叶细胞比例 79.2%，分叶细胞绝对值 7.19×10^9/L；2023-07-21 贫血三项：维生素 B_{12} ＞ 1 504.0 pg/mL，铁蛋白 391.70 ng/mL；2023-07-21 降钙素原定量 0.087 ng/mL；2023-07-21 肺炎支原体抗体阴性（-）；2023-07-21 类鼻疽伯克霍尔德菌阳性；2023-07-21 光滑念珠菌阳性；2023-07-21 头颅 + 胸部平扫：原拟“左下肺背段 - 后基底段空洞，感染并脓肿形成可能性大”复查，左下肺背段 - 后基底段空洞病灶，较前无明显变化，未完全排除恶性病变可能，建议治疗后复查并进一步检查；双肺炎症，较前稍好转。左侧胸膜增厚。双侧基底节区多发性腔隙性脑梗死。双侧脑室旁脑白质变性改变。脑萎缩。颅骨骨质疏松，颅骨板障内散在多发高密度灶，未排除转移瘤可能，请结合临床。

入院后经验性予“美罗培南 + 替加环素（2023-07-11 至 2023-07-13）”抗感染，后调整抗菌方案为“美罗培南 + 复方磺胺甲噁唑片”抗感染、化痰、止咳等对症支持治疗，现患者病情改善，予带药出院，嘱患者出院后继续坚持抗生素治疗。2024-01-15 复查胸部 CT 见图 3-2。

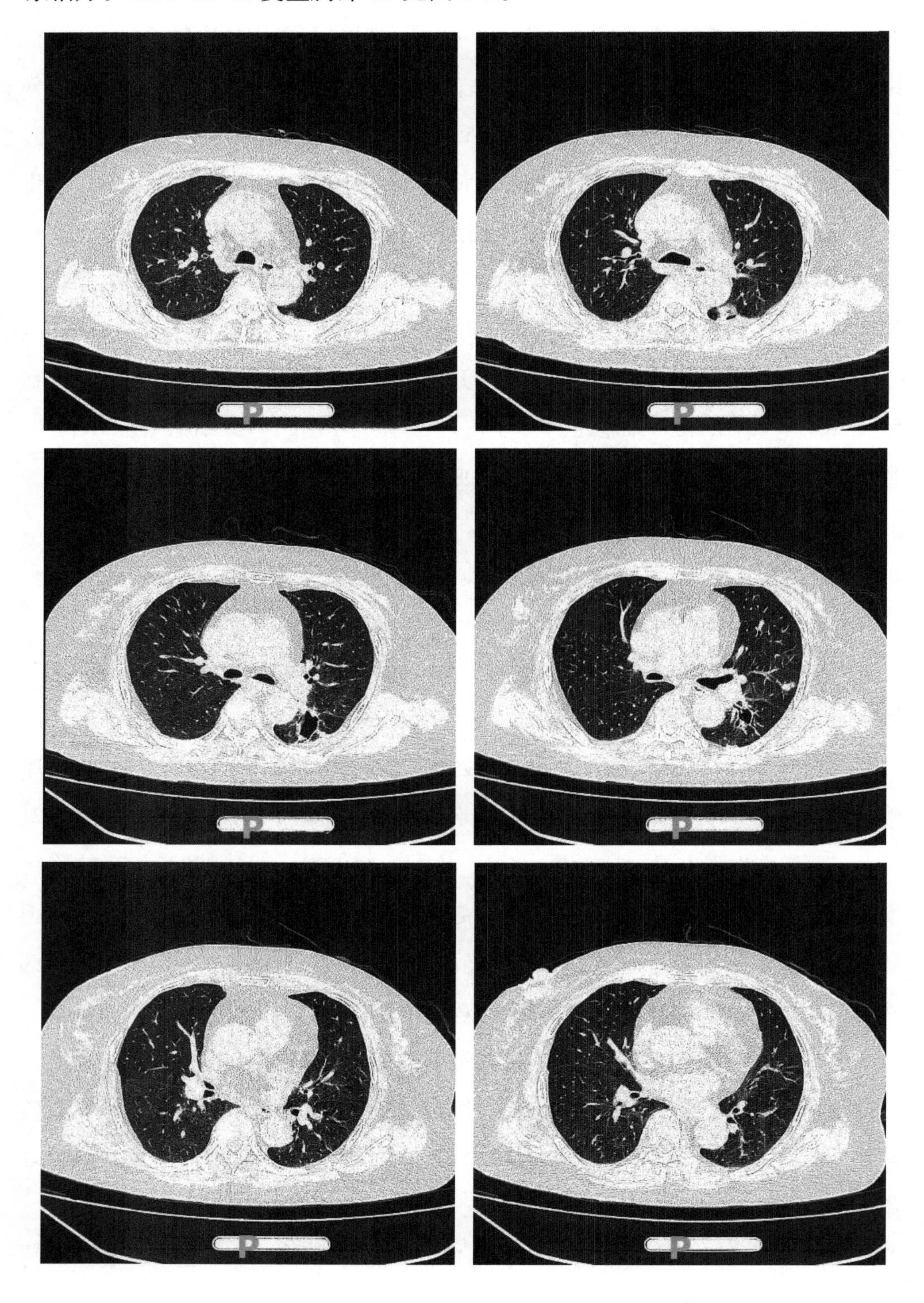

图 3-2　2024-01-15 复查胸部 CT（治疗后）

出院情况

患者偶有咳嗽，咳少许白痰，其余无特殊不适，精神可，睡眠可，胃纳可。查体：生命体征平稳，神清，双肺呼吸音清，闻及少量湿啰音。心前区无隆起，HR 83 bpm，律齐，各瓣膜听诊区未闻及病理性杂音。腹平软，无压痛、反跳痛，肝脾未扪及，移动性浊音阴性，肠鸣音正常。双下肢无水肿。

讨论

类鼻疽肺炎是由类鼻疽伯克霍尔德菌感染所致的地方性传染病，是热带地区的人兽共患病，主要因接触污染的土壤或水而感染，本病一般散发，无明显季节性，主要表现为化脓性病灶播散所致的暴发性败血症，或有肺部空洞的慢性结核样疾病。

类鼻疽伯克霍尔德菌是革兰染色阴性，与鼻疽杆菌同属单胞菌，两者的致病性、抗原性和噬菌体敏感性均类似。有鞭毛，无芽孢，无荚膜，需氧，在普通培养上生长良好，此菌对多种抗生素有自然耐药性。可产生两种不耐热毒素，即坏死性毒素和致死性毒素，可使豚鼠、小鼠、家兔感染而致死。此菌产生的内毒素，耐热，具有免疫原性。羊、马、猪和啮齿类动物都可能感染本病，但它们与人一样，都是偶然宿主，维持本病流行的连续性作用不大。

类鼻疽伯克霍尔德菌流行于东南亚和澳大利亚北部及我国雷州半岛、海南等热带地区，北美洲也有发现。热带地区的人兽共患病，感染来源主要是流行区的水和土壤，类鼻疽伯克霍尔德菌在流行区的水或土壤中很常见，不需要任何动物作为它的储存宿主。患者作为本病的传染源意义较小。

破损的皮肤直接接触含有致病菌的水或土壤，这是本病传播的主要途径；吸入含有致病菌的尘土或气溶胶、食用被污染的食物、被吸血昆虫（蚤、蚊）叮咬也是传播途径之一，有报道认为也可通过家庭密切接触、性接触传播。

潜伏期一般为 3 ~ 5 天，但也有感染后数月、数年，甚至有长达 20 年后发病，即所谓的“潜伏型类鼻疽”，此类病例常因外伤或其他疾病而诱发。

病情一般较为严重，如不及时治疗，病死率甚高，该细菌培养非常不易，故而明确诊断很困难。病原学宏基因二代测序对该病的诊断有重要意义。

该细菌对于多数抗生素具有耐受性，目前明确的比较敏感的抗生素为碳青霉烯类药物，如亚胺培南、美罗培南。推荐的治疗方案为初始采用头孢他啶或亚胺培南或美罗培南 10 ~ 14 天，以后改为口服磺胺 3 ~ 6 个月，若对磺胺过敏，可选用多西环素或阿莫西林 / 克拉维酸。

参考文献

[1] 许珊珊，陈鑫苹，肖斌. 类鼻疽实验室诊断的研究进展[J]. 国际检验医学杂志，2023，44（3）：360-364.

[2] 唐德燊，陈光远. 人类鼻疽病 2 例[J]. 中华传染病杂志，1991，09（2）：117.

[3] 中国微生物学会医学微生物学与免疫学专业委员会，重庆市微生物学会临床微生物专业委员会. 类鼻疽诊断与治疗专家共识[J]. 中华传染病杂志，2022，40（10）：577-583.

（老奋坚）

◎ 鹦鹉热衣原体肺炎

案例介绍

患者男，68 岁，于 2020-01-18 入院。

主诉：高热、咳嗽 5 天。

现病史：患者于 5 天前无明显诱因出现高热，体温最高 40℃，具体热型不详，伴畏寒、寒战，伴头痛、乏力、全身肌肉酸痛，偶有咳嗽、咳痰，为少量白痰，咳嗽剧烈时可出现气促，夜间显著，无胸闷、心悸，无盗汗、消瘦，无恶心、呕吐，无尿频、尿急、尿痛等。曾于当地中医院就诊，诊断为“急性上呼吸道感染”，予中药治疗（具体不详）后，上述症状无好转，昨日到急诊就诊，急诊查胸片提示“双肺炎症，左侧胸腔少量积液”，诊断为“双肺炎”，予“头孢唑琳、血必净”等药物治疗后，上述症状无明显改善，建议患者住院治疗，急诊拟诊为“双肺炎”收入院。自患病以来，患者精神、睡眠、食欲一般，大便次数增多，约 3 次 / 日，小便正常，体重无明显变化。

个人史：吸烟 10 年，平均 10 支 / 日，已戒烟 30 年。

检查

体格检查：T 37.7℃，P 103 次 / 分，R 24 次 / 分，BP 104/54 mmHg。神志清楚，全身浅表淋巴结未扪及肿大。咽无充血，双侧扁桃体无肿大，胸廓正常，呼吸运动正常，呼吸节律正常，双肺叩诊呈清音，双肺呼吸音粗，未闻及干、湿啰音。心率 103 次 / 分，心律齐整，各瓣膜听诊区未闻及杂音。腹软，无压痛、反跳痛，未触及腹部包块，肝脾肋下未触及，双下肢无水肿。

诊断

初步诊断：双肺炎。

鉴别诊断：肺结核；肺脓肿；肺癌。

最终诊断：鹦鹉热衣原体肺炎；脂肪肝；肝功能不全。

诊疗经过

入院后予完善相关检查，2020-01-18 降钙素原检测：2.44 ng/mL；血常规：白细胞计数 9.47×10^9/L，分叶细胞比例 84.10%，分叶细胞绝对值 7.95×10^9/L，单核细胞比例 6.40%，单核细胞绝对值 0.61×10^9/L，红细胞计数 4.38×10^{12}/L，血红蛋白 143 g/L，血小板计数 150×10^9/L；2020-01-18 肝功能 + 生化：总胆红素 11.2 μmol/L，直接胆红素 3.2 μmol/L，丙氨酸氨基转移酶 29.3 U/L，总蛋白 72.3 g/L，白蛋白 40.2 g/L，腺苷脱氨酶 22.8 U/L，α-L- 岩藻糖苷酶 11.4 U/L，钾 3.79 mmol/L，钠 135 mmol/L，氯 98 mmol/L，钙 2.24 mmol/L，尿素 6.73 mmol/L，肌酐 87.60 μmol/L，β_2- 微球蛋白 2.68 mg/L，胱抑素 C 1.0 mg/L，天门冬氨酸氨基转移酶 52.5 U/L，肌酸激酶 404.00 U/L，乳酸脱氢酶 272.0 U/L，α - 羟丁酸脱氢酶 202.00 U/L；2020-01-18 九项呼吸感染病原体 IgM 抗体检测、痰涂片、结核菌涂片阴性。肿瘤三项、大小便常规均在正常范围。2020-01-18 静息 12 导联心电图：窦性心动过速；T 波改变。2020-01-19 胸部 CT（图 3-3）：双肺炎症，左侧胸腔少量积液，建议治疗后复查。全腹 CT 未见异常。

入院后予左氧氟沙星 0.5 g qd 抗感染、祛痰、补液、护肝等对症治疗。患者仍有反复发热。2020-01-23 复查胸部 CT：双肺炎症，左侧胸腔少量积液，较前进展。2020-01-23 支气管肺泡灌洗液 mNGS 报告：鹦鹉热衣原体。予改用、加用米诺环素抗感染治疗，患者体温逐渐恢复正常。

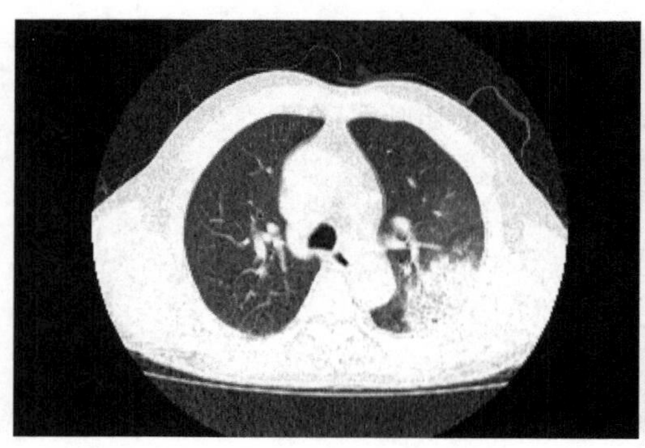

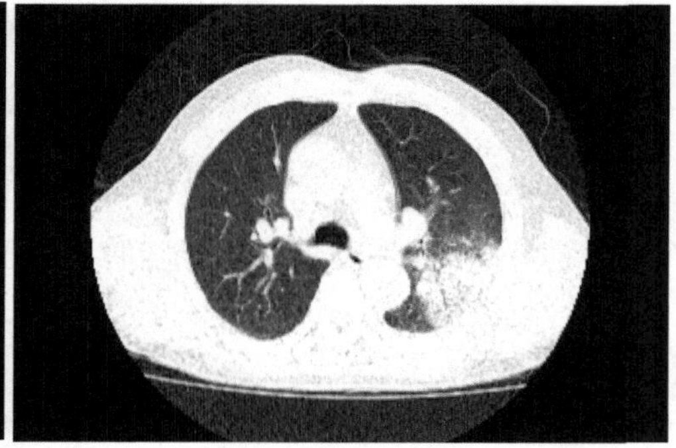

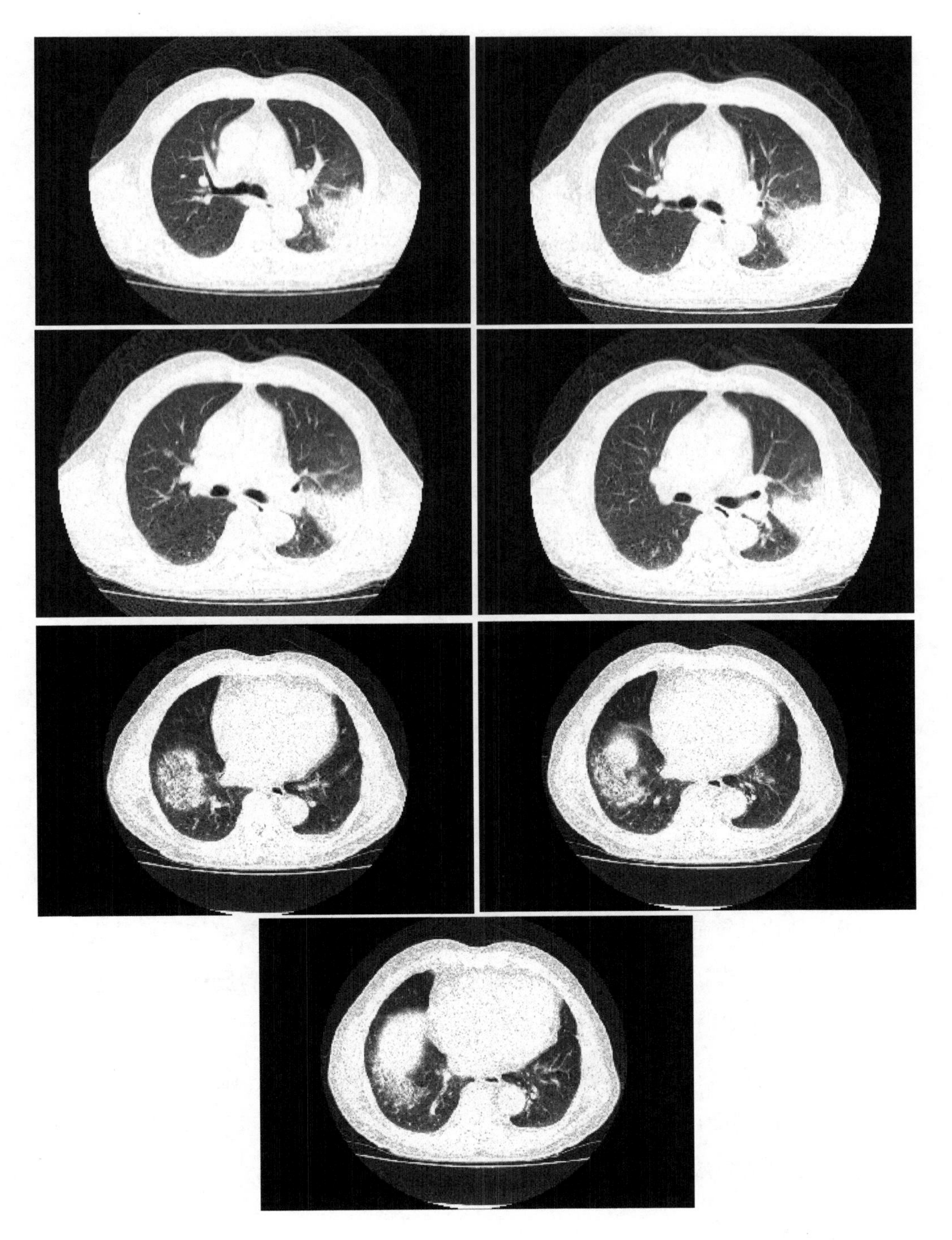

图 3-3　胸部 CT

出院情况

患者咳嗽、咳痰减少，气促改善，无畏寒、发热，查体：生命体征平稳，双肺呼吸音清，未闻及干、湿啰音。

讨论

鹦鹉热是一类人畜共患病，临床表现复杂多变且不典型，常导致多系统损害。鹦鹉热衣原体（chlamydia psittaci，Cps）传播途径广泛，其可通过呼吸道以空气或气溶胶形式感染人类，也可通过排泄物感染人类皮肤、黏膜和消化道，导致非典型社区获得性肺炎的发生。

（一）临床表现

（1）呼吸系统症状：鹦鹉热可表现为单纯的肺炎，也可表现为肺炎合并肺外多系统损害，且本病早期可以肺外多系统受累起病。轻症患者表现多为发热、头痛、咳嗽、乏力、食欲缺乏等，多以干咳为主，痰量较少。患者肺部实变体征常出现较早，可出现肺部啰音。重症患者可于短期内出现呼吸衰竭及急性呼吸窘迫综合征。

（2）神经系统症状：神经系统症状是鹦鹉热最常合并的肺外表现，许多鹦鹉热患者常首诊于神经内科，表现为头痛、头晕、谵妄、意识模糊、精神行为异常、小脑共济失调、意识障碍、语言障碍等中毒性脑病或脑炎症状，而无明显的呼吸系统症状，因此提高了该病的诊治难度，临床医生需要特别关注。

（3）消化系统症状：鹦鹉热患者常出现明显的肝受累（转氨酶明显升高），肝脾大。部分患者以消化系统受累为前驱症状，主要表现为胃肠道不适（恶心、呕吐、腹痛、腹泻）、重症病例可出现黄疸、黑便等表现。

（4）其他症状：其他罕见症状包括心悸、尿频、尿急、血尿、蛋白尿等。少数患者重症感染可出现全身中毒症状、心肌炎、心包炎、心内膜炎、横纹肌溶解症、急性肾衰竭、胰腺炎等，甚至死亡。

（二）辅助检查

（1）鹦鹉热患者肝功能检查最明显的特征是谷丙转氨酶和谷草转氨酶明显升高，且在轻重症患者中无明显差异。血常规检查多提示中性粒细胞升高，而淋巴细胞明显下降，血沉、C 反应蛋白、乳酸脱氢酶均升高，而氧合指数有不同程度下降，上述均与疾病严重程度密切相关。

（2）胸部影像学检查：鹦鹉热衣原体肺炎患者的胸部影像学改变主要是不同程度的渗出和实变，肺部实变、支气管充气征、胸腔积液和磨玻璃影是常见胸部 CT 表现。胸部 CT 多为单侧单叶实变，其次是单侧多叶实变及两侧多叶实变，实变累及范围与病情严重程度密切相关，多叶实变的患者发生呼吸衰竭的风险较高。当影像学累及两个以上肺叶病变或出现胸腔积液时，应考虑重症鹦鹉热衣原体肺炎。

（3）病原学诊断：包括微量免疫荧光、聚合酶链式反应（PCR）、细菌培养（金标准）、宏基因组测序（mNGS）等。

本例鹦鹉热患者没有明确禽类接触史，经验性抗感染治疗后病情仍有进展，肺部 CT 提示肺炎，传统的实验室诊断技术未发现特殊病原体，肺泡灌洗液 NGS 发现鹦鹉热衣原体后加用四环素类抗生素针对性治疗后逐步好转，对鹦鹉热的诊断提供了依据。

（三）诊断

流感样非典型肺炎症状和禽类暴露史是进行 Cps 临床诊断的主要依据。

具有以上流行病学史、临床和影像学表现的疑似患者，且符合下列至少 1 项即可诊断为鹦鹉热：①从呼吸道样本或血液样本中分离出 Cps；②通过 CF 或 MIF 试验检测间隔 2 周采集的血清样本抗体水平增加 4 倍或以上；③通过 MIF 检测到的单一 IgM 抗体滴度为 1 ∶ 16 或更高；④通过 PCR 或 mNGS 或 tNGS 在呼吸道样本或血液样本中检测到 Cps 核酸阳性。

（四）治疗

1．对症支持治疗

注意休息，物理降温等。

2．针对性抗菌药物治疗

鹦鹉热衣原体无细胞壁结构，因此对 β－内酰胺类抗菌药天然耐药。鹦鹉热患者首选多西环素和米诺环素等四环素类药物进行抗菌治疗，其次可选用新型四环素类、大环内酯类或氟喹诺酮类抗菌药物治疗。研究表明，若及时使用合适的抗生素治疗，致命病例极为罕见 (约 5%)。近年来，国内报道大环内酯类药物耐药率逐年升高。而随着四环素类药物在家禽和宠物禽鸟行业的广泛使用，近年也报道了许多耐四环素衣原体菌株的病例。对于危重症患者可考虑采用四环素类联合大环内酯类或氟喹诺酮类药物治疗，但应密切关注药物相关不良反应。

3．并发症治疗

心内膜炎、脑膜炎、横纹肌溶解症、多器官功能障碍的治疗。

4．特殊人群的治疗

（1）妊娠期：产前阶段使用大环内酯类抗菌药物，如阿奇霉素或红霉素（250 ~ 500 mg，口服，1 次 / 日，疗程 7 d），产后阶段建议使用四环素类或大环内酯类抗菌药物进行治疗。

（2）儿童：使用阿奇霉素或红霉素（250 ~ 500 mg，口服给药，疗程 7 d）是安全的。

（3）老年人：给予多西环素（200 mg/d）或莫西沙星（400 mg/d）静脉滴注治疗，疗程至少为 14 d。若患者病情加重，达到呼吸衰竭的标准须辅以无创或有创通气进行治疗。

参考文献

中国医院协会临床微生物实验室专委会，中国老年医学学会检验医学分会感染性疾病学组．鹦鹉热诊疗中国专家共识［J］．中华临床感染病杂志，2024，17（3）：191−204.

（许丹媛）

◎ 恙虫病立克次体引起的斑疹伤寒

案例介绍

患者女，84 岁，于 2024-06-06 入院。

主诉：发热、尿频尿急尿痛 1 周，下腹痛半天。

现病史：患者于 1 周前无明显诱因出现发热，最高 39.1℃，伴畏寒、全身肌肉酸痛，疲乏、头痛，咳嗽、咳痰，无鼻塞、流涕等不适，至外院门诊就诊，行甲流、乙流病毒抗原均阴性，肺炎支原体抗体阴性，血常规提示 WBC 4.57×10^9/L，血小板 111×10^9/L，心电图提示广泛导联 T 波改变，请结合临床，Q_{III}意义待查，心梗三项正常，胸片提示慢性支气管炎、肺气肿改变，尿常规提示 WBC、RBC 升高，给予“抗感染、化痰、止咳”等治疗后症状稍缓解。今天早上开始诉下腹部隐痛不适，呈阵发性，不向会阴部放射。无上腹部疼痛，无肉眼血尿，有尿频、尿急、尿痛，无全身水肿，无恶心、呕吐。症状无明显好转，患者为求进一步诊治，特来就诊，门诊以“泌尿系统感染”收入泌尿外科住院。患者发病以来，精神状态一般，食欲一般，食量减少，大便减少，体重无变化。

检查

体格检查：T 37.5℃，P 83 次 / 分，R 20 次 / 分，BP 121/71 mmHg。发育正常，营养良好，神志清楚，自主体位，应答切题，查体合作。下肢见散在的皮肤陈旧性皮损。呼吸节律正常，双肺叩诊呈清音，双肺呼吸音清，未闻及干、湿啰音。心前区未触及震颤和心包摩擦感，心脏相对浊音界正常，心律齐整，各瓣膜听诊区未闻及杂音。腹部平坦，腹式呼吸存在，腹壁静脉无曲张，无胃型、肠型、蠕动波。腹肌柔软，无压痛、反跳痛。

诊断

诊断：恙虫病立克次体引起的斑疹伤寒；肺炎。

诊疗经过

入院查 2024-06-06 血常规 CDN：白细胞计数 3.29×10^9/L，中性粒细胞绝对值 2.24×10^9/L，淋巴细胞绝对值 0.83×10^9/L，血红蛋白 111 g/L，血小板计数 124×10^9/L；凝血 5 项：纤维蛋白原 4.46 g/L，D- 二聚体测定 1.33 mg/L；淀粉酶测定（各种标本）+ 生化八项 + 血清尿酸测定（URIC）+ 血脂 4 项 + 肝功 8 项：α－淀粉酶 172 U/L，肌酐 64.9 μmol/L，钾 3.4 mmol/L，钠 135.0 mmol/L，甘油三酯 1.86 mmol/L，低密度脂蛋白胆固醇 3.53 mmol/L，丙氨酸氨基转移酶 24 U/L，天门冬氨酸氨基转移酶 39 U/L；尿常规定量：白细胞 2+，红细胞 1+；降钙素原、血培养、尿培养阴性；2024-06-06 多通道 12 导联心电图检查：窦性心律；ST-T 改变，意义结合临床。胸部 CT（图 3-4）提示考虑双肺炎症，建议治疗后复查。慢支、肺气肿、双肺肺大疱。冠状动脉及主动脉粥样硬化。右侧输尿管中段（约 L4/5 水平）小结石，其上方输尿管及肾盂肾盏积液轻度扩张。肝胆胰脾平扫 + 盆腔平扫未见明显异常。

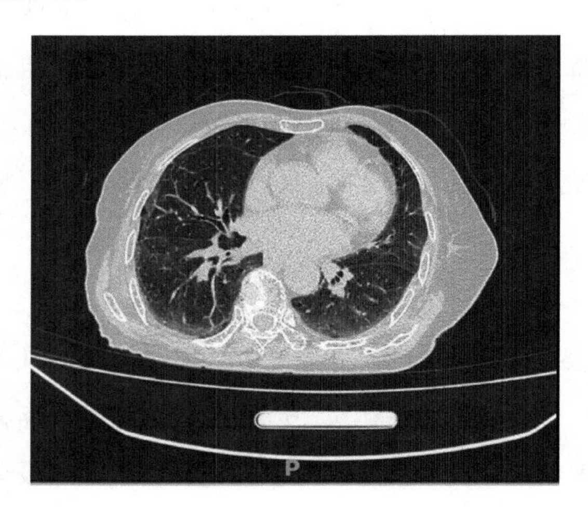

图 3-4　胸部 CT

患者入院后予哌拉西林舒巴坦钠抗感染效果不佳，仍有持续高热伴有腹胀痛，且精神萎靡，泌尿外科不考虑泌尿系统感染所致发热，遂于 2024-06-10 后转入呼吸科，进一步治疗。转入呼吸科后查血气分析：酸碱度 7.421，二氧化碳分压 24.9 mmHg，氧分压 81.2 mmHg；血浆乳酸测定（LACA）：乳酸 2.0 mmol/L；凝血 5 项：D- 二聚体测定 3.33 mg/L；α－淀粉酶 57 U/L，丙氨酸氨基转移酶 34 U/L，天门冬氨酸氨基转移酶 76 U/L，总胆汁酸 21.2 μmol/L；脂肪酶 21.4 U/L；真菌 G 试验（1，3–β–D–葡聚糖定量）：G 试验（1，3–β–D–葡聚糖定量）＜3.836 pg/mL。腹部平片＋床旁摄影：腹部未见肠梗阻征及膈下游离气体。复查胸部 CT 较前无明显变化。2024–06–12 床边心脏＋心功能超声：主动脉硬化。主动脉瓣退行性变并轻度狭窄。左室收缩功能未见明显异常，舒张功能减退。腹部 B 超：肝内实性团块，考虑血管瘤，建议定期复查。抽血行 NGS 检查示恙虫病东方体，序列数 14300。加米诺环素抗感染、祛痰、营养支持、护胃、调节肠道菌群、护肝等治疗，体温很快降至正常，病情好转出院。

出院情况

患者无发热、畏寒，咳少量白黏痰，无腹胀、腹痛，无恶心、呕吐，精神、睡眠、胃纳一般。查体：神清，双肺呼吸音清，双肺未闻及明显干、湿啰音。心前区无隆起，律齐，各瓣膜听诊区未闻及病理性杂音。腹平软，无压痛、反跳痛，肝脾未扪及，移动性浊音阴性，肠鸣音正常。双下肢无水肿。

讨论

本例高龄发热查因患者主诉以发热、泌尿道及腹部症状为主，未见明显皮肤焦痂，但使用广谱抗生素效果不佳，持续高热不退，故高度怀疑非典型病原体感染。最后抽血行 NGS 检查确诊恙虫病，予米诺环素治疗效果显著。由于恙虫病早期临床症状不典型，易与其他立克次体、螺旋体、细菌等感染相混淆，同时考虑到多重感染的存在，建议紧密结合实验室检测结果完成最后诊断。近年来，随着分子生物学的发展应用，二代基因测序技术成为检测恙虫病的新手段，尤其是对于未发现明显焦痂的患者诊断具有明显优势。

参考文献

中国微生物学会人兽共患病病原学专业委员会，中国医药生物技术协会生物诊断技术分会，姜天俊，等．恙虫病临床诊疗专家共识［J］．中国人兽共患病学报，2024，40（1）：1–6.

（王银燕）

◎ 结核性胸膜炎

案例介绍

患者男，33 岁，于 2022-06-29 入院。

主诉：反复咳嗽半年，右侧胸痛 1 周。

现病史：患者于半年前无明显诱因出现咳嗽，干咳为主，偶有少许白痰，伴有咽部不适，无发热、盗汗，无消瘦，症状反复未予就诊，1 周前开始出现右侧胸痛，与呼吸相关，深吸气时明显，无其他不适，遂到我院门诊就诊，门诊查胸部 CT（2022-06-26）提示，考虑双肺继发性肺结核；右上肺膨胀不全；双下肺少许慢性炎症及纤维灶；双侧胸膜局部增厚，右侧胸腔少量积液。为进一步诊断治疗就医，在门诊拟诊断为“胸腔积液查因：结核性胸膜炎？肺炎”收入院。自发病以来精神状态一般，食欲一般，睡眠良好，大便正常，小便正常，体力情况如常，体重无明显变化。

检查

体格检查：T 36.8℃，P 85 次 / 分，R 20 次 / 分，BP 120/84 mmHg。神清，左下腹可见大片瘀斑，胸廓正常，呼吸运动正常，呼吸节律正常，双肺叩诊呈清音，双肺呼吸音清，未闻及干、湿啰音。心前区无隆起，心尖搏动范围正常，心前区未触及震颤和心包摩擦感，心脏相对浊音界正常，心律齐整，各瓣膜听诊区未闻及杂音。双下肢无水肿。

辅助检查：腹部 B 超示，肝右前叶实性团块，考虑血管瘤，建议定期复查。胆、脾、胰腺未见明显异常。

诊断

初步诊断：右侧胸腔积液查因（结核性胸膜炎？）；肝血管瘤。

鉴别诊断：心力衰竭；肺癌。

最终诊断：结核性胸膜炎；右侧胸腔积液；肝血管瘤。

诊疗经过

入院完善相关检查，2022-06-29 胸腔积液生化：腺苷脱氨酶 50.4 U/L，乳酸脱氢酶 408 U/L，总蛋白 52.6 g/L；胸腔积液常规检查：李凡他阳性（+），红细胞 11×10^9/L；胸腔积液 CEA、一般细菌涂片检查未见异常。生化八项 + 血清尿酸测定（URIC）+ 生化八项 + 心肌酶 5 项（AMI5）+ 肝功全套（13 项）：尿酸 251 μmol/L，肌酐 87.6 μmol/L，尿素 4.7 mmol/L，天门冬氨酸氨基转移酶 19 U/L，丙氨酸氨基转移酶 16 U/L；血气分析：酸碱度 7.364，二氧化碳分压 30.9 mmHg，氧分压 103.6 mmHg，实际碳酸氢盐 17.8 mmol/L；凝血 5 项：纤维蛋白原 6.05 g/L，D- 二聚体测定 3.25 mg/L；血常规 +CRP：快速 CRP 57.11 mg/L，白细胞计数 8.33×10^9/L，分叶细胞比例 75.4%，血红蛋白 143 g/L，血小板计数 286×10^9/L；BNP、肌钙蛋白 I、PCT、肺癌 4 项、二便常规未见异常。2022-06-29 床边胸腔积液 B 超示右侧胸腔积液，左侧胸腔未见明显积液。

2022-06-29 完善胸腔积液定位后行右侧胸腔闭式引流术处理，并予左氧氟沙星 0.5 g qd 抗感染、塞来昔布止痛、化痰、止咳等治疗。2022-06-30 静息 12 导联心电图：窦性心律；正常心电图。2022-07-01 结核分枝杆菌相关 γ- 干扰素：空白对照管 N 0.65 pg/mL，阳性对照管 P 54.11 pg/mL，T-N 249.1 pg/mL；2022-07-01 结核杆菌抗体测定：结核分枝杆菌 IgG 抗体阳性（+）；胸腔积液结核分枝杆菌核酸检测：结核分枝杆菌核酸阴性；真菌 G 试验阴性。2022-07-01 胸腔积液离心涂片及液基细胞学制片，沉渣行包埋切片，HE × 4。镜下：检出大量单个核炎症细胞、少量中性粒细胞和间皮细胞，未见恶性肿瘤细胞。2022-07-01 胸腔积液 B 超示双侧胸腔未见明显积液。PPD 试验（++）。2022-07-01 开始加用异烟肼 300 mg qd、利福平 0.45 g qd、乙胺丁醇 0.75 g qd 等药诊断性抗结核治疗。经治疗患者咳嗽、胸痛症状明显改善。

出院情况

患者无不适，一般情况可，查体：生命体征平稳，神志清楚。胸廓正常，呼吸运动正常，呼吸节律正常，双肺叩诊呈清音，双肺呼吸音清，双肺未可闻及湿啰音。心律齐整，各瓣膜听诊区未闻及杂音。于2022–07–02出院。出院予异烟肼片（雷米封）0.30 g qd、利福平胶囊0.45 g qd、乙胺丁醇片0.75 g qd、吡嗪酰胺片1.25 g qd治疗。嘱坚持早期、联合、适量、规律、全程抗结核治疗，定期复查，注意药物不良反应。

讨论

根据中华医学会《结核性胸膜炎诊断和治疗指南（2020年版）》，结核性胸膜炎的诊断标准主要包括以下几点。①临床表现：包括咳嗽、胸痛、发热、盗汗等症状。②影像学检查：胸部CT提示胸膜增厚或胸腔积液。③病原学检查：胸腔积液腺苷脱氨酶（ADA）增高，结核杆菌抗体阳性，结核杆菌核酸检测阳性或胸腔积液培养出结核杆菌。④胸膜活检：胸膜病理组织学检查可见典型的结核结节。⑤抗结核治疗有效：抗结核治疗后症状和影像学表现明显改善。结合此病例，患者有反复咳嗽和胸痛的症状，胸部CT显示双肺继发性肺结核、右上肺膨胀不全、双下肺慢性炎症及纤维灶、双侧胸膜局部增厚、右侧胸腔少量积液等表现。辅助检查中，结核杆菌抗体阳性，胸腔积液ADA水平升高，PPD试验（++），这些均支持结核性胸膜炎的诊断。尽管胸腔积液结核分枝杆菌核酸检测为阴性，但考虑到其他检查结果和抗结核治疗后患者症状的明显改善，最终诊断为结核性胸膜炎是成立的。鉴别诊断方面，需要排除心力衰竭和肺癌。心力衰竭通常有心脏病史，伴有呼吸困难、下肢水肿等症状，心脏彩超会有相应表现，而本例患者无心脏病史，心脏查体和心电图均正常，故可排除。肺癌的诊断通常需要依靠胸部CT发现占位性病变，细胞学或病理学检查确定，而本例患者胸部CT未发现明显占位性病变，胸腔积液细胞学检查也未见恶性肿瘤细胞，故肺癌的可能性不大。

结核性胸膜炎是一种常见的肺外结核病，其流行病学数据显示，在全球范围内，结核病的发病率和死亡率均居高不下，尤其在发展中国家更为显著。结核性胸膜炎多发生在结核病高发区，易感因素包括免疫抑制状态如HIV感染、糖尿病、长期使用免疫抑制剂的患者，以及有结核病接触史的人群。结核杆菌通过气道吸入后引起原发性感染，或由体内潜伏的结核病灶复发而引起。

结核性胸膜炎的病理生理机制主要是结核杆菌或其代谢产物通过淋巴管或血行播散至胸膜，引起炎症反应和胸膜渗出。临床症状通常包括胸痛、咳嗽、发热、盗汗等，胸痛常与呼吸运动相关，而胸腔积液是其最常见的体征。

治疗结核性胸膜炎，根据国内专家共识推荐使用标准化抗结核治疗方案，遵循早期、规律、全程、适量、联合的原则。治疗方案通常包括长程的多种抗结核药物联合应用，如异烟肼、利福平、吡嗪酰胺和乙胺丁醇等。治疗过程中需密切监测患者的肝功能、听力等，以减少药物不良反应的发生。针对这一病例，患者为33岁男性，有慢性咳嗽和胸痛症状，结合胸部CT和实验室检查结果，确诊为结核性胸膜炎。治疗上，患者采用了包含异烟肼、利福平、乙胺丁醇和吡嗪酰胺的抗结核治疗方案，治疗后症状得到了明显改善。

近年来，随着分子生物学技术的发展和抗结核药物研究的深入，结核性胸膜炎的诊断和治疗取得了一定的进展，但同时也面临着一些挑战和困难。首先，耐药性结核菌株的出现和传播是一个全球性的公共卫生问题。耐药结核病的治疗需要更昂贵、更多不良反应的药物，且治疗周期更长，这给患者带来了巨大的经济和生理负担。其次，患者治疗依从性差也是一个挑战。结核性胸膜炎的治疗周期通常较长，需要患者长期坚持规律用药。然而，由于抗结核药物的不良反应、工作和社会压力等原因，患者常常难以坚持全程治疗，导致治疗效果不佳，甚至产生耐药。此外，结核性胸膜炎的早期诊断困难也是一个问题。由于其临床表现多样且缺乏特异性，常导致误诊或漏诊，延误治疗时机。针对这些难点，国内外专家共识推荐使用分子诊断技术如Xpert MTB/RIF来提高诊断的准确性和效率。同时，为了提高患者的治疗依从性，推荐采用患者中心化管理模式，包括患者教育、定期随访、药物不良反应监测和心理支持等措施。

在此病例中，患者得到了及时的诊断和规范的抗结核治疗，症状得到了有效控制。在临床实践中，需要不断提高对结核性胸膜炎的认识，加强早期诊断和规范治疗，以降低误诊率和耐药率。

参考文献

[1] 中华医学会结核病学分会. 结核性胸膜炎诊断和治疗指南（2020年版）[J]. 中华结核和呼吸杂志，2020，43（5）：405-420.

[2] American Thoracic Society, CDC, Infectious Diseases Society of America. Treatment of tuberculosis [J]. MMWR Recomm Rep, 2003 Jun 20; 52 (RR-11): 1-77.

[3] 卫生部结核病防治领导小组. 中国结核病防治规划实施工作指南[M]. 北京：人民卫生出版社，2010.

[4] Migliori GB, Sotgiu G, Ferrario G, et al. Enhancing case finding and treatment adherence in tuberculosis: the importance of a patient-centred approach [J]. Int J Infect Dis, 2016; 49: 121-130.

[5] Boehme CC, Nabeta P, Hillemann D, et al. Xpert MTB/RIF assay for the diagnosis of pulmonary tuberculosis and drug-resistant tuberculosis: a systematic review and meta-analysis [J]. Lancet Infect Dis, 2010; 10 (12): 749-759.

（莫秋弟）

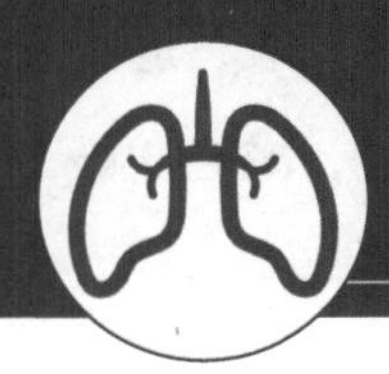

第四章　弥漫性肺部疾病

◎ 间质性肺炎

案例介绍

患者男，46 岁，于 2024-08-27 入院。

主诉：咳嗽、咳痰、气促 1 年余，加重 2 月。

现病史：患者 1 年前反复出现咳嗽，咳少量白痰，伴活动后气促明显，上 2 层楼即可出现，休息后可缓解，无发热，无盗汗，无鼻塞、流涕，无咯血，无胸痛、胸闷、端坐呼吸等，遂于外院就诊，查 PET–CT 示：左上肺尖后段、双下肺多发高代谢结节及肿块，余双肺弥漫性病变，代谢轻度增高，考虑炎症肺癌；右侧肺门、纵隔多发淋巴结肿大；双肺散在肺大疱，纵隔、左肺门多发淋巴结炎性增生；右侧筛窦炎，左侧上颌窦黏膜下囊肿：前纵良性结节（胸腺瘤？胸腺囊肿？）。行右下肺组织活检示：组织改变符合机化性肺炎伴小脓肿形成，GMS 染色见丝状菌，倾向于诺卡菌感染。诊断“肺诺卡菌病；肺部阴影（肺泡癌待排）”，予口服复方磺胺甲噁唑抗感染治疗后好转出院，并规律服用药物 1 年。2024–03 当地医院复查胸部 CT 示双肺部分病灶较前有吸收。2 个月前患者诉气促加重，逐渐加重，平地行走即可出现，伴咳嗽，咳大量白黏痰，其余症状基本同前，2024-08-26 于外院查胸部 CT 示：双肺弥漫性疾病，符合非特异性间质性肺炎；前纵隔软组织密度结节影，胸腺瘤？胸段食管壁稍增厚；考虑左侧第 3、5、10 肋及右侧第 4 肋陈旧性骨折。为进一步诊断治疗来门诊就医，在门诊拟诊断为“肺炎”收入院。自发病以来精神状态一般，食欲一般，进食少，睡眠良好，大便正常，小便正常，体力情况如常，体重明显减轻，减轻 3 kg，无意识障碍。

既往史：既往曾行肺穿刺活检术。

个人史：吸烟 20 年，平均 40 支 / 日，已戒烟 1 年，否认酗酒。

检查

体格检查：T 36.5℃，P 70 次 / 分，R 23 次 / 分，BP 125/81 mmHg。神清，胸廓正常，呼吸运动正常，呼吸节律正常，双肺叩诊呈清音，双肺呼吸音粗，双肺可闻及湿啰音。心律齐，未闻及杂音。腹平软，肝脾肋下未触及。双下肢无水肿。

诊断

初步诊断：重症肺炎；Ⅰ型呼吸衰竭；间质性肺炎；前纵隔良性肿瘤。

鉴别诊断：肺癌？肺纤维化？

最终诊断：间质性肺炎；Ⅰ型呼吸衰竭；前纵隔良性肿瘤；癌胚抗原 CEA 升高。

诊断依据：根据美国胸科协会（ATS）和欧洲呼吸学会（ERS）发布的最新指南，诊断标准通常包括以下几个方面。①患者可能会出现慢性呼吸困难、干咳和活动耐量下降等症状。②胸部高分辨率 CT（HRCT）检查通常显示网格影、蜂窝影、牵拉性支气管扩张和肺实质实变等特征性表现。③肺功能测试可能揭示限制性或混合性通气功能障碍、肺活量下降和肺一氧化碳弥散量（DLCO）降低。④组织病理学检查有助于确定肺泡炎的类型和程度，评估纤维化的范围和模式，并排除其他疾病。此外，诊断过程中还需排除其他已知原因的间质性肺疾病，如职业暴露、环境因素、药物或放射线暴露。某些特定类型的间质性肺炎，如特发性肺纤维化（IPF）和非特异性间质性肺炎（NSIP），有其特定的诊断标准。诊断过程通常需要多学科团队的评估，包括肺科医生、放射科医生和病理学家的共同讨论。该患者除了参考项目的第③、④条未检测，其他项目均符合。

诊疗经过

入院后完善相关检查，2024-08-27 凝血 5 项：纤维蛋白原 4.05 g/L；生化 + 心肌酶 5 项 + 肝功：钠 133.0 mmol/L，天门冬氨酸氨基转移酶 41 U/L，乳酸脱氢酶 261 U/L，α－羟丁酸脱氢酶 223 U/L，γ－谷氨酰转移酶 74 U/L，总蛋白 62.0 g/L；血气分析：酸碱度 7.328，氧分压 45.0 mmHg，氧饱和度 77.8%，实际碳酸氢盐 18.7 mmol/L，实际碱剩余 –5.8 mmol/L；血常规 +CRP：嗜碱性粒细胞比例 1.20%，嗜碱性粒细胞绝对值 0.09×10^9/L，血红蛋白 121 g/L。2024-08-28 肺癌 4 项：神经元特异烯醇化酶 31.360 μg/L，细胞角蛋白 19 片段 31.840 μg/L；癌胚抗原 38.79 μg/L。

2024-08-29 自身抗体二项：抗核抗体（ANA）阳性（1 ∶ 320），核型斑点型，胞浆型双链 DNA（ds-DNA）阴性；查自身抗体组、血管炎抗体组未见异常；查 BNP、肌钙蛋白、降钙素原、尿常规未见异常。病原学：甲乙流、新冠、痰细菌涂片、痰真菌免疫荧光未见异常。痰培养示口腔菌。2024-08-28 多通道 12 导联心电图检查：窦性心律；不完全性右束支传导阻滞；ST-T 改变。2024-08-29 胸部平扫：双肺弥漫间质性肺炎，两下肺为著。前上纵隔占位病变，考虑胸腺瘤，请结合临床，双上肺散在小肺大疱，纵隔肿大淋巴结，考虑反应性增生。左 3、5、10 肋，右 4 侧肋陈旧性骨折。2024-08-30 心脏 + 心功能超声：心内结构及血流未见明显异常。左室收缩功能未见明显异常，舒张功能减退。2024-08-30 肝胆脾胰超声：肝、胆、胰、脾未见明显异常。2024-08-30 双肾输尿管膀胱超声：双肾、双输尿管未见明显异常。

入院后予美罗培南 0.5 g q8h、阿米卡星抗感染（经验性覆盖诺卡菌）、甲强龙 80 mg bid、丙球 5.0 g qd、尼达尼布 0.1 g bid 抗纤维化、高流量氧疗（FiO_2 65%）及多索茶碱、复方异丙托溴铵平喘及对症治疗。

2024-08-28 肺泡灌洗液 tNGS 示：流感嗜血杆菌（序列数 6373），肺炎克雷伯菌（序列数 106），咽峡炎链球菌 129，EB 病毒（序列数 687）。2024-09-03 停用激素，更换抗感染方案予“特治星 4.5 g q8h+ 替加环素 50 mg q12h”抗感染治疗，余治疗同前。2024-09-03 胸部平扫：双肺弥漫间质性肺炎，两下肺为著，较前稍进展。前上纵隔占位病变，考虑胸腺瘤可能。双上肺散在小肺大疱。纵隔肿大淋巴结，考虑反应性增生。左 3、5、10 肋，右 4 侧肋陈旧性骨折。2024-09-04 再次行气管镜检查，支气管镜显示：左右主支气管通畅，各叶段支气管通畅，黏膜光滑，轻度充血，两下肺支气管腔内见少量颗粒状黄色分泌物，未见肿瘤、浸润、狭窄和出血等改变。2024-09-04 支气管镜下肺泡灌洗液结果示：嗜麦芽窄食单胞菌（序列数 9）。细胞学分类：巨噬细胞 40.96%，淋巴细胞 12.05%，中性粒细胞 46.99%。嗜酸性粒细胞 0%，嗜碱性粒细胞。

2024-09-06 右下肺支气管刷检，右下肺灌洗液病理示：镜下检出少许支气管黏膜柱状上皮细胞及组织细胞，未见明确恶性肿瘤细胞。2024-09-09 复查胸部 CT 示：考虑双肺弥漫间质性肺炎，两下肺为著，较前大致相仿，请结合临床。前上纵隔占位病变，较前相仿，考虑胸腺瘤可能。双肺散在小肺大疱。纵隔肿大淋巴结，较前相仿，考虑反应性增生。左 3、5、10 肋，右 4 侧肋陈旧性骨折，较前相仿。2024-09-14 患者咳嗽、咳痰减少，但仍有活动后气促明显，家属联系转院继续治疗。

出院情况

患者咳嗽、咳痰减少，诉有活动后气促，无发热、胸痛、胸闷等。精神、睡眠、胃纳一般，二便可。查体：BP 115/66 mmHg。营养不良，神志清楚，双肺叩诊呈清音，双肺呼吸音粗，双肺未闻及湿啰音。心率 69 次 / 分，心律齐整，各周膜听诊区未闻及杂音，腹部平软，无压痛、反跳痛，双下肢无水肿。四肢肌力 V 级，肌张力正常。于 2024-09-14 出院，转诊至外院间质性肺病专科。

讨论

根据美国胸科协会和欧洲呼吸学会发布的有关间质性肺部的最新指南，间质性肺炎的诊断标准通常包括以下几个方面：慢性呼吸困难、干咳和活动耐量下降的临床症状；HRCT 显示网格影、蜂窝影等特征性表现；肺功能测试显示限制性或混合性通气功能障碍；组织病理学检查确定肺泡炎的类型和程度。此患者的症状与影像学表现符合间质性肺炎的诊断标准。此外，患者有长期服用复方磺胺甲𫫇唑片的病史，需考虑药物相关间质性肺病的可能性。药物性肺损伤可表现为间质性肺炎，且临床表现多样，有时难以与原发性间质性肺炎区分。因此，鉴别诊断需排除肺纤维化、肺癌等其他疾病，并考虑药物因素的影响。在本病例中，患者有长时间使用复方磺胺甲𫫇唑片病史，这提示药物可能与患者的肺间质性改变相关。对于药物相关的间质性肺炎，需要完善以下检查来明确诊断。①详细的病史询问：特别是药物使用史，包括使用时间、剂量、停药后的反应等。②影像学检查：HRCT 检查观察是否有药物性肺炎的特征性表现。③肺功能测试：评估患者的通气功能和肺弥散能力。④支气管镜检查和肺活检：获取病理学证据，排除其他原因的间质性肺病。⑤药物激发试验：在严密监控下重新使用疑似药物，观察是否诱发症状。然后因患者病情原因，部分检查未能进一步完善。

当前，间质性肺炎的治疗策略包括药物治疗、支持治疗、肺康复及在某些情况下的肺移植。根据最新指南或专家共识，首选药物治疗包括抗纤维化药物如尼达尼布、吡非尼酮等，以及免疫调节治疗。患者的治疗过程中使用了尼达尼布和甲强龙，符合当前的治疗策略。然而，患者症状无明显改善，提示可能需要重新评估治疗方案。对此患者的治疗方中抗感染治疗选择合理，但需密切监测药物不良反应和耐药性问题；抗炎治疗和免疫调节治疗力度可能需要加强；支持治疗和肺康复措施似乎不足，建议增加。此外，针对药物相关间质性肺病，应立即停用可疑药物，并考虑使用激素冲击治疗。根据最新的流行病学数据，间质性肺炎的发病率在全球范围内呈上升趋势。最新的研究进展包括新型抗纤维化药物的研发、干细胞治疗的探索及个体化医疗的实施。这些进展提供了更多的治疗选择和更好的治疗效果。

经过整体上的治疗，此患者治疗效果差，症状改善不明显，可能与药物选择不当、剂量不足、治疗时间不够长、合并症未得到有效控制等有关。另外可能存在未被发现的隐藏病因，是否需要再次进行肺活检进一步明确病理类型来指导治疗，则需要多学科团队的共同讨论和协作。因此，建议重新评估患者的病情，调整治疗方案，加强支持治疗和肺康复，必要时考虑进行肺移植评估。此外，患者的癌胚抗原 CEA 升高，提示可能存在肿瘤风险，建议进行进一步的影像学检查和肿瘤标志物监测。

参考文献

[1] American Thoracic Society; European Respiratory Society. American Thoracic Society/European Respiratory Society International Multidisciplinary Consensus Classification of the Idiopathic Interstitial Pneumonias. This joint statement of the American Thoracic Society（ATS）, and the European Respiratory Society（ERS）was adopted by the ATS board of directors, June 2001 and by the ERS Executive Committee, June 2001 [J]. Am J Respir Crit Care Med, 2002 Jan 15; 165（2）: 277-304.

[2] 中华医学会呼吸病学分会. 药物性肺疾病诊治专家共识（2010 年版）[J]. 中华结核和呼吸杂志，2010，33（6）: 443-447.

[3] 中华医学会呼吸病学分会. 间质性肺疾病诊断和治疗指南（2018 年版）[J]. 中华结核和呼吸杂志，2018，41（12）: 893-927.

[4] 中华医学会呼吸病学分会. 肺纤维化诊断和治疗指南（2019 年版）[J]. 中华结核和呼吸杂志，2019，42（4）: 241-250.

（莫秋弟）

◎ 急性间质性肺炎

案例介绍

患者女，48 岁，于 2018-04-27 入院。

主诉：咳嗽、咳痰、气喘 1 周，加重 2 天。

现病史：患者于 1 周前“感冒”后出现咳嗽、咳痰，痰为黄白色黏液样，每日咳痰少量，无咯血，伴有活动后气喘及低热，体温 37.5℃，无伴畏寒，伴有咽痛，无胸痛、心悸，无盗汗、乏力。2018-04-24 到当地医院门诊就诊，检查血常规“WBC 13.3×10^9/L，N 8.7×10^9/L”，胸片见“双肺炎”，先后予“左氧氟沙星、头孢克肟胶囊”等治疗，未见明显好转。2 天前，患者仍有咳嗽，痰难咳出，气喘较前加重伴明显呼吸困难，面色发绀，不能活动。为进一步诊断治疗就医，拟诊断为“重症肺炎”收入院。自发病以来精神状态较差，食欲一般，进食少，睡眠较差，大便正常，小便正常，体力情况较差，体重无明显变化，无意识障碍。

既往史：有“天疱疮”病史 3 年，目前服用“甲泼尼龙片 8 片 qd，骁悉 4 片 q12h”，自诉病情控制稳定。服用激素后有血糖升高，具体治疗不详。否认高血压、冠心病等慢性病史，否认肝炎、结核等传染病史，否认手术史、外伤史、输血史，否认过敏史，预防接种史不详。

检查

体格检查：T 36.8℃，P 81 次 / 分，R 28 次 / 分，BP 98/64 mmHg，SaO_2 91%（低流量吸氧下）。发育正常，营养良好，慢性病容，神志清楚，被动体位，应答切题，查体合作。全身皮肤散在色素沉着，背部及双臀部可见局部水泡并破溃，有少许血性渗液体，未见肝掌，未见蜘蛛痣。全身浅表淋巴结未扪及肿大。胸廓正常，呼吸浅快，双肺叩诊呈清音，双肺呼吸音减弱，双下肺可闻及湿啰音。心尖搏动范围正常，心前区未触及震颤和心包摩擦感，心脏相对浊音界正常，心律齐整，各瓣膜听诊区未闻及杂音。腹软，无压痛、反跳痛。脊柱正常，四肢无畸形，关节无红肿、活动自如，双下肢无水肿。四肢肌力Ⅴ级，肌张力正常。

诊断

诊断：急性间质性肺炎；Ⅰ型呼吸衰竭；继发性糖尿病；天疱疮；低蛋白血症。

诊疗经过

入院查血常规：白细胞 11.42×10^9/L，分叶细胞比例 92.5%；血气分析：实际碳酸氢盐 20.2 mmol/L，二氧化碳分压 29.1 mmHg，酸碱度 7.45，氧分压 59 mmHg；肌酐 71 μmol/L，丙氨酸氨基转移酶 7 U/L，天门冬氨酸氨基转移酶 25 U/L，白蛋白 19 g/L。心电图：窦性心律；正常心电图。心脏彩超：心内结构及血流未见明显异常，左室收缩、舒张功能未见明显异常。肝胆脾胰＋双肾输尿管膀胱＋子宫与附件超声：肝、胆、脾、胰、双肾、双输尿管、膀胱未见明显异常。胸部 CT 平扫（图 4-1）：双肺感染，建议治疗后复查。双侧胸膜增厚，双侧少量胸腔积液。痰培养及痰 NGS 检查未见特殊。入院予“泰能＋伏立康唑”抗感染治疗，“甲强龙 500 mg+ 丙球”治疗 3 天，随后改为“甲强龙 250 mg×3 d”继续治疗，予以无创辅助通气治疗，同时予以营养支持治疗，患者症状逐渐好转，逐渐调整药物为“拜复乐＋伏立康唑”治疗，逐渐减少激素用量，期间多次复查胸部 CT 提示炎症逐渐吸收，并予纤支镜吸痰辅助治疗，后逐渐停用无创通气，患者血氧良好，住院 18 天出院。

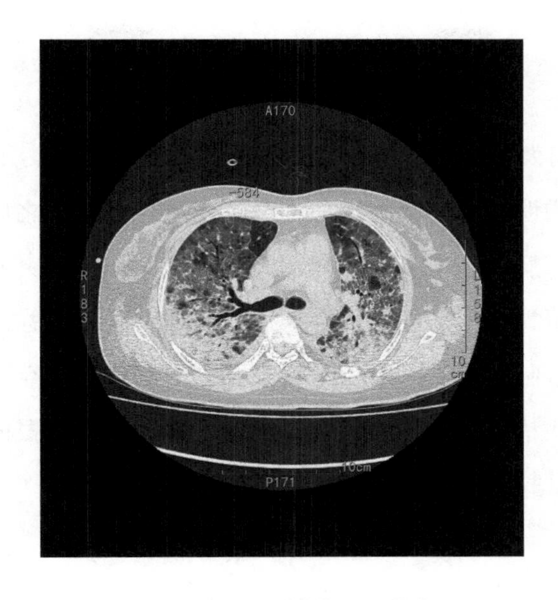

图 4-1 入院时胸部 CT 检查

出院情况

患者精神、睡眠、胃纳良好，少许咳嗽，无痰，无发热，无气促，无腹胀，无胸闷、心悸。查体：生命体征平稳，吸空气下 SpO_2 96%。双肺呼吸音粗，双下肺可闻及少许湿啰音，未闻及哮鸣音。出院后门诊复查胸部 CT 见图 4-2。

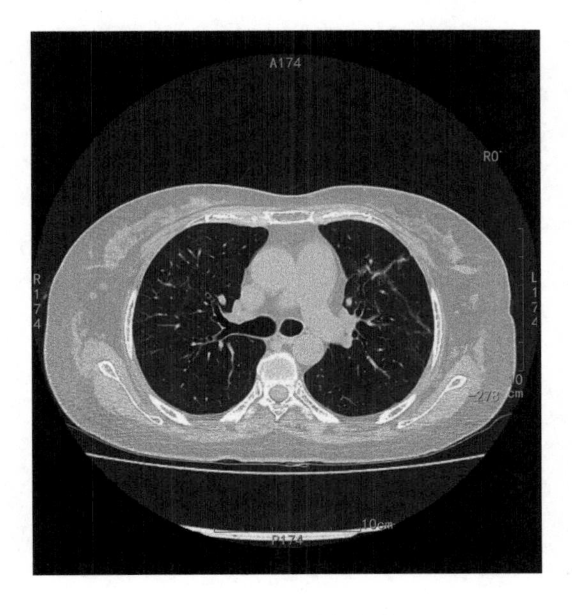

图 4-2 出院后门诊复查胸部 CT

讨论

患者住院期间大剂量激素冲击治疗后，症状明显改善，动态复查胸部 CT 提示双肺病灶短期内明显改善，临床考虑急性间质性肺炎，之后激素逐渐减量，治疗 1 月余后肺部病灶基本吸收。急性间质性肺炎是一种突发起病、快速进展为呼吸衰竭并需机械通气的间质性肺疾病，其病理特点为弥漫性肺泡损伤。临床诊断主要是结合临床特点、影像学表现及肺组织病理特点综合考虑而定，但很多患者发病时病情危重，肺活检风险很高。治疗上往往根据临床经验采用大剂量糖皮质激素冲击和机械通气支持治疗。

参考文献

徐钦星，王利民，任振义. 急性间质性肺炎的治疗进展［J］. 中国呼吸与危重监护杂志，2010，9（5）：552-554.

（王银燕）

◎ 隐源性机化性肺炎

案例介绍

患者女，40 岁。

主诉：体检发现肺部病灶 1 周。

现病史：患者 1 周前因左肩关节疼痛行 MRI 检查发现左肺多发异常信号，建议胸部 CT 检查。后在当地医院住院，胸部增强 CT 提示：双肺多发病灶，考虑肿瘤性病变，淋巴瘤？转移瘤？及其他病变，建议进一步检查。入院后查肿瘤相关抗原、风湿免疫、血管炎抗体、寄生虫抗体及真菌 G 试验均为阴性，诊断：过敏性肺炎？机化性肺炎？真菌性肺炎？予口服泼尼松 15 mg qd 治疗三天，患者要求转院进一步诊疗予出院。出院后患者前往外院门诊就诊，胸部 CT 会诊回报：两肺多发磨玻璃结节，考虑感染性病变（隐源性机化性肺炎？真菌感染？），建议活检。为求进一步诊疗，拟“肺部病变查因”收住呼吸内科。起病以来精神、食纳、睡眠可，无咳嗽、咳痰，无畏寒、发热，无胸闷、胸痛，大小便可，体重无减轻。

既往史：平素身体良好，否认高血压、冠心病、糖尿病等慢性病史，否认肝炎、结核等传染病史，否认手术史、外伤史、输血史，药酒及风油精过敏，预防接种史不详。

检查

体格检查：T 36.5℃，P 79 次 / 分，R 18 次 / 分，BP 106/76 mmHg。发育正常，营养良好，神志清楚，自主体位，应答切题，查体合作。呼吸节律正常，双肺叩诊呈清音，双肺呼吸音清，未闻及干、湿啰音。心律齐整，各瓣膜听诊区未闻及杂音。腹肌柔软，无压痛、反跳痛，未触及腹部包块。

诊断

初步诊断：双肺病变查因（隐源性机化性肺炎？）。

最终诊断：隐源性机化性肺炎。

诊疗经过

入院查血常规、肝肾功能、凝血功能、真菌抗原三项、离子四项及大小便常规大致正常。感染八项定性：乙肝病毒核心抗体阳性（+），乙肝病毒 e 抗体阳性（+），乙肝病毒表面抗体阳性（+）；真菌 G 试验（1，3– β –D– 葡聚糖定量）24.876 pg/mL，真菌抗原三项阴性；心电图无特殊。2017–10–27 胸部平扫及增强（图 4–3）：两肺多发磨玻璃结节，考虑感染性病变（隐源性机化性肺炎？真菌感染？），建议进一步检查。支气管镜检查（图 4–4）：气管、支气管、段支气管通畅，未见新生物。于右下叶背段予生理盐水灌洗，收集液送细胞学检查，病理未见肿瘤细胞。于右下叶背段活检及刷检，病理回报示右下叶背段送检破碎肺组织，肺泡腔内未见炎性渗出物，间质增宽，灶性淋巴细胞浸润，未见坏死及肉芽肿病灶，特殊染色：抗酸和六胺银阴性。组织改变为间质性炎症。刷检涂片未见癌细胞。肺泡灌洗液涂片可见大量淋巴细胞、组织细胞、少量中性粒细胞，未见癌细胞。肺功能大致正常。予泼尼松抗炎 25 mg 对症支持治疗 1 周出院。

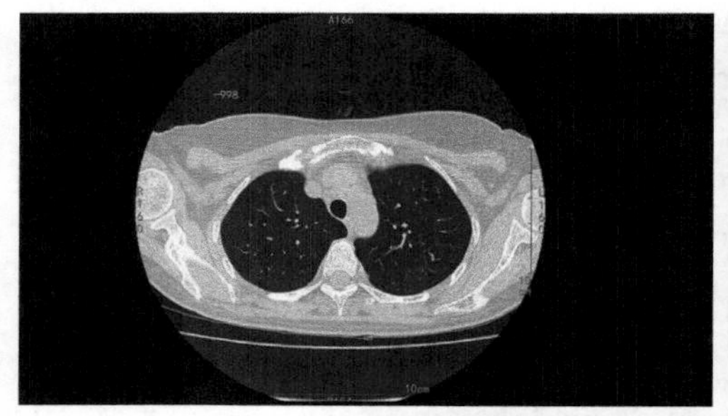
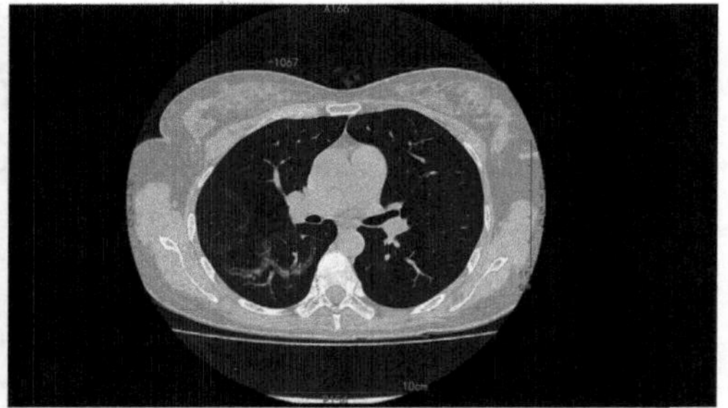
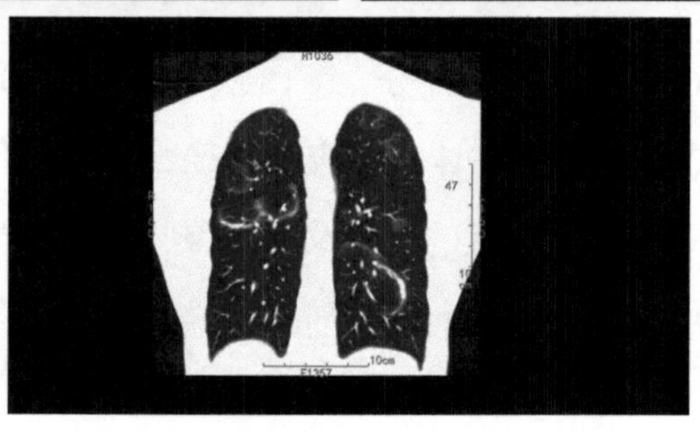

图 4–3　入院时胸部 CT

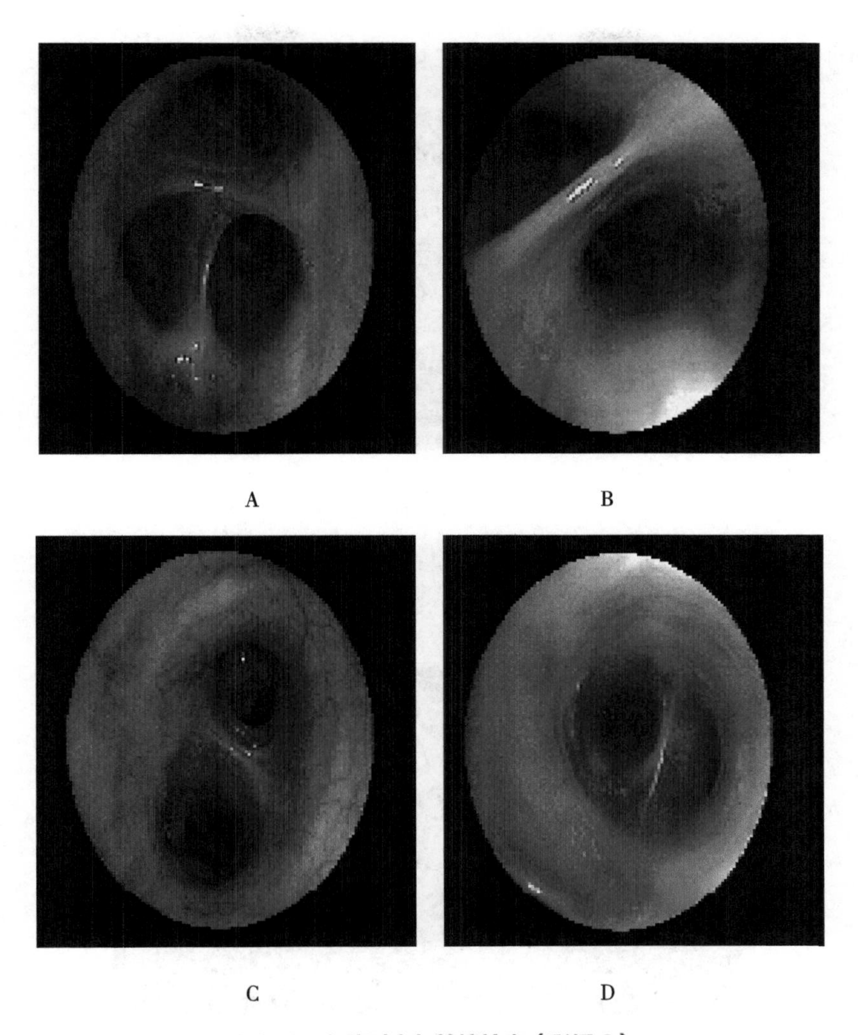

图 4-4　入院时支气管镜检查（彩插 2）

注：A. 右上支气管，右上叶后段开口可见夹杂有黑色细颗粒黄白分泌物；B. 右中下支气管正常；C. 左上、下支气管正常；D. 右支背支大致正常

出院情况

精神、食纳、睡眠可，无咳嗽、咳痰，无胸闷、胸痛，未诉特殊不适。查体无特殊。出院后服泼尼松巩固治疗，并逐渐减量，疗程 1 月，于当地医院行胸部 CT：原双肺多发病灶治疗后基本消失，患者遂停药。3 月后再次行胸部 CT 复查（图 4-5）又出现双肺多发病灶。再次予泼尼松 25 mg qd 治疗，并逐渐减量，同时嘱患者勿自行停药，复发后再次激素治疗 3 月余，减量至 10 mg qd 再维持

治疗 1 月，停药后未再复发。再次治疗 1 月后复查胸部 CT 见图 4–6。

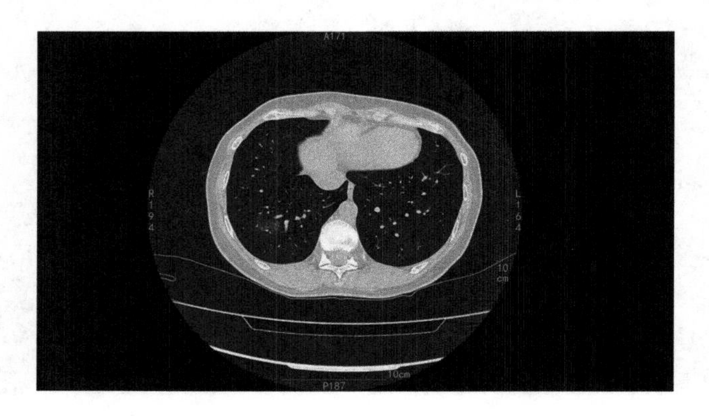

图 4–5　停药后复查 CT

注：提示复发

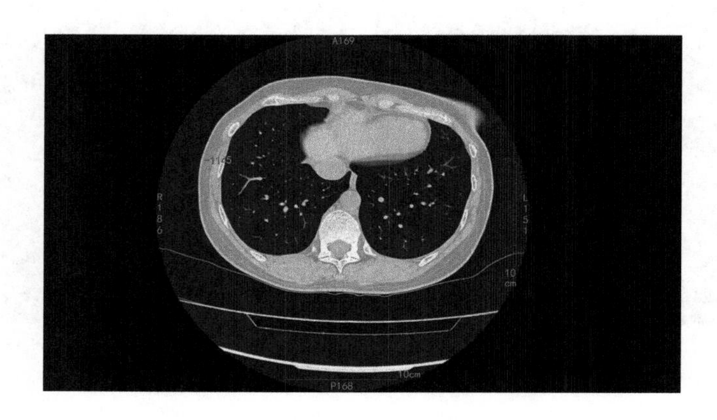

图 4–6　再次治疗 1 月后复查胸部 CT

注：病灶基本吸收

讨论

隐源性机化性肺炎（COP）是一类病因不明的间质性肺疾病，既往被称为闭塞性细支气管炎伴机化性肺炎，其组织学改变表现为机化性肺炎（OP），出现机化性肺炎病理改变并能找到与之对应的临床危险因素或伴随疾病时称为继发性机化性肺炎，病因不明即为隐源性机化性肺炎。

隐源性机化性肺炎无论是从疾病的诊断，还是疗效评估方面来看，胸部影像学检查都有着无法取代的重要地位。同一患者可同时具备两种或两种以上特点。也有部分患者表现为粟粒样结节影、肿块影，此类患者容易被误诊为肺结核或肿瘤性疾病。少数患者病灶表现出现反晕征、游走性等相对特异表现。游走性则是短期内复查胸部影像，病灶呈现此消彼长的转移特点，复查胸部 CT 检查进行对比有一定相关性。即便反晕征与游走性的影像特点并非 COP 特有，但至今仍不能否定它在 COP 诊断中的高度提示作用，少见影像表现的重点判读，对疾病诊断或病情变化的评估十分重要。肺组织活检是诊断 COP 的金标准，除患者拒绝活检、临床存在禁忌证等特殊情况外，所有怀疑 COP 可能的患者都应争取早期获得病理诊断。

COP 的治疗：糖皮质激素是目前临床运用最多、疗效最受肯定的治疗方法。

总体而言，本病预后较其他类型间质性肺疾病好。虽预后良好，但高复发率是本病治疗的一大难点，以往资料提示停药过早或药物减量至 10 mg 时易复发，但再次使用激素有效，这在本例患者得到证实，因此强调本病应当坚持长疗程治疗，药物不宜过早减量，更不能随便停用。

参考文献

文青，廉洁，胡婷华，等. 22 例隐源性机化性肺炎的临床分析［J］. 临床研究，2022，30（5）：1-4.

（王银燕）

◎ 机化性肺炎

案例介绍

患者男，64 岁，于 2023-04-18 入院。

主诉：咳嗽、咳痰 1 周。

现病史：患者于 1 周前受凉后出现咳嗽，刚开始无痰，后咳少许黄黏痰，晨起明显，无咯血，无畏寒，无寒战，不伴有咽痛、胸痛，无气短，不伴有盗汗、乏力，到当地中医院就诊，予口服药物治疗（鱼腥草等）后无明显好转，现为进一步诊断治疗来我院就医，在门诊拟诊断为“肺炎”收入院。自发病以来，精神状态较差，食欲一般，进食可，睡眠良好，大便正常，小便正常，体力情况如常，近期体重明显减轻（具体不详），无意识障碍。

检查

体格检查：T 36.6℃，P 75 次 / 分，R 20 次 / 分，BP 111/70 mmHg。神志清楚，胸廓正常，呼吸运动正常，呼吸节律正常，双肺叩诊呈清音，双肺呼吸音清，双肺可闻及吸气相湿啰音。心前区无隆起，心律齐整，各瓣膜听诊区未闻及杂音。腹平软，无压痛、反跳痛，未触及腹部包块，肠鸣音正常。双下肢无水肿。

诊断

初步诊断：肺炎。

最终诊断：双肺机化性肺炎；慢性支气管炎伴肺气肿。

诊疗经过

入院后查 2023-04-18 凝血 5 项：纤维蛋白原 1.77 g/L；2023-04-18 降钙素原定量 0.053 ng/mL；血常规 +SAA+CRP、血清肌钙蛋白 I 测定、B 型钠尿肽、血脂七项、心肌酶五项+IMA、肾功6项、肝功全套、离子四项、感染八项定性、真菌G试验、结核分枝杆菌核酸检测大致正常。2023-04-18胸部CT平扫（图4-7）：慢支、肺气肿；双肺炎症；双肺多发肺大疱。2023-04-18静息12导联心电图：窦性心律；正常心电图。2023-04-19糖化血红蛋白6.5%；2023-04-19甲功6项：甲状腺过氧化物酶抗体54.39 IU/mL；2023-04-19肺癌4项：神经元特异烯醇化酶19.160 μg/L，细胞角蛋白19片段4.030 μg/L；2023-04-19胸部CT直接增强：双肺炎症，建议治疗后复查；肺气肿；双肺散在肺大疱。2023-04-19心脏+心功能超声：主动脉硬化；左室收缩功能未见明显异常，舒张功能减退。2023-04-19前列腺精囊超声：前列腺增大伴钙化。2023-04-19双肾输尿管膀胱超声：双肾、双输尿管、膀胱未见明显异常。2023-04-19甲状腺超声：甲状腺未见明显异常，C-TIRADS 1类。2023-04-21肝胆脾胰超声：肝、胆、胰、脾未见异常声像。2023-04-23支气管镜：支气管炎症（轻度）。2023-04-24右中叶内侧段刷检：（右中叶内侧段刷检）涂片HE×3。镜下：检出较多支气管黏膜柱状上皮，未见恶性肿瘤细胞。2023-04-26右中叶内侧段活检（图4-8）：送检支气管及肺组织，肺泡间隔基本正常，部分终末气道和肺泡腔可见成纤维细胞栓填塞，间质见少量淋巴细胞、中性粒细胞浸润，病变符合机化性肺炎，特殊染色：PAS（-），PASM（-），抗酸（-）。2023-04-26胸部平扫：双肺散在炎症，较前吸收，建议继续治疗后复查。肺气肿，双肺散在肺大疱。

入院后予“左氧氟沙星”抗感染、化痰、止咳等对症支持治疗，现患者病情改善，予带药出院，出院后门诊予“甲泼尼龙”抗炎治疗。

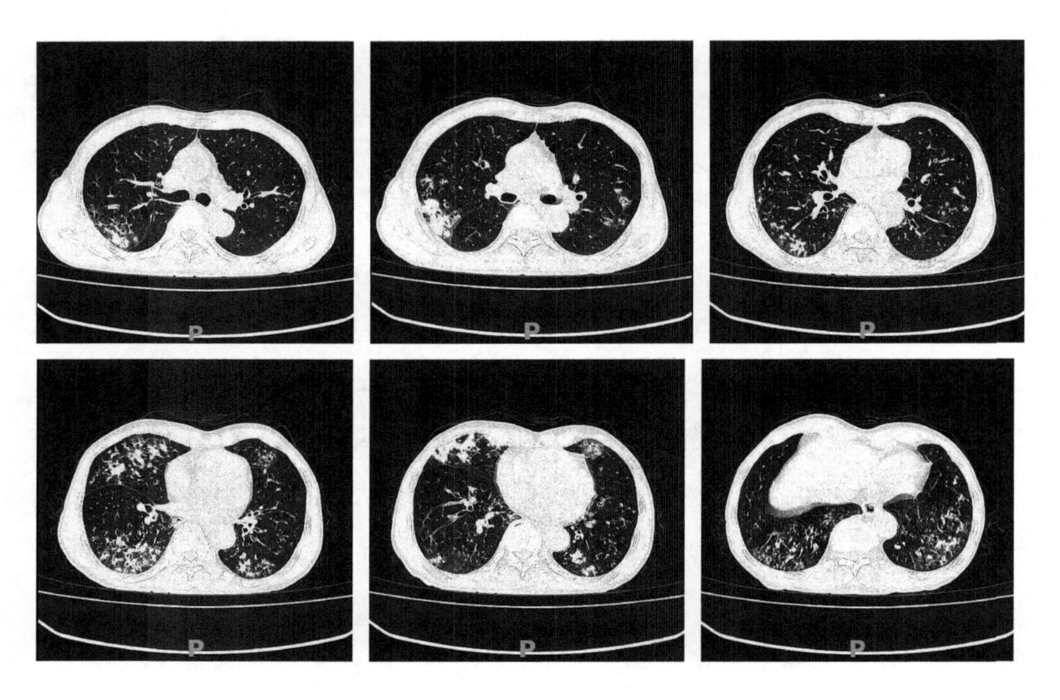

图 4-7　2023-04-18 胸部 CT（治疗前）

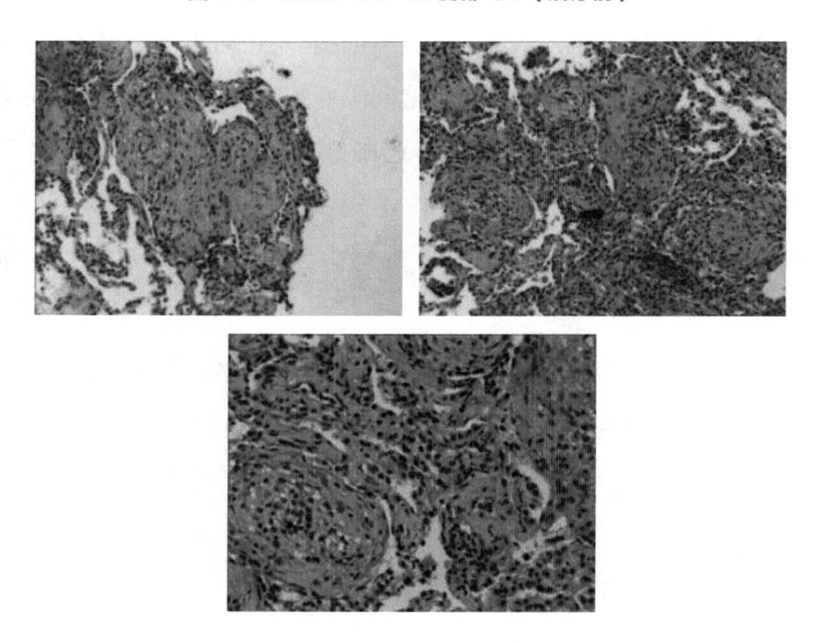

图 4-8　2023-04-26 右中叶内侧段活检病理（彩插 3）

出院情况

患者暂无特殊不适，精神尚可，睡眠尚可，胃纳可。查体：生命体征平稳，神清，双肺呼吸音清，双肺可闻及吸气相湿啰音。心前区无隆起，律齐，各瓣膜听诊区未闻及病理性杂音。腹平软，无压痛、反跳痛，肝脾未扪及，移动性浊音阴性，肠鸣音正常。双下肢无水肿。2023-11-30 复查胸部 CT 见图 4-9。

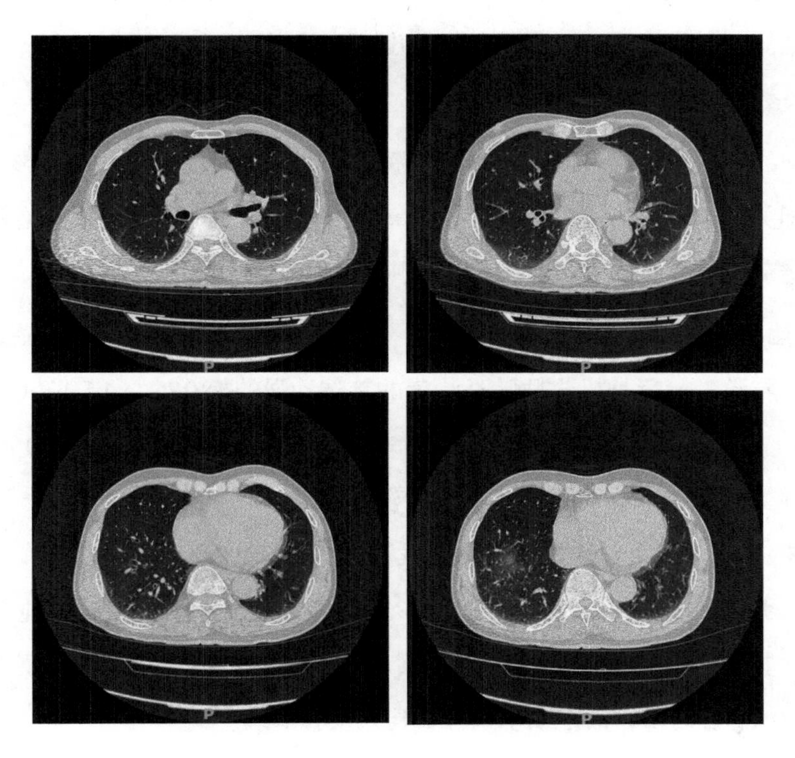

图 4-9　2023-11-30 复查胸部 CT（治疗后）

讨论

机化性肺炎是指肺泡和肺泡管中存在肉芽组织栓的一组疾病，由成纤维细胞、肌成纤维细胞、疏松结缔基质、胶原组成，肉芽组织栓可以延伸到细支气管。该疾病分为特发性机化性肺炎、继发性机化性肺炎。

1．病因

特发性机化性肺炎是原因不明的，而继发性机化性肺炎原因很多，常见包括感染、药物毒性、胶原病、吸入致病原（可卡因）、吸入有害气体、胃食管反流、器官移植、放疗、射频等，也可以与某些疾病相关，如免疫相关的疾病、血液系统恶性肿瘤、原发性胆汁肝硬化、多发性结节动脉炎等。

2. 临床表现

临床表现多为亚急性起病，病情较轻，偶有急性起病者临床表现同 ARDS。呼吸系统症状可有咳嗽、气促、咯血、胸痛、低热、盗汗、乏力，肺部体征可有肺部细湿啰音等，无哮鸣音，一般不出现杵状指。

3. 辅助检查

典型的影像学表现为斑片状肺泡浸润影，也可以表现为孤立性阴影、浸润性阴影，但并不常见，少数可表现为反晕轮征、进行性肺纤维化并网格及实变、多发性结节、支气管中央型实变、不规则线或带、小叶周围型阴影。

4. 治疗

糖皮质激素治疗是机化性肺炎治疗的首选。强的松 0.75 ~ 1.5 mg/（kg · d）×（4 ~ 6）周，或 0.50 ~ 0.75 mg/（kg · d），每 3 ~ 4 周渐减量至 10 mg/d 维持 6 ~ 12 个月。重症患者可用激素冲击疗法加强龙 0.5 ~ 1 g/d ×（3 ~ 5）d。

13% ~ 58% 的患者激素停药后复发，其中约 20% 患者有多次复发。对复发的患者，强的松 20 mg/d，持续 12 周，后逐渐减量。如 OP 复发单纯基于影像学，无症状与炎症指标反复，密切观察，不建议增加激素剂量，如复发时激素剂量 > 30 mg 强的松，治疗效果欠佳，建议复查病理。

参考文献

［1］施举红，许文兵，刘鸿瑞，等. 隐源性机化性肺炎 18 例的临床病理特征［J］. 中华结核和呼吸杂志，2006（3）：167-170.

［2］杨雪，孔君，杨明夏，等. 21 例急性纤维素性机化性肺炎临床特征分析［J］. 中华结核和呼吸杂志，2020，43（8）：7.

［3］李洪杰，王鹰，程杰，等. 不典型机化性肺炎 CT 影像表现及病理特征分析［J］. 临床放射学杂志，2022，41（12）：4.

（老奋坚）

◎ 肺泡蛋白沉着症 1

案例介绍

患者女，54 岁，于 2022-06-17 入院。

主诉：活动后气促 5 月余。

现病史：患者于 5 月余前无明显诱因出现活动后气促，偶有咳嗽，咳少许白痰，无发热、畏寒、寒战，无胸闷、胸痛，无咽痛、咽干，无关节疼痛，曾在外院就诊，查胸部 CT 提示“间质性肺炎”，予药物治疗后效果欠佳，今为求进一步诊治，遂到门诊就诊，门诊拟“间质性肺病”收入呼吸内科，起病以来，患者精神、睡眠、胃纳可，二便如常，体重无明显变化。

检查

体格检查：T 36.4℃，P 102 次 / 分，R 20 次 / 分，BP 110/76 mmHg。发育正常，营养良好，神志清楚，自主体位，应答切题，查体合作。双肺叩诊呈清音，双肺呼吸音清，双肺少许湿啰音。心律齐整，各瓣膜听诊区未闻及杂音。腹肌柔软，无压痛、反跳痛，未触及腹部包块。脊柱正常，四肢无畸形，关节无红肿、活动自如，双下肢无水肿。

辅助检查：胸部 CT 见图 4-10。

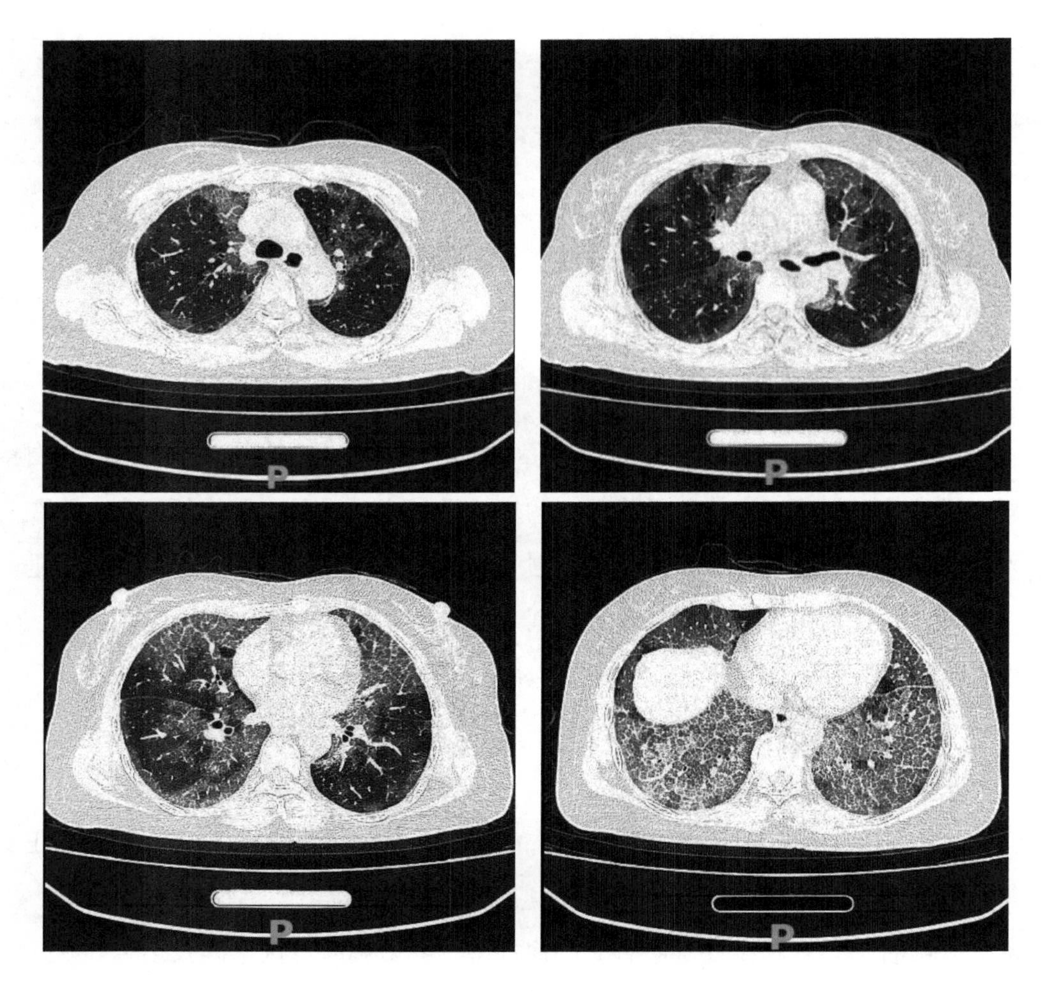

图 4-10 胸部 CT

诊断

初步诊断：间质性肺病。

最终诊断：肺泡蛋白沉着症。

诊疗经过

入院后查 2022-08-08 血气分析：酸碱度 7.371，二氧化碳分压 37.2 mmHg，氧分压 60.7 mmHg，实际碳酸氢盐 21.8 mmol/L，实际碱剩余 -2.4 mmol/L；2022-08-08 血常规（CDN）：白细胞计数 11.33×10^9/L，分叶细胞比例 70.2%，血红蛋白 154 g/L，血小板计数 205×10^9/L；2022-08-08 生化：天门冬氨酸氨

基转移酶 36.6 U/L，乳酸脱氢酶 293.0 U/L，α－羟丁酸脱氢酶 185.00 U/L，总胆汁酸 10.7 μmol/L，钾 3.42 mmol/L；2022-08-09 大便分析（OB+TF）：粪便隐血（OB）阳性，转铁蛋白（TF）阳性；尿常规未见异常。2022-08-10 感染八项定性＋肺炎支原体血清学试验－凝集法：乙肝病毒表面抗原阳性（+），乙肝病毒 e 抗体阳性（+），乙肝病毒核心抗体阳性（+），肺炎支原体抗体阳性（1 ：40）；2022-08-09 肺癌 1 组：神经元特异烯醇化酶 35.280 μg/L，细胞角蛋白 19 片段 37.440 μg/L；2022-08-09 肺癌 2 组：癌胚抗原 19.07 μg/L；2022-08-09 痰结核涂片检查：涂片未检出抗酸杆菌；2022-08-09 痰真菌免疫荧光染色检测：涂片未检出真菌。2022-08-15 右下叶前段支气管灌洗液（图 4-11）：（右下叶前段支气管灌洗液）液基细胞学制片，巴氏 ×1，沉渣行包埋切片，HE×1，细胞涂片：HE×2。镜下：检出大量嗜酸性颗粒状或团块状物，结合临床及特殊染色，符合肺泡蛋白沉着症。特殊染色：PAS（+），D-PAS（+），PASM（-），抗酸（-）。入院后予止咳、化痰等对症支持治疗，予全肺灌洗后好转出院。

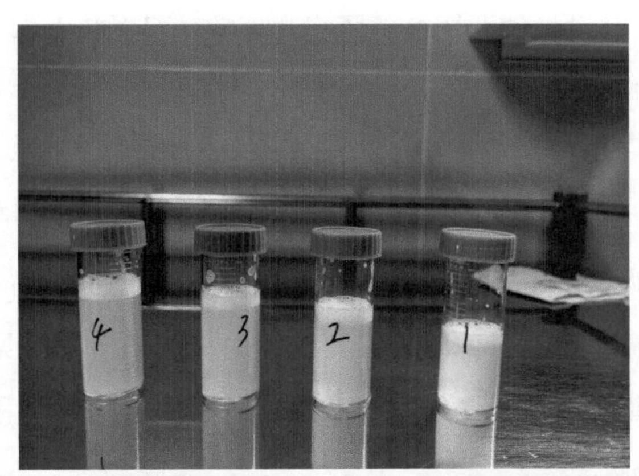

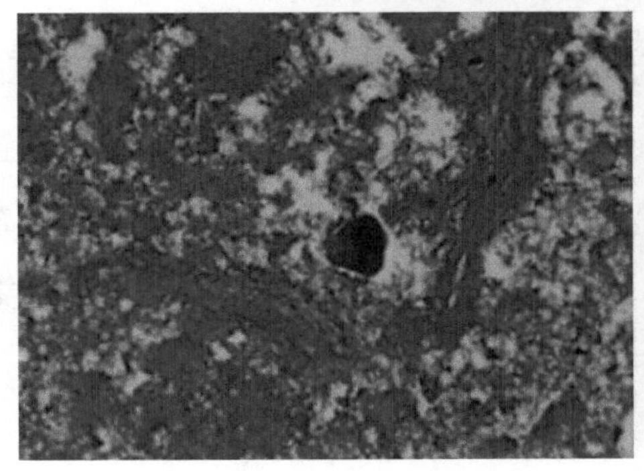

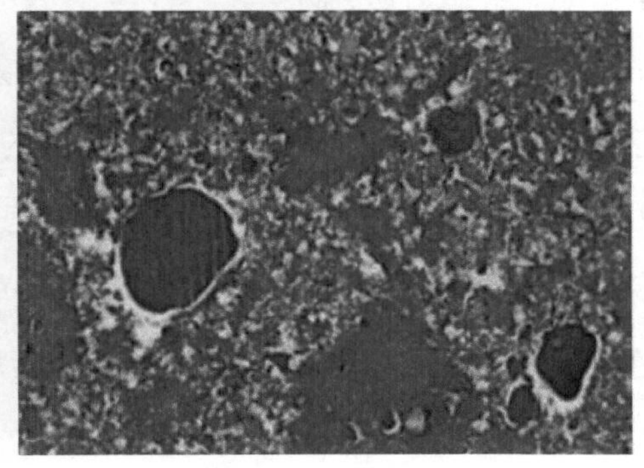

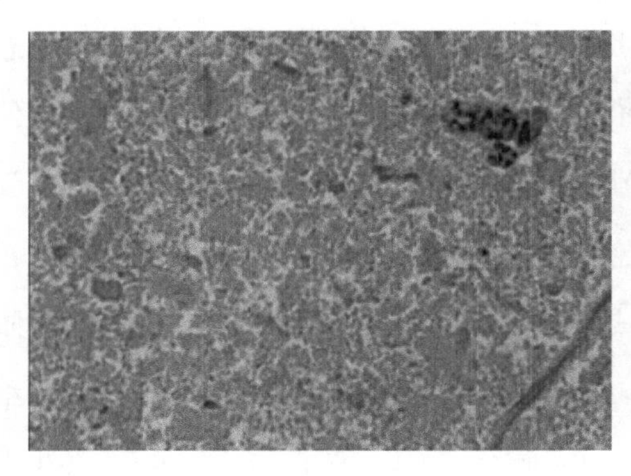
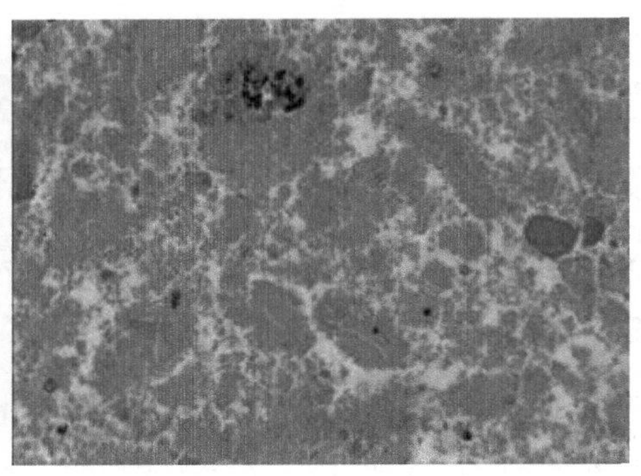

图 4-11　肺泡灌洗液及病理（彩插 4）

出院情况

患者间中有咳嗽明显，咳少许白痰，活动后气促，无发热、畏寒、寒战，无胸闷、胸痛，无咽痛、咽干，无关节疼痛，精神可，睡眠可，胃纳可，大小便正常。查体：神清，双肺呼吸音清，双肺可闻及 Velcro 啰音。心前区无隆起，HR 82 次 / 分，律齐，各瓣膜听诊区未闻及病理性杂音。腹平软，无压痛、反跳痛，肝脾未扪及，移动性浊音阴性，肠鸣音正常。双下肢无水肿。

讨论

肺泡蛋白沉着症是以肺泡腔及终末细支气管内积聚大量的肺表面活性物质为特征，是因体内肺泡巨噬细胞功能减弱导致肺表面活性物质的清除障碍所致，又称肺泡磷脂沉着症，是一种原因不明及发病机制不清的罕见慢性肺部疾病。由于肺泡腔和气道内堆聚过量的表面活性物质致使肺的通气和换气功能受到严重影响，导致呼吸困难。

该病临床表现缺乏特异性，可表现为咳嗽、进行性气促、发绀、胸痛等，而呼吸困难是肺泡蛋白沉着症最为突出的临床表现。肺泡灌洗液如牛奶状、静置后可分层是该病的一个重要特征。肺泡蛋白沉着症诊断的金标准是组织学检查发现肺泡内有 PAS 染色阳性的蛋白质样沉积物并结合阿辛蓝染色阴性及 HE 染色等排除其他能引起 PAS 染色阳性的疾病。

该病的影像学特殊如下：

（1）X 线：多见于双中下肺野及肺门区，表现为双侧肺门旁广泛模糊片状影，呈“蝶翼状”分布；偶可看到局灶性浸润，网结节状及不对称的肺部浸润改变。

（2）胸部CT：病变以双下肺明显，①可以表现为与正常肺组织分界清晰，周围正常肺组织将病灶衬托呈“地图样”改变，以双肺门为主呈蝶翼状外观。②也可以表现为双肺弥漫分布的斑片影、磨玻璃影，病变分布广泛，实变区小叶内和小叶间间隔增厚，围成多边形的“碎路石”；HRCT可见磨玻璃改变内小叶间隔增厚，呈多边形“铺路石样”改变。③少数病例可表现为支气管充气征存在于斑片状影或蝶翼影之中，该征象的出现提示肺泡实变。④若实变中出现囊性空腔影，提示合并感染可能。

全肺灌洗是公认的特发性肺泡蛋白沉着症的标准治疗方法。它是用物理的手段清除肺泡内表面活性样物质，安全、有效，能够迅速改善肺泡蛋白沉着症患者的肺通气、肺换气功能，临床症状及影像学表现。

参考文献

[1] 耿志华，蔡映云，张敦华. 肺泡蛋白沉着症发病机制及其治疗的研究进展[J]. 国外医学（内科学分册），2002，29（9）：377-380.

[2] 沈策，李惠民. 肺泡蛋白沉着症的临床和影像学分析[J]. 中国医学计算机成像杂志，2002，8（3）：6.

[3] 李国燕，马希涛. 肺泡蛋白沉着症临床分析[J]. 中国实用医刊，2010，37（10）：24-26.

[4] 官新立，梁恩海. 肺泡蛋白沉着症的影像学表现及鉴别诊断[J]. 中华全科医学，2010，8（3）：3.

[5] 杨磊，王颖. 肺泡蛋白沉着症诊治的研究进展[J]. 山东医药，2019，59（16）：4.

（老奋坚）

◎ 肺泡蛋白沉着症 2

案例介绍

患者男，50 岁，于 2020-11-23 入院。

主诉：反复咳嗽、咳痰 1 年，加重 1 周。

现病史：患者于 1 年前无诱因出现咳嗽、咳痰，呈阵发性连声咳，咳少量白色黏痰，与闻及刺激性气味及冷空气不相关，季节变化受凉后症状加重。伴活动后气促，快速步行时出现，休息缓解，1 年来上述症状逐渐加重，未予重视及治疗。1 周前，患者无明显诱因出现咳嗽、咳痰增多，气促加重，偶伴胸闷，无畏寒、发热、流涕、鼻塞、咽痛，无乏力、盗汗，无胸闷、胸痛、心悸，无夜间阵发性呼吸困难及端坐呼吸。2020-11-18 当地医院就诊胸部 CT 提示“双肺弥漫磨玻璃密度影，炎症性病变？肺泡蛋白沉着症？嗜酸性粒细胞性肉芽肿血管炎？请结合临床病史及相关检查”。现为进一步诊治我院就诊，门诊拟“肺炎，肺部病变病灶待查”收入呼吸内科。患者自该次发病以来，精神、胃纳、睡眠可，大小便正常，体重无明显改变。

检查

体格检查：T 36.8℃，P 89 次 / 分，R 22 次 / 分，BP 124/68 mmHg。神志清楚，全身浅表淋巴结未扪及肿大。咽无充血，双侧扁桃体无肿大，胸廓正常，呼吸运动正常，呼吸节律正常，双肺叩诊呈清音，双肺呼吸音清，未闻及干、湿啰音。心律齐整，各瓣膜听诊区未闻及杂音。腹软，无压痛、反跳痛，未触及腹部包块，肝脾肋下未触及，双下肢无水肿。

诊断

初步诊断：肺部感染。

鉴别诊断：肺泡蛋白沉着症；嗜酸性粒细胞性肉芽肿血管炎；肺结核。

最终诊断：肺泡蛋白沉着症。

诊疗经过

2020-11-23 血气分析：酸碱度 7.394，二氧化碳分压 36.2 mmHg，氧分压 82.0 mmHg。2020-11-23 血常规（CDN）+ 血型：白细胞计数 5.17 × 10^9/L，分叶细胞比例 52.80%，血红蛋白 169 g/L，血小板计数 247 × 10^9/L；心肌酶 5 项：乳酸脱氢酶 285 U/L，α－羟丁酸脱氢酶 215 U/L。凝血 5 项、降钙素原、肝肾功能、离子、白蛋白、肌钙蛋白、BNP 未见明显异常。肺癌 4 项：癌胚抗原 10.43 μg/L，鳞状上皮细胞癌抗原 0.7 μg/L，神经元特异烯醇化酶 31.730 μg/L，细胞角蛋白 19 片段 10.37 μg/L；2020-11-25 自身抗体组，自身抗体二项：抗核抗体（ANA）阴性（＜1 ∶ 100），双链 DNA（ds-DNA）阴性（－），血管炎二项阴性，抗环瓜氨酸肽抗体 4.1 U/mL；抗角质蛋白抗体阳性（+）；涎液化糖链抗原检测（KL-6）2 699 U/mL。痰培养阴性。真菌 G 试验、真菌抗原三项均提示阴性。结核分枝杆菌相关 γ－干扰素：TB 检验结果阴性；结核分枝杆菌 IgG 抗体阴性（－）。静息 12 导联心电图：窦性心律；T 波改变。

2020-11-24 肺功能提示肺通气功能在正常范围，弥散功能轻度下降。呼出一氧化氮测定：29 ppb。2020-11-24 胸部平扫（含三维 MPR）（图 4-12）：两肺磨玻璃样渗出灶，考虑炎性病灶可能，间质性肺炎？肺泡蛋白沉着症？建议进一步检查。脂肪肝，拟多发肝囊肿。

入院后予左氧氟沙星抗感染 0.5 g qd 静脉滴注、祛痰、止咳等药物治疗。2020-11-25 支气管镜 + 肺泡灌洗：支气管腔内未见异常。经支气管肺泡灌洗术。灌洗液细胞学诊断：右中野灌洗液（肉眼呈乳白色、豆渣样外观），离心涂片，沉渣行包埋切片。镜下：检出大量嗜酸性颗粒状或团块状物，特殊染色：部分团块状物呈 PAS（+），D-PAS（+）。临床结合符合肺泡蛋白沉着症。

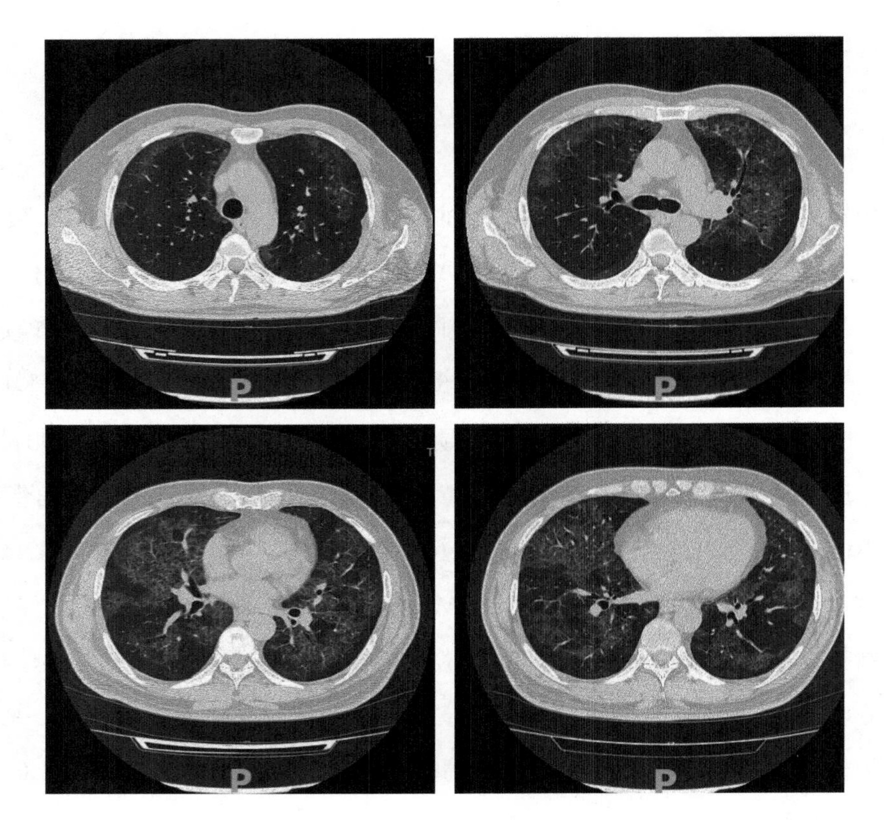

图 4-12　胸部平扫

出院情况

患者偶咳嗽，无咳痰，无胸闷、胸痛、心悸、气促。精神、胃纳、睡眠可，大小便正常。查体：SpO_2 98%（吸空气下），胸廓正常，呼吸运动正常，呼吸节律正常，双肺叩诊呈清音，双肺呼吸音清，未闻及干、湿啰音。嘱其出院后门诊随诊，定期复诊复查胸部 CT。

讨论

肺泡蛋白沉着症（PAP）是临床上的少见病、疑难病，因缺乏特异性的临床表现常被误诊及漏诊。该例患者因咳嗽、劳力性呼吸困难就诊，胸部 CT 见两肺磨玻璃样渗出灶，后经支气管镜下肺泡灌洗病理检查，确诊为 PAP。

1. 病因与发病机制

PAP 的病因及发病机制尚不明确。目前，PAP 根据其潜在的发病机制分为原发性、继发性和先天性。原发性 PAP 是由于粒细胞 – 巨噬细胞集落刺激因子（GM–CSF）信号通路中断引起肺泡巨噬细胞和中性粒细胞功能障碍；原发性 PAP 可进一步分为自身免疫性和遗传性肺泡蛋白沉着症。继发性 PAP 并不常见，它与一系列损害肺泡巨噬细胞功能的临床条件相关，包括恶性肿瘤、血液系统不良、免疫缺陷综合征、吸入粉尘及某些感染等。

2. 临床表现

PAP 的临床表现缺乏特异性，可表现为活动后气短、进行性呼吸困难，合并感染者可有咳嗽、咳痰，极少数患者也可出现咯血、胸痛等。血清乳酸脱氢酶、癌胚抗原、细胞角蛋白 19、黏蛋白 KL–16 等可升高，肺内磨玻璃密度影（GGO）是影像学检查的主要发现。在继发性 PAP 中，GGO 典型表现为弥漫性（62%），而在自身免疫性 PAP 中，GGO 表现为片状的地图样分布（71%）。典型的 PAP 患者肺部改变可表现为“地图征”和“铺路石征”。这一征象需要引起临床医生的注意，形成联想思维，但仍需要与弥漫型肺泡癌、特发性肺间质纤维化、肺泡性肺水肿及肺出血做鉴别。

3. 诊断

PAP 诊断的金标准是根据支气管肺泡灌洗物检查或经纤支镜、剖胸活检做出病理诊断。发现肺泡腔内充满不定形絮状或雾状无结构嗜伊红染色蛋白质，PAS 染色阳性（95.5%）；支气管肺泡灌洗液（BALF）呈乳白色浑浊液（96.5%）。但因支气管镜操作有一定创伤性及对患者的一般状态有一定要求，临床的开展需医生紧密联系实际工作情况，尽可能完成确诊检查手段。

4. 治疗

全肺灌洗治疗是目前公认的治疗 PAP 最有效的方法，是以机械性的冲洗方法来去除肺泡内的磷脂类物质，改善肺泡的换气功能，从而缓解咳嗽、呼吸困难等症状，纠正严重低氧血症，并减少或避免肺内继发感染的机会。近年来，GM–CSF 替代治疗逐渐受到重视，目前国内多采用皮下注射 GM–CSF 或肺泡灌洗联合 GM–CSF 皮下注射治疗，GM–CSF 吸入治疗也有相当多的成功案例。

因病情较轻，经支气管镜肺泡灌洗、抗感染等治疗后好转出院，但发生肺泡蛋白沉着症的原因仍未明确，血液检查癌胚抗原升高、部分血管炎指标阳性，须继续动态复查，排查潜在原因，但患者后续因异地就医，未继续跟踪随访。

参考文献

[1] 中国医药教育协会儿科专业委员会，中华医学会儿科学分会呼吸学组哮喘协作组，中国医师协会呼吸医师分会儿科呼吸工作委员会，等. 儿童肺泡蛋白沉着症的诊断与治疗专家建议[J]. 中华实用儿科临床杂志，2023，38（12）：891-897.

[2] 中国医师协会呼吸医师分会病理工作委员会，上海市医师协会病理科医师分会胸部病理学组. 肺泡蛋白沉着症细胞学病理诊断中国专家共识[J]. 临床与实验病理学杂志，2023，39（4）：385-391.

（许丹媛）

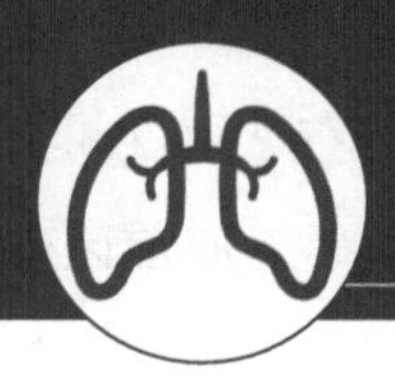

第五章　肿瘤相关性疾病

◎ 肺炎型腺癌

案例介绍

患者女，73 岁，于 2020-09-10 入院。

主诉：咳嗽、咳痰伴气促 1 周。

现病史：患者于 1 周前无明显诱因开始出现咳嗽症状，非刺激性干咳，与体位改变无关，与闻及油烟等刺激性气味无关。见伴有咳痰，为白色黏液样，无咳黄脓或脓臭痰，无咯血，无胸痛。无伴畏寒、发热，无明显鼻塞、流涕及咽痛不适。一直未予特别处理，逐渐出现气管喘息声音，具体性质无法描述清晰，夜间尤为明显，同时伴有头晕、头痛不适，无恶心、呕吐，头晕呈视物旋转样，无伴耳鸣，无伴肢体乏力，自觉下肢感觉麻痹，但无活动受限。到我院就诊，拟“肺炎、头晕查因”收入呼吸内科。起病以来，患者自诉咳嗽、咳痰症状无明显加重，气促症状轻，无活动受限，无伴心前区疼痛、胸闷不适，无咳血性痰及咯血，无尿频、尿急，无腹痛、腹泻，精神胃纳一般，睡眠尚可，体重无明显下降。

检查

体格检查：T 36.5℃，P 102 次 / 分，R 16 次 / 分，BP 110/70 mmHg。发育正常，营养良好，神志清楚，自主体位，应答切题，查体合作。胸廓正常，呼吸运动正常，呼吸节律正常，双肺叩诊呈清音，双肺呼吸音清，右下肺可闻及少量湿啰音，其余肺野未闻及明显干、湿啰音。心尖搏动范围正常，心前区未触及震颤和心包摩擦感，心脏相对浊音界正常，心律齐整，各瓣膜听诊区未闻及杂音。腹部平坦，腹式呼吸存在，腹肌柔软，无压痛、反跳痛。

诊断

初步诊断：细菌性肺炎；高血压 3 级，很高危；腔隙性脑梗死；混合型颈椎病。

最终诊断：左肺肺炎型腺癌并双肺转移；高血压 3 级，很高危；腔隙性脑梗死；混合型颈椎病。

诊疗经过

2020-09-10 血常规（CDN）：白细胞计数 4.86×10^9/L，分叶细胞比例 62.20%，分叶细胞绝对值 3.03×10^9/L，血红蛋白 104 g/L；痰细菌涂片检查（一般细菌 + 真菌）：涂片染色找细菌发现 G^- 杆菌、G^+ 球菌、G^- 球菌，上皮细胞>10 个 /LP；生化八项：葡萄糖 7.99 mmol/L，肌酐 100.00 μmol/L，钾 2.90 mmol/L；肿瘤三项、尿液分析、血脂 4 项、心肌酶 5 项、肝功全套、结核菌涂片检查、痰细菌培养及鉴定未见明显异常。心电图：窦性心律；正常心电图。2020-09-10 胸部 CT 平扫：考虑右肺下叶背段、右肺中叶斜裂旁、左肺下叶多发感染，左下肺前内基底段为著，建议治疗后复查。甲状腺左叶结节灶，请结合临床。予“头孢哌酮钠他唑巴坦钠”抗感染后症状改善出院。

出院后 2020-10-13 门诊复查胸部 CT（图 5-1）：右肺下叶背段、右肺中叶斜裂旁磨砂玻璃影较前相仿，考虑炎性病变可能；左肺炎症较前进展，建议继续复查。考虑心包积液。双侧甲状腺密度不均，请结合临床。考虑肺部感染加重，考虑特殊感染可能，予“左氧氟沙星”抗感染。

2020-11-10 胸部 CT（图 5-2）：“间质性肺炎”治疗后复查，如上述；考虑左肺炎症较前吸收减少，建议继续治疗后复查；右肺下叶背段、右肺中叶斜裂旁磨砂玻璃结节影所见基本同前，建议继续定期复查。心包积液，较前吸收减少。双侧甲状腺密度不均，请结合临床。考虑病灶吸收，嘱患者继续随访。

2021-07-20 因咳嗽加重再次住院治疗，查胸部 CT（图 5-3）提示："间质性肺炎"治疗后复查，如上述；右肺中叶内侧段炎症较前基本吸收；左肺渗出灶较前稍增多，建议治疗后复查；右肺下叶背段、右肺中叶斜裂旁磨砂玻璃结节影所见基本同前，建议继续定期复查。少量心包积液，较前相仿。双侧甲状腺密度不均，请结合临床。考虑患者病情反复，予诊断性肺泡灌洗送病理及病原学测序。病理（图 5-4）结果提示"腺癌"，基因检测"EGFR p.L858R c.2 573T > G"，予"吉非替尼"治疗后，双肺病变完全吸收好转。2021-10-19 复查胸部 CT 见图 5-5。

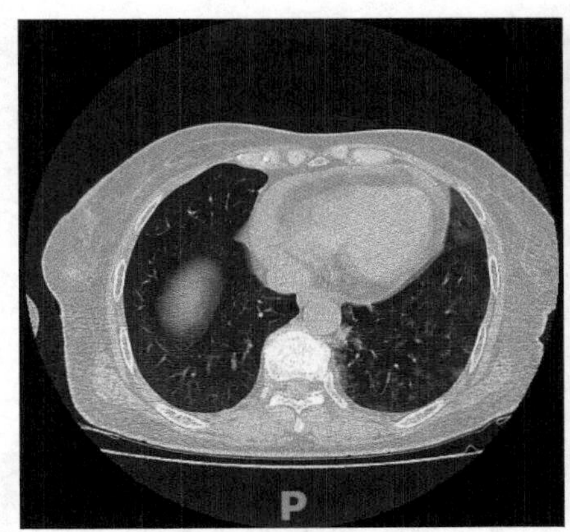

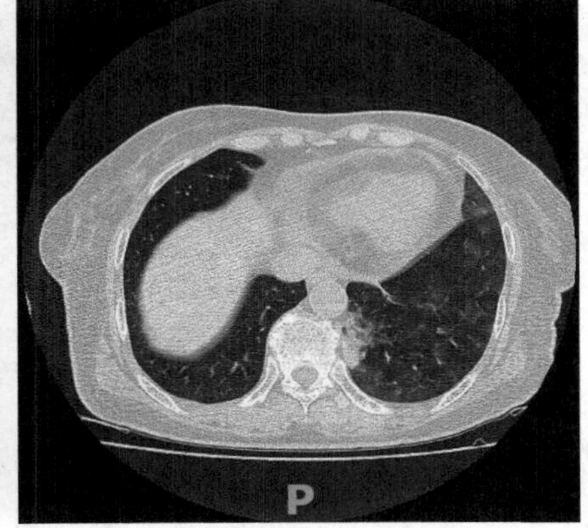

图 5-1　2020-10-13 胸部 CT

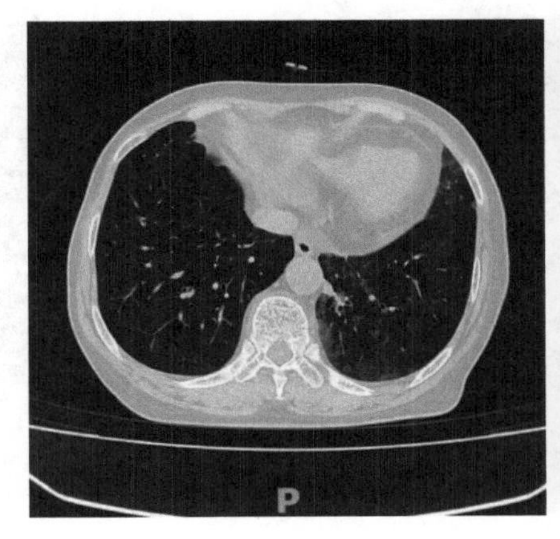

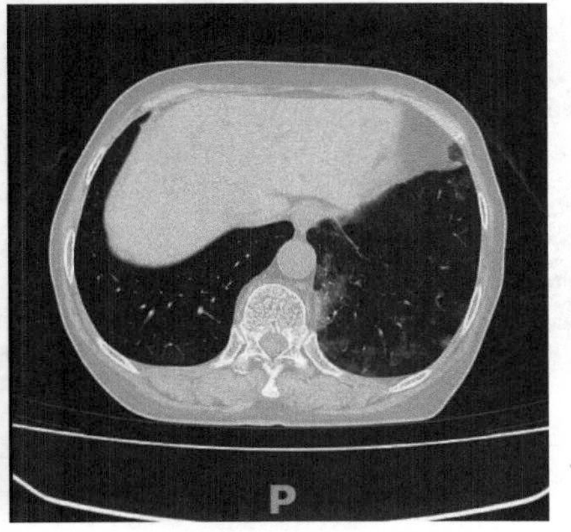

图 5-2　2020-11-10 胸部 CT

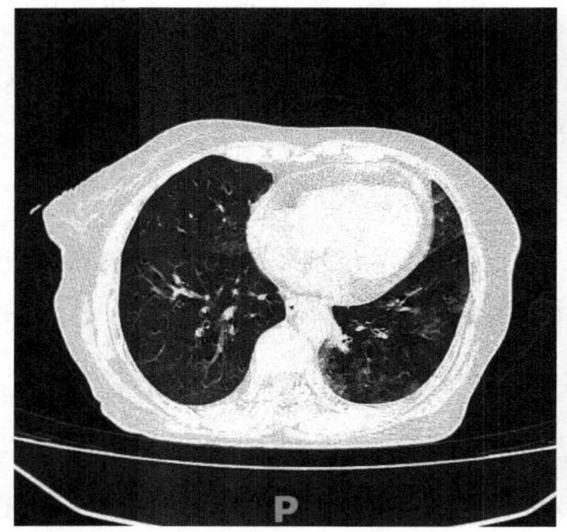

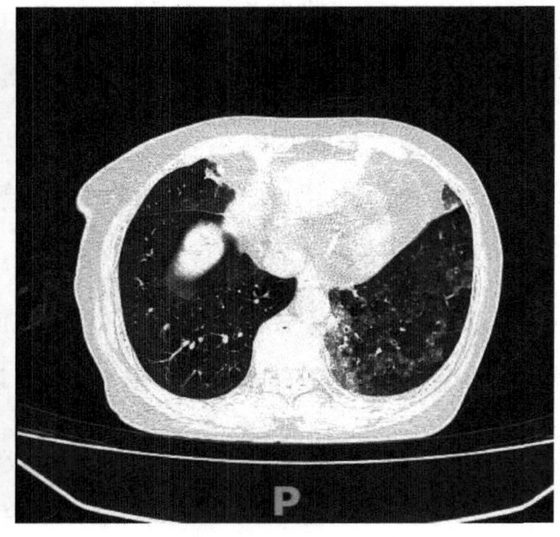

图 5-3　2021-07-20 胸部 CT

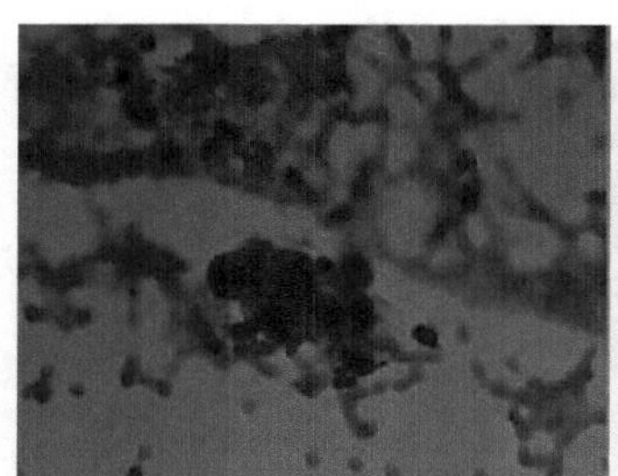

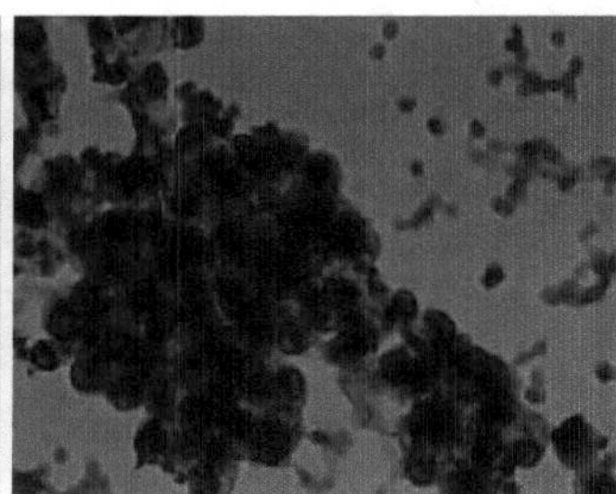

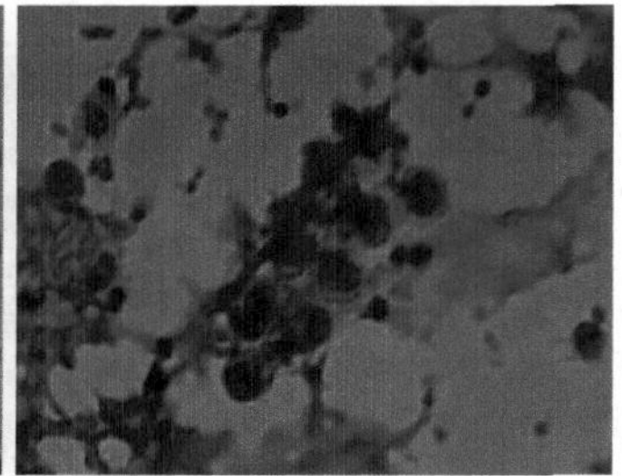

图 5-4　病理结果（彩插 5）

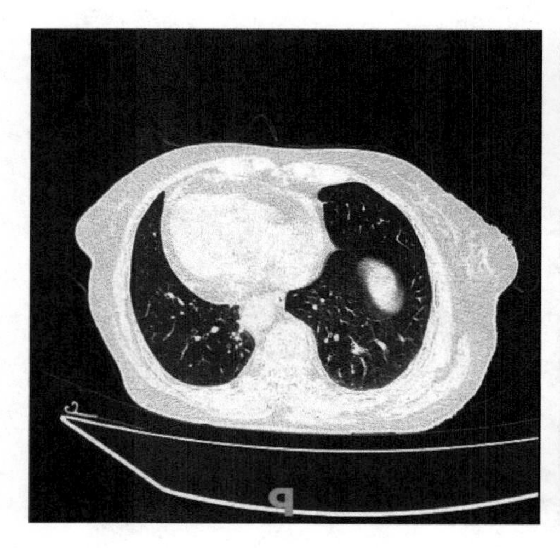

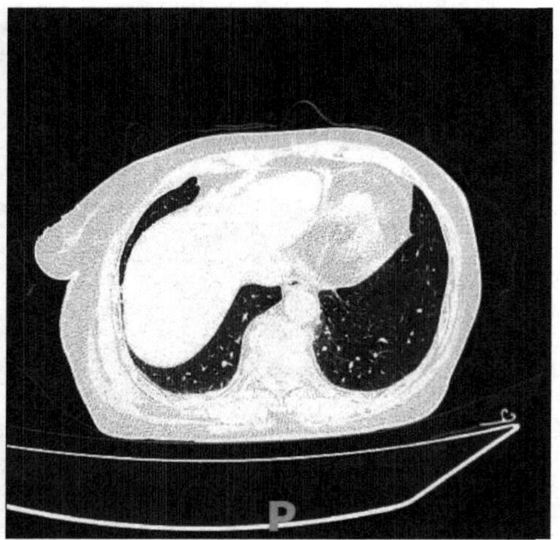

图 5-5　2021-10-19 胸部 CT

出院情况

患者未诉明显不适，无发热、畏寒、寒战，无恶心、呕吐、腹痛、腹泻，精神可，睡眠可，胃纳可。查体：生命体征平稳，神清，双肺呼吸音清，未闻及干性、湿啰音。心前区无隆起，HR 72 bpm，律齐，各瓣膜听诊区未闻及病理性杂音。腹平软，无压痛、反跳痛，肝脾未扪及，移动性浊音阴性，肠鸣音正常。双下肢无水肿。

讨论

肺炎型肺癌是一种非小细胞肺癌，其影像学表现类似于肺炎，但组织学上为恶性。肺炎型肺癌通常在早期无明显症状，容易被误诊为肺炎，但随着病情发展，可能出现咳嗽、咳痰、胸痛等症状。

1．临床表现

肺炎型肺癌的临床表现通常为咳嗽、咳痰、胸痛、呼吸困难等，与肺炎相似。咳嗽是最常见的症状，多为干咳或咳少量白色黏痰。胸痛多为钝痛或刺痛，可放射至肩部或背部。呼吸困难在晚期较为常见，可伴有乏力、体重减轻等症状。CT 检查是诊断肺炎型肺癌的重要手段，通过高分辨率 CT 扫描可以清晰地观察肺部病灶的形态、大小、位置，以及与周围组织的关系。

2．诊断

病理学诊断是确诊肺炎型肺癌的金标准，通过穿刺活检或手术切除标本进行病理组织学检查，可以明确诊断并确定肿瘤的分化程度和组织学类型。病理学诊断对于制定治疗方案和评估预后具有重要意义，同时也有助于发现潜在的基因突变，为靶向治疗提供依据。其他诊断方法包括正电子发射断层扫描（PET-CT）、核磁共振（MRI）、支气管镜等，这些方法在特定情况下可以辅助诊断肺炎型肺癌，提供更多的信息。

3．治疗

治疗按肺癌治疗即可。

肺炎型肺癌与普通肺炎症状相似、影像学相近，缺乏特异性，肺炎规范抗菌药物治疗效果欠佳时，需考虑肺炎型肺癌可能，病理活检、PET-CT 的应用能有效避免误诊和漏诊。

参考文献

[1] 袁明. 肺炎性肺癌的影像学诊断探索 [J]. 临床合理用药杂志，2011，4（12）：1.

[2] 徐铭蔚，李丽娟. 肺炎型肺癌患者的临床、影像学特征及诊断方式分析 [J]. 文摘版：医药卫生，2021，（9）：267-268.

[3] 冯道春. 肺炎型肺癌的CT诊断研究 [J]. 中文科技期刊数据库（全文版）医药卫生，2022，(10)，129-131.

（老奋坚）

◎ 小细胞肺癌

案例介绍

患者男，69 岁。

主诉：确诊右肺小细胞癌 1 年余，返院治疗。

现病史：患者于 2023-03-21 在我院经支气管镜活检确诊小细胞肺癌（SCLC），并于 6 月底前完成 4 程化疗，经评估为 PR（显效），化疗用药分别为分别于 2023-03-30、04-27 予“奈达铂（泉铂）（150 mg）+ 信迪利单抗注射液（200 mg）+ 依托泊苷注射剂（0.15 g d1）+ 依托泊苷注射剂（0.10 g d2 ～ d3）”化疗，2023-05-22 返院查血常规提示化疗后骨髓抑制 Ⅰ 度，予升白治疗后于 2023-05-27 予奈达铂（泉铂）150 mg+ 信迪利单抗注射液 200 mg+ 依托泊苷注射剂 0.15 g，至 2023-06-18 回院再次予奈达铂（泉铂）150 mg+ 信迪利单抗注射液 200 mg+ 依托泊苷注射剂 0.15 g 第 4 程化疗。由于出现骨髓抑制，且原发病灶经化疗后明显缩小，故建议患者改行同步放疗。患者于 2023-07-10 至 2023-07-28 外院行放射治疗，剂量为 30 Gy/15 f，完成放疗后无明显不良反应。后患者分别于 2023-08-10、2023-09-06、2023-12-02、2023-12-27、2024-01-22、2024-03-28 予奈达铂（泉铂）150 mg+ 信迪利单抗注射液 200 mg+ 依托泊苷注射剂 0.15 g 第 5、6、7、8、9、10 程化疗，化疗完成后无明显不良反应后出院。2024-04-22 复查抽血提示化疗后骨髓抑制，血常规：白细胞计数 1.63×10^9/L，血小板计数 46×10^9/L，予升血小板等对症治疗。2024-06-02 于外院复查血常规：白细胞计数 4.74×10^9/L，血小板计数 127×10^9/L。2024-06-25 返院予奈达铂 100 mg d1+ 依托泊苷 0.12 g d2 化疗。2024-06-28 予新瑞白（聚乙二醇化重组人粒细胞刺激因子注射液）6 mg 皮下注射 1 次升白，患者无诉不适后出院。2024-07-23 再次返院，予奈达铂 100 mg+ 依托泊苷 0.1 g d1、d2、d3 化疗后无诉不适，予以出院。现患者返院治疗，在门诊拟诊断为“肺癌”收入院。自发病以来精神状态一般，食欲一般，进食可，睡眠差，诉入睡困难、易醒，大便正常，小便正常，体力情况如常，体重减轻 5 kg，无意识障碍。

既往史：平素身体良好，否认高血压、冠心病、糖尿病等慢性病史，有“小三阳”多年，否认结核等传染病史，否认手术史、外伤史，否认输血史，否认过敏史，预防接种史不详。

检查

体格检查：T 36.6℃，P 88 次 / 分，R 20 次 / 分，BP 159/94 mmHg。发育正常，营养良好，神志清楚，自主体位，应答切题，查体合作。心、肺、腹检查未见明显异常。

诊断

诊断：右肺小细胞肺癌 T4N2M1a Ⅳ期；高血压病 3 级，很高危；腰椎间盘突出症；右髋关节骨性关节炎；双侧股骨头缺血性坏死；肝内胆管结石；前列腺钙化灶。

诊疗经过

患者因“反复咳嗽、咳痰 10 余年，加重伴气促 10 余天”于 2023-03-21 入院。入院后查胸部 CT 平扫及增强（图 5-6）：右侧中央型肺癌并右肺上叶阻塞性肺炎、纵隔淋巴结多发转移，右侧中量胸腔积液并右肺下叶局部膨胀不全。右肺上叶尖段多发结节灶，考虑多中心肺癌与肺内转移鉴别。慢性支气管炎、肺气肿，右肾上极小囊肿。2023-03-28 支气管镜活检：（右上支气管肿物）小细胞癌。免疫组化：CK7（+），TTF-1（部分细胞 +），CD56（少数细胞 +），NapsinA（-），p40（-），P63（-），Syn（-），CgA（-），Ki67（约 95% +）。特殊染色：PAS（-），PASM（-），抗酸染色（-）。诊断为右肺小细胞癌广泛期、阻塞性肺炎。2023-03-30、2023-04-27 予“奈达铂（150 mg）+ 信迪利单（200 mg）+ 依托泊苷（0.15 g d1）+ 依托泊苷（0.10 g d2、d3）”化疗，2023-04-26 第一次化疗后胸部 CT 检查见图 5-7。2023-05-27、2023-06-18 予“奈达铂 150 mg+ 信迪利单抗注射液 200 mg+ 依托泊苷 0.15 g”，2023-07-10 至

2023-07-28 行同步放射治疗，剂量为 30 Gy/15 f。而后从 2023-08-10、2023-09-06、2023-12-02、2023-12-27、2024-01-22、2024-03-28 予“奈达铂 150 mg+ 信迪利单抗 200 mg+ 依托泊苷注射剂 0.15 g”化疗，2024-06-25 予“奈达铂 100 mg+ 依托泊苷 0.12 g”化疗。2024-07-23 予“奈达铂 100 mg+ 依托泊苷 0.1 g d1、d2、d3”化疗。2024-08-19 胸部 CT 检查见图 5-8。目前肿瘤疗效评价为病变稳定（SD）。

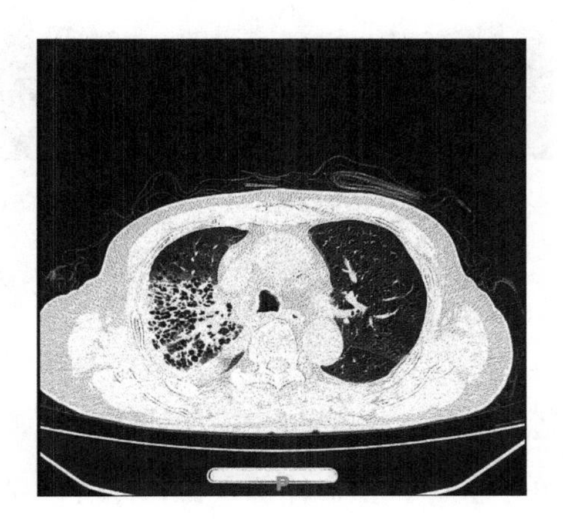

图 5-6　2023-03-21 化疗前胸部 CT

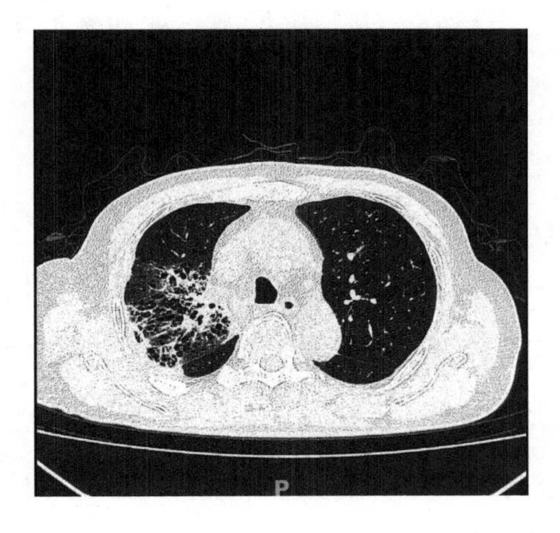

图 5-7　2023-04-26 第一次化疗后胸部 CT

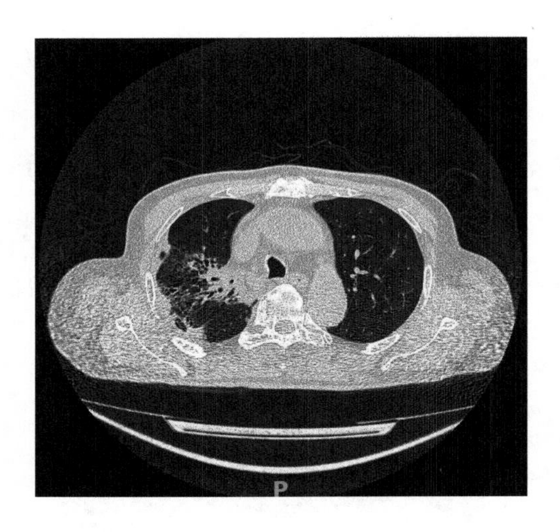

图 5-8　2024-08-19 胸部 CT

出院情况

患者未诉明显不适，无发热、畏寒、寒战，无恶心、呕吐、腹痛、腹泻，精神可，睡眠可，胃纳可。查体：生命体征平稳，神清，双肺呼吸音清，未闻及干、湿啰音。心前区无隆起，HR 72 bpm，律齐，各瓣膜听诊区未闻及病理性杂音。腹平软，无压痛、反跳痛，肝脾未扪及，移动性浊音阴性，肠鸣音正常。双下肢无水肿。

讨论

小细胞肺癌是另一种常见的原发于肺的恶性肿瘤，相对于非小细胞肺癌而言，小细胞肺癌的发病率较低一些，占肺部恶性肿瘤总数的 15% ~ 25%。

小细胞肺癌的症状可以由原发病灶引起，也可以由转移病灶引起，此外由于内分泌异常引发的肺外综合征（副肿瘤综合征）也不少见，上述因素还常常共同作用，引起一系列复杂多变的临床症状和体征。

小细胞肺癌对化疗、放疗敏感，近期疗效好；但治愈率低，90%以上治疗后复发，预后差。局限期小细胞肺癌病变局限于一侧胸腔、纵隔、前斜角肌及锁骨上淋巴结，但没有明显的上腔静脉压迫、声带麻痹和胸腔积液。化疗、放疗联合治疗，5 年生存率为 12% ~ 25%。广泛期小细胞肺癌超过局限期的病变（明显的上腔静脉压迫、声带麻痹和胸腔积液）。化疗治疗，5 年生存率为

1%～2%。

小细胞肺癌常用的化疗方案：依托泊苷＋顺铂、依托泊苷＋卡铂、伊立替康＋顺铂、伊立替康＋卡铂，局限性的SCLC的治疗为同步或序贯放化疗，因此推荐EP或EC方案，4～6周期，根据患者的状况和不良反应调整剂量。局限性的SCLC治疗为同步或序贯放疗、化疗，因此推荐EP或EC方案，4～6周期，根据患者的状况和不良反应调整剂量。

小细胞肺癌靶向治疗：小细胞肺癌靶向治疗一般不作为一线治疗手段。

小细胞肺癌免疫治疗：免疫治疗的出现改变了小细胞肺癌的治疗模式，目前部分免疫检查点抑制剂已被批准用于广泛期小细胞肺癌的治疗，各类临床试验正在积极开展，显示出可观的临床获益，为小细胞肺癌的治疗提供了新的思路，但联合治疗的具体模式还需要更多研究进行探索，且免疫治疗仍存在治疗耐药等问题。

小细胞肺癌治疗原则：放疗、化疗为主的综合治疗。

参考文献

[1] 曾怡，黄昱，董晓荣．小细胞肺癌免疫治疗进展［J］．中华医学杂志，2024，104（32）：3081-3086.

[2] 夏国庆，韩一平．小细胞肺癌预后相关影响因素研究进展［J］．中国全科医学，2018，21（11）：6.

[3] 武春秋．安罗替尼联合多西他赛二线治疗广泛期小细胞肺癌的疗效和安全性［D］．安徽：蚌埠医学院，2023.

（老奋坚）

◎ 肺癌合并肺栓塞

案例介绍

患者女，23 岁，于 2024-08-12 入院。

主诉：发热、咳嗽、胸痛 2 周，咯血 3 天。

现病史：患者于 2 周前无明显诱因突然出现发热，发热无规律，体温最高 38.5℃，口服退热药物体温可下降，伴有咳嗽、咳痰，痰为白色黏痰。同时出现右侧胸痛，可放射至肩部，伴有头痛，无头晕，无畏寒，无寒战，到外院就诊，查胸部 CT 示：双肺感染，以右肺下叶明显；右肺上叶后段多房小囊样透亮影，考虑局部支气管扩张合并少许炎症；少量心包积液；少量胸腔积液。考虑为社区获得性肺炎，入院后查 D- 二聚体升高，予左氧氟沙星 + 多西环素抗感染，3 天前患者出现咯血，量少，查肺动脉 CTA 示：左肺动脉干、左上肺舌段动脉、左下肺动脉、左下叶前内段肺动脉、左下叶外段肺动脉、左下肺后段肺动脉血栓形成。查心彩超提示左室射血分数（LVEF）65%，加用肝素 0.6 mL q12h 抗凝治疗，后患者血氧饱和度出现波动，转至 ICU 继续治疗，经中流量吸氧、抗凝、雾化、祛痰、平喘治疗症状无好转。现为进一步诊断治疗来我院就医，在门诊拟诊断为“急性肺栓塞”收入院。自发病以来精神状态较差，食欲较差，进食少，睡眠良好，大便正常，小便正常，体力情况较差，体重无明显变化，无意识障碍。

既往史：5 年前曾在外院诊断“多囊卵巢综合征”，曾服用药物至 2022 年，2 年前胸部 CT 检查曾发现右肺结节病灶。否认高血压、冠心病、糖尿病等慢性病史，否认肝炎、结核等传染病史，否认手术史、外伤史，否认输血史，否认过敏史，预防接种史不详。

检查

体格检查：T 36.9℃，P 78 次 / 分，R 21 次 / 分，BP 108/72 mmHg。神清，全身皮肤黏膜色泽正常，全身浅表淋巴结未扪及肿大。胸廓正常，呼吸运动、呼吸节律正常，双肺叩诊呈清音，双肺呼吸音清，右下肺可闻及少许湿啰音。心律齐整，各瓣膜听诊区未闻及杂音。腹部平坦，腹软，无压痛、反跳痛，未触及腹部包块，肝脾肋下未触及，肾脏未触及，墨菲阴性，肝浊音界存在，移动性浊音阴性，肾区无叩击痛，肠鸣音正常。

诊断

诊断：肺炎；急性肺栓塞；肺腺癌并锁骨上淋巴结转移（右肺癌性淋巴管炎，胸膜、心包转移可能大）（cTxN3M1 Ⅳ期）；双侧胸腔积液；心包积液；月经失调；右侧双肾盂、双输尿管重复畸形；左侧乳腺囊肿；右肾上盏小结石；肝内胆管结石。

诊疗经过

入院查 2024-08-12 血气分析：酸碱度 7.356，二氧化碳分压 34.1 mmHg，氧分压 77.6 mmHg，氧饱和度 94.9%，实际碳酸氢盐 19.3 mmol/L，实际碱剩余 -4.9 mmol/L，呼吸指数 1.9，氧合指数 209.6；血常规白细胞计数 6.65×10^9/L，中性粒细胞比例 69.1%，血红蛋白 105 g/L，血小板计数 365×10^9/L；D- 二聚体测定 2.98 mg/L；降钙素原、BNP、肌钙蛋白、感染四项未见异常。癌胚抗原 82.99 ng/mL，肿瘤糖类抗原 15-3 32.30 U/mL。2024-08-13 多通道 12 导联心电图检查：窦性心律；电轴右偏。2024-08-13 双下肢血管（静脉）超声：双侧下肢深静脉及大隐静脉近段未见明显异常。2024-08-13 肺动脉 CTA 重建套餐 + 全腹部平扫及增强套餐（含三维 MPR）：双下肺动脉血栓形成，以左下肺为著。双肺多发炎症，左肺下叶为著；双肺间质性改变，考虑合并间质性肺水肿；双侧胸腔及叶间裂少量积液，左侧为著，伴部分肺组织压迫性肺不张；建议治疗后复查。考虑右肺上叶后段肺大疱合并感染可能。心包中 - 大量积液。肝 S1 肝内胆管结石与钙化灶相鉴别。右肾上盏小结石；右侧双肾盂双输尿管重复畸形，右肾上盏轻度扩张积液。双侧附件区低密度影，拟卵泡可能，请结合临床。2024-08-13 子宫与附件超声：子宫大小正常，未见明显占位。双侧附件区未见明显包块。2024-08-13 心脏 + 心功能超声：心内结构及血流未见明显异常。左室收缩功能未见明显异常，舒张功能未见明显异常。2024-08-13 心包积液超声：心包积液（中量）。

2024-08-21 PET-CT 全身显像：右上肺后段囊性低密度影，囊壁糖代谢增高，考虑感染性病变，建议抗炎治疗后复查，排除其他可能，必要时进一步穿刺活检。右肺下叶外基底段团片状密度增高影，糖代谢增高，与外院 CT（2024-08-09）对比，较前增大，考虑炎性病灶可能性大。双肺多发实性小结节、磨玻璃样结节，糖代谢稍增高，考虑双肺炎症，以双下肺为甚；双侧胸腔积液。双侧颈部（Ⅱ区）、双侧锁骨上下区、双肺门及纵隔（2R、4R、5、6、7 区）、右侧腋窝多发肿大淋巴结，糖代谢增高，考虑炎性淋巴结，请结合本报告第 1 检查意见。扁桃体炎；心包积液；肝 S1 肝内胆管结石。右肾重复肾盂输尿管畸形；右肾结石。双侧附件区稍低密度影，结合病史，考虑双侧卵巢生理性改变可能性大，右侧附件小钙化灶，请结合超声检查结果。第 7 颈椎椎体、骶骨骨岛。其余全身 PET-CT 显像未见明确结构及代谢异常。2024-08-29 右锁骨上淋巴结病理（图 5-9）：（右锁骨上淋巴结）恶性肿瘤，结合免疫组化符合转移性肺腺癌，并可见脉管内癌栓。免疫组化：TTF-1（+），NapsinA（+），p40（-），GATA-3（-），GCDFP-15（-），ER（-），PR（-），HER-2（EP3）（0），P120 及 E-cadherin（膜 +），TRPS-1（弱 +）。

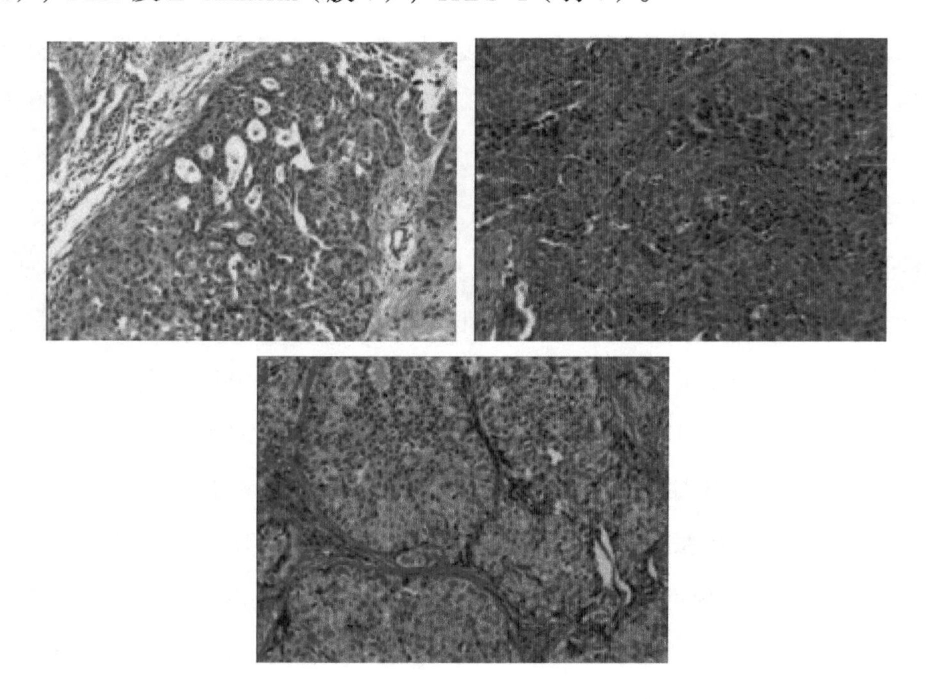

图 5-9　右锁骨上淋巴结病理（彩插 6）

入院后先后予低分子肝素、利伐沙班（15 mg bid，2024-08-16 起）抗凝，左氧氟沙星抗感染，祛痰、止咳等治疗。2024-08-30 肺癌诊断明确后开始予“重组人血管内皮抑制素 + 信迪利单抗 200 mg+ 顺铂 120 mg+ 培美曲塞二钠 700 mg”抗肿瘤治疗，过程顺利，症状改善后出院。肺癌病灶抗感染治疗前后变化见图 5-10，肺炎病灶治疗抗感染前后变化见图 5-11。

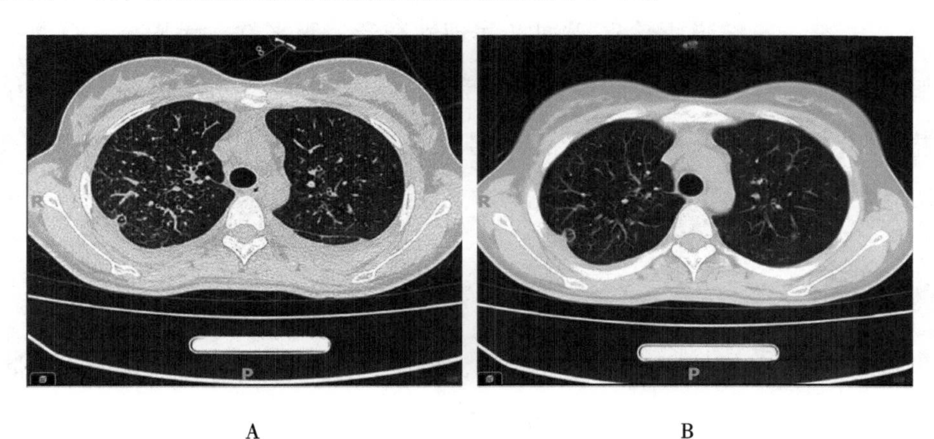

A　　B

图 5-10　肺癌病灶抗感染治疗前后变化

注：A. 2024-08-13；B. 2024-09-09

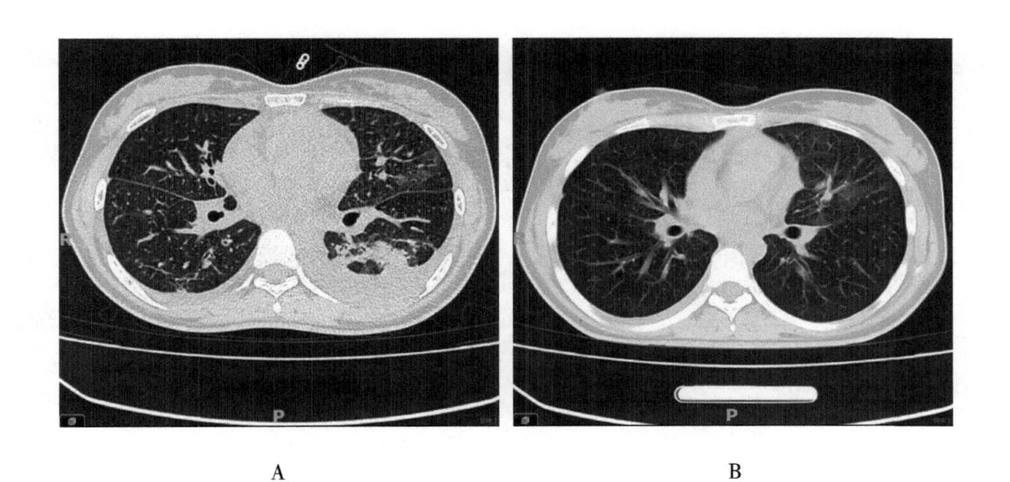

A　　B

图 5-11　肺炎病灶治疗抗感染前后变化

注：A. 2024-08-13；B. 2024-09-09

出院情况

患者间中有咳嗽，无明显咳痰，无咯血，活动后稍气促，无胸闷，无畏寒、发热，无头晕、头痛，无恶心、呕吐，无腹痛、腹泻，精神、睡眠、胃纳尚可，大小便正常。查体：神清，双肺呼吸音清，未闻及干性、湿啰音。心前区无隆起，律齐，各瓣膜听诊区未闻及病理性杂音。腹平软，无压痛、反跳痛，肝脾未扪及，移动性浊音阴性，肠鸣音正常。双下肢无水肿。基因检测结果回报：CD74-ROS1（8 号外显子：33 号内含子）重排，PD-L1 表示检测：TPS 2%，CPS 3%，MSI-L 6.76%，TMB-L $<$ 1 Muts/Mb。

讨论

患者为 23 岁年轻女性，急性起病，外院诊断“肺炎、肺栓塞”，入院后查血 CEA 异常升高，胸部 CT 肺部仅有一囊性低密度影可疑，但活检难度大。PET-CT 诊断未给肿瘤定位提供帮助，最后经颈部肿大淋巴结活检明确肺癌诊断。对于年轻肺小结节病灶患者，特别是肿瘤抗原标志物明显升高的患者，不能放松警惕。

参考文献

中华医学会呼吸病学分会，中国肺癌防治联盟专家组. 肺结节诊治中国专家共识（2024 年版）[J]. 中华结核和呼吸杂志，2024，47（8）：716-729.

（王银燕）

◎ 肺低分化腺癌合并食管上段鳞癌

案例介绍

患者男，54 岁，于 2023-12-02 入院。

主诉：声音嘶哑半个月。

现病史：患者于半个月前无明显诱因出现声音嘶哑，伴有胸闷不适，伴有咳嗽、咳痰，咳少许白色痰，无气促，无发热，无畏寒，无寒战。不伴有咽痛、胸痛，无气短。不伴有盗汗、乏力。2023-11-20 遂到当地医院行体检检查，胸部 CT 平扫提示右肺上叶占位病变伴肺叶膨胀不全，右肺门增大，未除恶性肿瘤建议专科针对治疗。现为进一步诊断治疗就医，在门诊拟诊断为“右肺占位病变性质待查”收入院。自发病以来精神状态一般，食欲一般，进食可，睡眠良好，大便正常，小便正常，体力情况如常，体重无明显变化，无意识障碍。

既往史：体检发现高血压病、高脂血症、肝功能不全，未予用药。

个人史：有嗜酒史、吸烟史多年。

检查

体格检查：T 36.8℃，P 86 次 / 分，R 20 次 / 分，BP 167/82 mmHg。神志清楚，颜面无水肿，全身浅表淋巴结未触及肿大，咽部无充血，双侧扁桃体无肿大；呼吸运动正常，呼吸节律正常，双肺叩诊呈清音，双肺呼吸音清，未闻及干、湿啰音。心律齐，未闻及心脏杂音。腹平软，肝脾肋下未触及。双下肢无水肿。

诊断

初步诊断：肺占位性病变；高血压；高脂血症；肝功能不全。

鉴别诊断：继发性肺结核；肺脓肿。

最终诊断：右肺低分化腺癌 cTxNxM1a ⅣA 期；食管上段低分化鳞癌；鼻窦炎；高血压；高脂血症；甲状腺结节；乙肝表面抗原携带者。

诊疗经过

入院后检查 2023-12-02 血气分析：酸碱度 7.402，二氧化碳分压 27.8 mmHg，氧分压 145.8 mmHg，氧饱和度 99.3％，实际碳酸氢盐 17.4 mmol/L；血常规 +CRP：快速 CRP 9.71 mg/L，白细胞计数 6.87×10^9/L，中性粒细胞比例 82.0%，血红蛋白 119 g/L，血小板计数 216×10^9/L；凝血 5 项：纤维蛋白原 6.52 g/L，D- 二聚体测定 1.77 mg/L；生化八项 + 血清尿酸测定（URIC）+ 生化八项 + 血脂 4 项 + 心肌酶 5 项（AMI 5）+ 肝功全套（13 项）：葡萄糖 10.97 mmol/L，总胆固醇 5.73 mmol/L，高密度脂蛋白胆固醇 2.26 mmol/L，天门冬氨酸氨基转移酶 80 U/L，γ- 谷氨酰转移酶 320 U/L，白蛋白 36.7 g/L。大便分析（OB+TF）：大便隐血（OB）阴性，转铁蛋白（TF）阴性。2023-12-03 尿液分析：酮体 2+，尿胆 1+。2023-12-04 感染四项定量：乙肝病毒表面抗原定量 17.26 IU/mL。肺癌 4 项（免疫）：癌胚抗原 84.97 μg/L，神经元特异烯醇化酶 33.720 μg/L，细胞角蛋白 19 片段 8.880 μg/L。2023-12-02 多通道 12 导联心电图检查：窦性心动过速。2023-12-04 胸部平扫及增强（含三维 MPR）：考虑右肺上叶周围型肺癌合并阻塞性肺炎，纵隔淋巴结稍增大，未排除转移可能；双肺多发结节，未排除转移瘤，建议追踪复查。食管壁不规则增厚，未排除食管癌可能，请结合临床，建议进一步检查。喉咽部软组织增厚，右侧声带增厚并异常强化，考虑占位性病变，建议专科进一步检查。左侧肾上腺体部结节，未排除转移可能，建议密切随诊。2023-12-05 支气管镜检查示右上叶前段支气管闭塞，尖段、后段开口变形变窄。经支气管镜行右上叶尖段肺活检术。2023-12-05 颅脑平扫 + 增强：脑内多发腔隙性脑梗；脑萎缩：左侧上颌窦黏膜炎症，右侧上颌窦黏膜下囊肿。2023-12-07 右上支尖段肿物病理：（右上支尖段）低分化腺癌，局部不排除伴有鳞状分化。免疫组化：TTF-1（+），NapsinA（+），CK（+），p40（少数 +），P63（部分 +），CK5/6（少数 +），Ki67（50％ +）。特殊染色：PAS（肿瘤细胞 +），PASM（-），抗酸染色（-）。食管上段病理：（食管上段）低分化癌（待分型）。2023-12-08 胃镜（无痛）：食管低分化鳞癌（检）；

慢性浅表性胃炎。2023-12-11 食管上段病理：低分化鳞状细胞癌。p40（+），TTF-1（-），NapsinA（-）。

入院后予溴己新注射液 4 mg qd 化痰、艾普拉唑 10 mg qd 护胃、甘草酸单铵半胱氨酸氯化钠注射液 250 mg qd 护肝、氨氯地平 5 mg qd 降压等对症治疗。2023-12-08 开始予紫杉醇 240 mg+ 顺铂 140 mg+ 恩度 15 mg 抗肿瘤治疗，治疗完毕出院。

出院情况

患者有声音哑，一般情况可，查体；生命体征平稳，神清，胸廓正常，呼吸运动正常，呼吸节律正常，双肺叩诊呈清音，双肺呼吸音清，未闻及干、湿啰音。于 2023-12-11 出院。2023-12-15 基因检测报告示：TP53 c.404G > T p.C135F 5 号外显子错义突变，EGFR c.2 239_2 240 delinsCC p.L747P 19 号外显子错义突变。

免疫相关：PD-L1 TPS 65%；PD-L1 CPS 66。分别于 2024-01-05、2024-02-02 返院行“顺铂 120 mg+ 紫杉醇 210 mg+ 信迪利单抗 200 mg+ 恩度 15 mg qd”抗肿瘤治疗。2024 年 2 月同步在外院行“食管上段 + 肺部肿瘤病灶”放疗。2024-03-19 开始予“贝伐珠单抗 500 mg+ 紫杉醇脂质体 210 mg+ 顺铂 120 mg+ 信迪利单抗 200 mg”抗肿瘤治疗，过程顺利。2024-04-02 在呼吸内科住院因气管食管瘘行气管、食管覆膜支架置入术。因患者一般情况较差，终止抗肿瘤治疗。

讨论

首先，关于此病例的诊断，此患者的胸部 CT 显示右肺上叶占位性病变，伴有肺叶膨胀不全和肺门增大。结合支气管镜检查和病理结果，确诊为右肺低分化腺癌。此外，食管上段病理检查显示低分化鳞癌，这在临床上较为罕见，但并非不可能。这两种类型的肿瘤同时出现，提示笔者可能面对的是一个复合癌的情况。在鉴别诊断方面，考虑了继发性肺结核和肺脓肿。然而，结合患者的临床症状、实验室检查结果及影像学表现，这些可能性被排除。特别是，肺结核通常会有全身症状如发热、盗汗等，而肺脓肿则常伴有高热、咳痰等症状，这些在此病例中并未出现。

最终诊断在临床上是成立的，诊断依据充分，且诊断过程符合临床诊疗规范。然而，值得注意的是，患者同时患有肺部和食管的恶性肿瘤，这在临床上较为罕见，需要高度关注其相互关系及可能的共同致病因素。

此病例在临床上较为复杂，治疗需要综合考虑多种因素。首先，针对右肺低分化腺癌和食管上段低分化鳞癌的诊断是明确的，诊断依据充分，且诊断过程符合临床诊疗规范。在治疗方案上，采用多学科综合治疗模式，结合了化疗、放疗和介入治疗等多种手段。在化疗方案的选择上，笔者采用了紫杉醇和顺铂的联合方案，这是基于当前临床研究证据的一线治疗方案。同时，考虑到患者的 K-Ras 基因状态和 PD-L1 表达水平，加入了恩度和信迪利单抗，以期获得更好的治疗效果。在放疗方面，选择了精准放疗技术，以减少对正常组织的损伤。在治疗过程中，特别注意了药物的不良反应和患者的耐受性。例如，紫杉醇可能引起过敏反应和中性粒细胞减少，采取了预防性用药和密切监测血常规的措施。顺铂的肾毒性和耳毒性也被严格监控，定期检查肾功能和听力。此外，患者在治疗过程中出现了气管食管瘘，及时进行了气管、食管覆膜支架置入术，以缓解症状并避免进一步的并发症。这一并发症的处理体现了医者在治疗过程中对患者状况的密切监测和及时干预。

尽管此患者的病情复杂，但通过积极的综合治疗，尽可能地控制了肿瘤的进展，改善了患者的症状和生活质量。然而，考虑到疾病的晚期和肿瘤的生物学特性，患者的预后仍然不容乐观。在未来的治疗中，将继续关注新的治疗手段和药物，以期为患者提供更多的治疗选择。对于此类复合癌患者，需要更多的临床研究和数据支持，以优化治疗方案和提高治疗效果。此外，对于患者的长期随访和管理，也是提高患者生存质量的关键。

通过对此病例的讨论分析，可以看到，肿瘤治疗是一个复杂的过程，需要综合考虑多种因素。医者应继续努力，不断探索和优化治疗方案，以期为患者提供更好的治疗效果和生活质量。

参考文献

[1] 中华医学会肿瘤学分会. 中国肺癌治疗指南[J]. 中华肿瘤杂志，2022，44（4）：323-338.

[2] 中华医学会消化病学分会. 食管癌诊断和治疗规范[J]. 中华消化病与影像杂志（电子版），2021，11（3）：185-192.

[3] 王燕婷，戴媛媛，杨珺，等. 细胞毒化疗药物不良反应支持治疗的指南进展及实践总结[J]. 中国药学杂志，2020，55（20）：1726-1735.

（莫秋弟）

◎ 免疫检查点抑制剂相关肺炎

案例介绍

患者男，66 岁，于 2020-08-04 入院。

主诉：确诊食管癌伴肝、肺转移 5 月余，发热 20 余天。

现病史：患者 5 个月前因吞咽困难，上腹部疼痛至当地医院就诊，行食管病理活检提示食管鳞癌伴多发转移。5 月来行 5 次信迪利单抗免疫治疗及化疗（方案不详），最近 1 次抗肿瘤治疗用药为于 1 个月前，过程顺利返回家中。20 余天前出现发热，无明显昼夜规律，体温多数波动在 37 ~ 38.5℃，最高 39.4℃，间中伴畏寒，无寒战，自行退热或药物退热，体温可降至正常，但反复。间中伴咳嗽、咳少量黄白色黏痰，伴有乏力、食欲缺乏，无头痛、头晕、胸痛、胸闷，无腹痛、腹泻、尿频、尿急、尿痛。在当地医院住院，诊断“发热查因：免疫相关性炎症？食管鳞癌多发转移”，予“泰能”抗感染、调节水电解质平衡紊乱、加强营养、护肝等治疗，仍有发热，昨日出现四肢水肿，小便减少，现为进一步治疗我院就诊，门诊拟“发热查因”收入呼吸内科。患者自该次发病以来，精神、胃纳、睡眠差，小便减少，7 天未排大便。体重有减轻（具体不详）。

既往史：平素身体良好，患高血压多年，最高达 196/112 mmHg，近期血压偏低未口服降压药物。2020-07-31 诊断为甲状腺功能减退，予优甲乐 25 μg qd 治疗。否认冠心病史、糖尿病等慢性病史，否认肝炎、结核等传染病史，否认手术史、外伤史，否认输血史，否认过敏史，预防接种史不详。

检查

体格检查：T 36.4℃，P 98 次 / 分，R 18 次 / 分，BP 99/60 mmHg，SpO_2 96%（低流量吸氧下）。发育正常，营养不良，神志清楚，自主体位，应答切题，查体合作。全身皮肤黏膜色泽苍白，未见皮疹，无皮下结节、瘢痕，未见皮下出血点及瘀斑，未见肝掌，未见蜘蛛痣。全身浅表淋巴结未扪及肿大。双肺叩诊呈清音，双肺呼吸音清，未闻及干、湿啰音。心律齐整，各瓣膜听诊区未闻及杂音。腹部无压痛、反跳痛，未触及腹部包块。

诊断

诊断：免疫检查点抑制剂相关肺炎；食管鳞癌多发转移（双肺、肝、腰椎、左锁骨上窝、纵隔、腹腔多发淋巴结）Ⅳ期；高血压 3 级，很高危；白细胞下降；血小板下降；重度贫血；低蛋白血症；电解质紊乱。

诊疗经过

入院查 2020-08-04 血常规白细胞计数 2.35×10^9/L，分叶细胞比例 85.30%，分叶细胞绝对值 2.00×10^9/L，血红蛋白 65 g/L，血小板计数 48×10^9/L；生化八项 + 免疫 5 项（Ig5）+ 心肌酶 5 项（AMI5）+ 肝功全套：尿素 8.9 mmol/L，钾 3.20 mmol/L，钠 122.0 mmol/L，氯 94.0 mmol/L，钙 1.98 mmol/L，天门冬氨酸氨基转移酶 57 U/L，肌酸激酶同工酶 MB 活性 19 U/L，乳酸脱氢酶 277 U/L，α-羟丁酸脱氢酶 230 U/L，直接胆红素 13.9 μmol/L，γ-谷氨酰转移酶 130 U/L，总蛋白 45.0 g/L，白蛋白 19.0 g/L，前白蛋白 23.11 mg/L；降钙素原定量 2.37 ng/mL；凝血 5 项：凝血酶原时间 16.3 秒，国际标准化比率 1.44，活化部分凝血活酶时间 44.2 秒，D-二聚体测定 2.92 mg/L；脑利尿钠肽 250.0 pg/mL；降钙素原及 C 反应蛋白无异常；2020-08-04 静息 12 导联心电图：窦性心律；偶发房性早搏。2020-08-07 胸部 CT 平扫（含三维 MPR）：食管下段-贲门部食管癌并双肺、肝内多发转移，左侧锁骨上窝、纵隔、腹腔多发淋巴结转移。建议增强扫描。右肺中叶、双下肺间质性炎症。双侧胸腔少量积液。甲状腺左叶低密度灶，未除外转移。双肾输尿管膀胱 + 前列腺精囊 B 超：双肾大小正常，未见结石及积液。双输尿管上段未见扩张。膀胱壁增厚、毛糙。前列腺钙化斑声像。精囊腺不大。双上肢动脉 + 双上肢静脉彩超：双侧上肢深静脉未见异常声像。双侧上肢动脉硬化声像。患者拒绝支气管镜检查，痰培养未见特殊。先后予头孢哌酮他唑巴坦抗感染，甲强龙 80 mg qd 抗炎，免疫球蛋白静滴调节免疫，升白细胞、血小板，输血，调节水电解质平衡紊乱，营养支持等药物治疗，病情好转出院。治疗前后胸部 CT 对比见图 5-12。

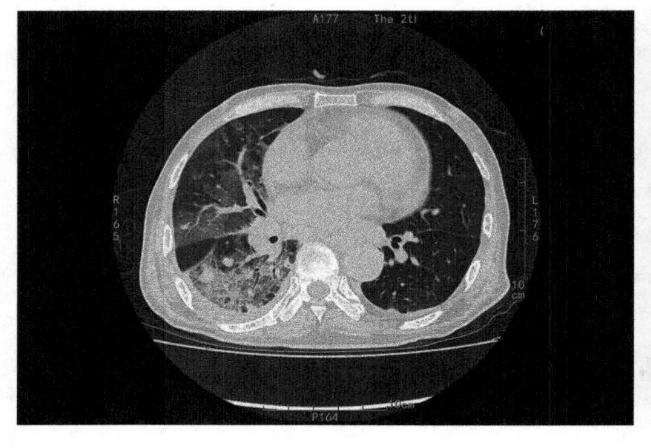

A

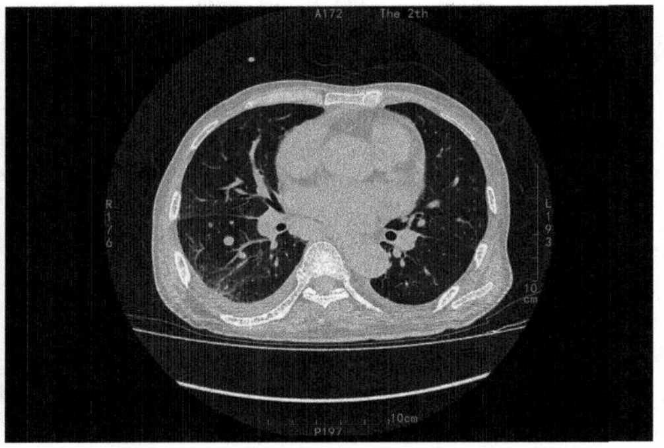

B

图 5-12　治疗前后胸部 CT 对比

注：A. 2020-08-07；B. 2020-08-13

出院情况

患者无发热，偶咳嗽、咳少量白色黏痰，乏力减轻，静息下无气促，午后仍有双下肢水肿。精神差，食欲缺乏，睡眠可，小便正常，便秘。查体：SpO_2 97%（吸空气下），胸廓正常，呼吸运动正常，呼吸节律正常，双肺叩诊呈清音，双肺呼吸音清，未闻及干、湿啰音。心脏、腹部查体基本同前。

讨论

该病例是一例典型的免疫检查点抑制剂相关肺炎，外院强效抗生素治疗效果不佳，糖皮质激素治疗效果明显，且胸部 CT 提示肺部病灶短期内明显吸收。免疫检查点抑制剂是近年来抗肿瘤治疗的常用方法，免疫检查点抑制剂相关肺炎的诊断标准：①免疫检查点抑制剂用药史。②新出现的肺部阴影（如磨玻璃影、斑片实变影、小叶间隔增厚、网格影、牵拉性支气管扩张及纤维条索影等）。③除外肺部感染、肺部肿瘤进展、其他原因引起的肺间质性疾病、肺血管炎、肺栓塞及肺水肿等。同时符合以上 3 条即可诊断为免疫检查点抑制剂相关肺炎。免疫检查点抑制剂相关肺炎是肿瘤免疫治疗中相对严重的不良反应，其发生率随肿瘤、药物及治疗方案的不同略有差异。目前，免疫检查点抑制剂相关肺炎的危险因素尚未完全明确，因此治疗前要对患者进行详细评估，并告知治疗相关风险。由于免疫检查点抑制剂相关肺炎的临床表现及影像学特征缺乏特异性，免疫检查点抑制剂相关肺炎的诊断作为排除性诊断，需要临床医生结合患者的病史、临床表现、影像学及实验室检查等综合判断，支气管镜检查及肺组织活检在鉴别诊断方面具有一定意义。大部分免疫检查点抑制剂相关肺炎可通过停用免疫检查点抑制剂或使用糖皮质激素治疗得到缓解或治愈。

参考文献

中华医学会呼吸病学分会肺癌学组. 免疫检查点抑制剂相关肺炎诊治专家共识［J］. 中华结核和呼吸杂志，2019，42（11）：820-825.

（王银燕）

◎ 鼻咽癌放疗后反复吸入性肺炎

案例介绍

患者男，64 岁，于 2021-09-28 入院。

主诉：进食后呛咳、咳痰 6 月余，加重伴发热 3 天。

现病史：患者于 6 月余前开始出现进食后呛咳，咳黄白黏痰，间中有痰中带食物残渣，伴有活动后气促、胸闷，4 月份曾在外院住院，诉诊断为“肺炎，鼻咽癌放化疗术后”，建议留置胃管，患者拒绝，予治疗（具体不详）后好转出院。患者出院后上述症状仍有反复，2 个月前开始出现反复发热，体温最高 38℃左右，痰量增加，进食后明显，痰中带有食物残渣。7 月底到外院住院，诉胸部 CT 提示肺炎，予“头孢”抗感染（具体不详）后好转，但出院后再次出现发热，并于 2021-08-02 至 2021-08-12 到我院住院，2021-08-03 胸部平扫考虑双肺继发性肺结核，请结合临床。左肺上叶小肺大疱。考虑肝脏多发囊肿。支气管镜检查提示吸入性肺炎。痰真菌培养及鉴定：白念珠菌阳性，金黄色葡萄球菌阳性。多次痰结核涂片均为阴性；诊断为“吸入性肺炎；肺大疱；鼻咽癌放化疗后；鼻咽癌复发术后；慢性鼻窦炎；放射性脑病；高血压病 2 级，高危；多发性肝囊肿”，予“头孢哌酮钠舒巴坦钠针、伏立康唑片”抗感染、祛痰等治疗后，患者体温恢复正常，咳嗽、咳痰减少后出院。患者出院 2 天后再次出现发热，体温 37.5℃左右，自行口服“左氧氟沙星”“头孢”（具体不详）后体温可恢复正常，近 3 天出现进食后呛咳明显，痰量增加，痰中带食物残渣，发热，体温最高 37.8℃，间中有心悸，无畏寒、寒战，无喘息、气促、胸闷、胸痛，无鼻塞、流涕、打喷嚏、鼻衄，无头晕、头痛、恶心、呕吐等，2021-09-27 门诊就诊，胸部 CT 提示两肺广泛炎症，较前明显，主动脉硬化，为进一步诊治收入呼吸内科。患者自起病以来，精神、胃纳、睡眠可，二便正常，体重减轻约 5 kg。

既往史：患高血压多年，最高达 176/105 mmHg，目前服用降压药“拜新同”30 mg qd，诉血压控制可。12 年前在外院确诊鼻咽癌，行化疗、放疗治疗，10 年前因鼻咽癌原位复发行手术治疗（具体不详），3 年前因鼻咽癌术后原位坏死组织行坏死组织清除术，术后鼻腔和口腔之间留导流口至今。10 年前因右肾发现阴影行局部切除手术，诉结果提示良性病变（具体不详）。“慢性鼻窦炎、放射性脑病”病史。青霉素过敏（外院皮试阳性）。

个人史：吸烟多年，已戒烟 15 年余。

检查

体格检查：T 37.1℃，P 92 次 / 分，R 20 次 / 分，BP 140/81 mmHg。神志清楚，全身浅表淋巴结未扪及肿大。咽无充血，双侧扁桃体无肿大，胸廓正常，呼吸运动正常，呼吸节律正常，双肺叩诊呈清音，右下肺呼吸音减弱，双下肺可闻及吸气相湿啰音。心律齐整，各瓣膜听诊区未闻及杂音。腹软，无压痛、反跳痛，未触及腹部包块，肝脾肋下未触及，双下肢无水肿。

辅助检查：2021-09-27 门诊胸部 CT（图 5-13）结果见现病史。

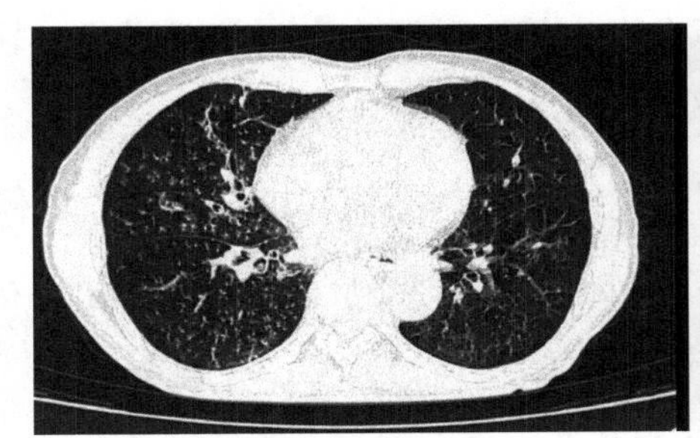
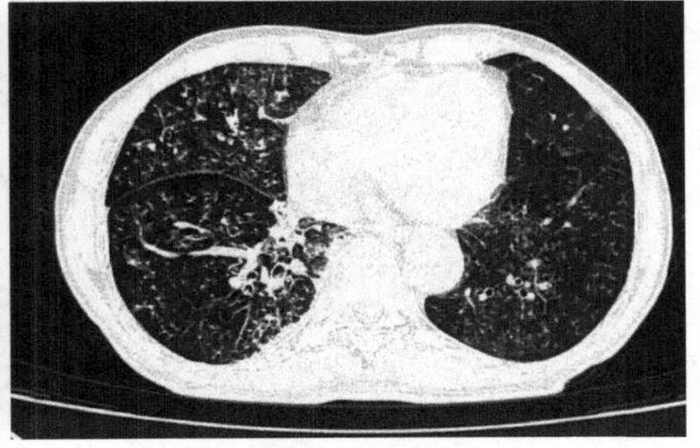

图 5-13 2021-09-27 胸部 CT

诊断

初步诊断：吸入性肺炎；肺大疱；鼻咽癌放化疗后；慢性鼻窦炎；放射性脑病；高血压病 2 级，高危；多发性肝囊肿。

鉴别诊断：肺结核；肺脓肿。

最终诊断：吸入性肺炎；肺大疱；鼻咽癌放化疗后；慢性鼻窦炎；放射性脑病；高血压病 2 级，高危；多发性肝囊肿；低钾血症。

诊断依据：患者进食呛咳、发热、咳痰，痰中带食物残渣，查体双肺可闻及吸气相湿啰音，胸部 CT 见双肺广泛炎症。

诊疗经过

入院后予完善相关检查，2021-09-28 血气分析：酸碱度 7.429，二氧化碳分压 40.4 mmHg，氧分压 59.9 mmHg，氧饱和度 91.2%，实际碳酸氢盐 27.0 mmol/L，氧合指数 286.4；2021-09-28 血常规（CDN）：白细胞计数 10.98×10^9/L，分叶细胞比例 82.40%，分叶细胞绝对值 9.04×10^9/L，淋巴细胞比例 12.10%，嗜酸细胞比例 0.30%，红细胞计数 3.72×10^{12}/L，血红蛋白 107 g/L，红细胞比容 32.9%，血小板计数 385×10^9/L；超敏 C 反应蛋白 13.13 mg/L；2021-09-28 钾 2.90 mmol/L，氯 97.0 mmol/L，白蛋白 38.7 g/L，球蛋白 42.9 g/L，白蛋白 / 球蛋白 0.90。凝血 5 项：纤维蛋白原 6.36 g/L，D- 二聚体测定 0.92 mg/L。肌钙蛋白、BNP、大便分析、尿液分析均正常。2021-09-29 真菌 G 试验（1，3-β-D- 葡聚糖定量）：22.177 pg/mL。口吐痰痰细菌涂片检查（一般细菌 + 真菌）：偶见真菌孢子。多次痰结核涂片阴性。2021-09-29 支气管镜检查（图 5-14），喉部：会厌活动欠佳，左侧声带麻痹，声门关闭不全。气管：黏膜光滑，管腔通畅，软骨环清晰。隆突：隆突锐利，活动可。左侧支气管：各段支气管黏膜轻度充血水肿，管腔通畅，未见新生物，左下叶背段见少许黄色黏稠气道分泌物。右侧支气管：各段支气管黏膜轻度充血水肿，管腔通畅，未见新生物，右中叶、右下叶基底段、右下叶背段支气管开口见大量黄色脓稠痰液堵塞，未见新生物。予彻底清除气道内分泌物并留取气道分泌物行细菌培养 + 药敏、真菌培养 + 药敏、结核菌涂片。支气管镜痰培养提示白念珠菌。结核涂片阴性。

入院后予行吞咽功能评估为 2 级，误吸风险大，予留置胃管进食，予“头孢哌酮钠舒巴坦钠针 + 左氧氟沙星氯化钠注射液 + 氟康唑氯化钠注射液”抗感染、祛痰、多次支气管镜吸痰、控制血压、营养支持、纠正电解质紊乱等治疗后，患者体温正常，咳嗽、咳痰减少。

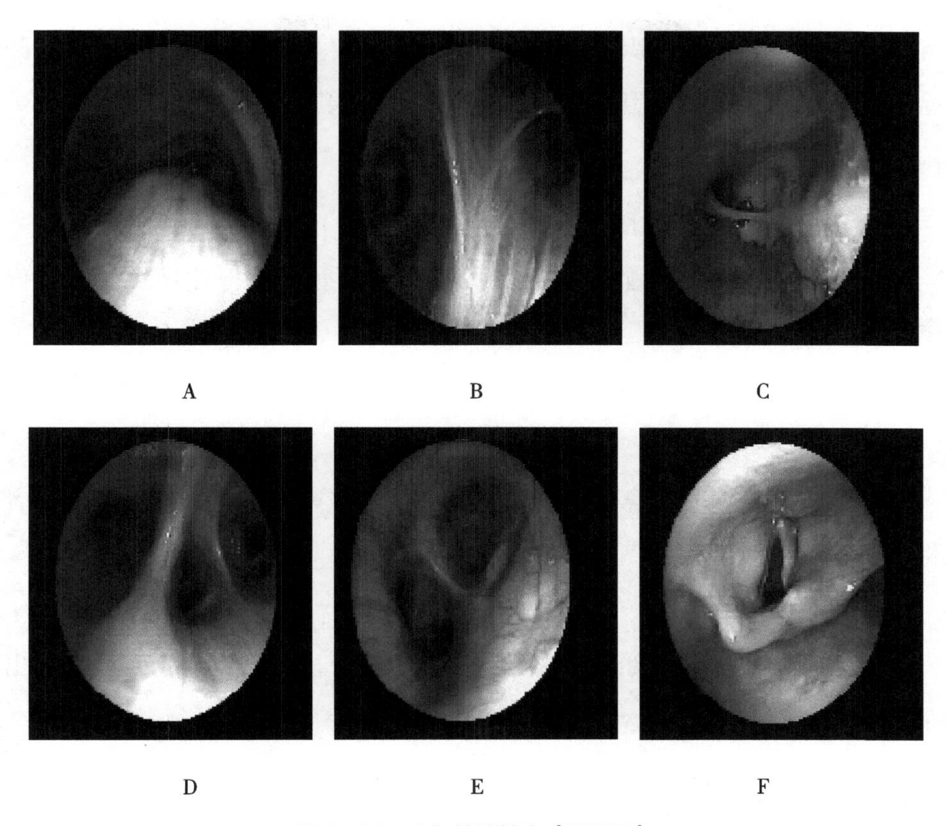

图 5-14　支气管镜检查（彩插 7）

注：A. 隆突；B. 右上叶支气管；C、D. 右中、下叶支气管；E. 左上、下叶支气管；F. 声门

出院情况

患者咳嗽、咳痰减少，无畏寒、发热、喘息、气促等，查体：呼吸 20 次 / 分，SpO_2 98%（吸空气下），双肺呼吸音稍弱，双下肺吸气相湿啰音较前减少，未闻及干啰音。留置胃管出院，嘱患者出院后胃管进食，保证能量和蛋白质供给，防止营养不良；注意预防反流、误吸。

讨论

本例患者既往有鼻咽癌病史，曾行放疗，出现吞咽功能障碍、进食误吸导致反复吸入性肺炎。放疗后吸入性肺炎可能是由多种因素共同引起的，包括辐射诱导的黏膜改变、颈部组织肌肉纤维化、口干症、后组颅神经损伤等，这些因素会导致吞咽功能障碍，引起异常的咳嗽反射和误吸，从而增加吸入性肺炎的风险。

（一）放疗后吸入性肺炎的危险因素

（1）年龄较大（与年龄相关的保护性吞咽反射的进行性丧失可能是促成因素）。

（2）男性。

（3）吸烟病史。

（4）原发肿瘤：其中鼻咽部肿瘤比口腔肿瘤风险更高、肿瘤晚期的患者易感性也更高。

（5）口腔卫生不良。

（6）吞咽功能障碍（吞咽食物觉得困难，需分次吞服或含水送服，或出现饮水呛咳）。

（二）吸入性肺炎临床表现

（1）具有以上高危因素，吞咽功能检查提示异常。

（2）临床表现：表现各异，可以从无症状到咳嗽、咳痰、发热，再到严重的呼吸困难。

（3）查体：双肺哮鸣音和湿啰音。

（4）检验：多有白细胞升高伴核左移，血气分析提示低氧血症，严重时可伴有二氧化碳潴留和代谢性酸中毒。

（5）影像学：X 线见双肺散在不规则片状边缘模糊阴影，胸部 CT 可见肺部阴影呈重力依赖性分布（右肺多见；以上叶后段、下叶背段或后基底段为主）。

（6）纤支镜：见到食物颗粒或胃内容物。

（三）诊断

见图 5-15。

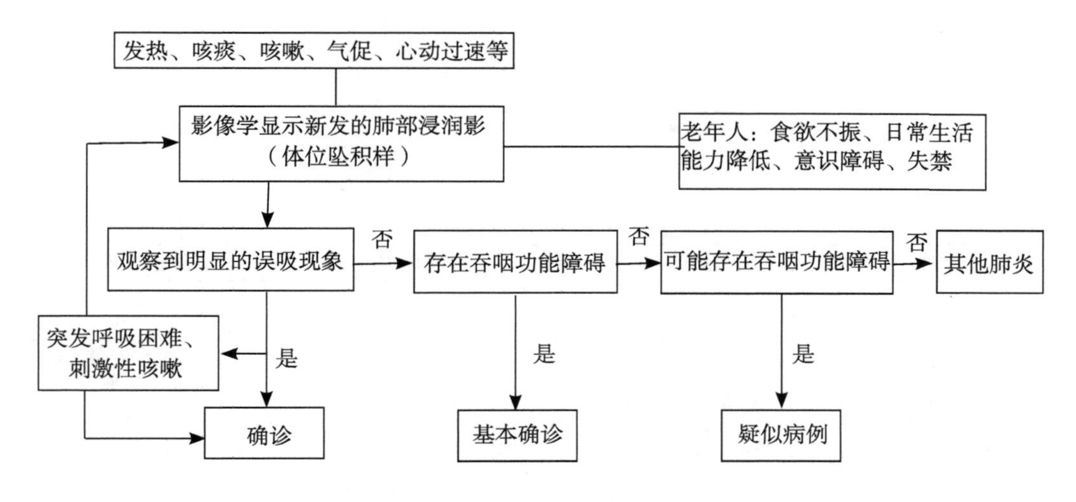

图 5-15 吸入性肺炎的诊断

（四）治疗

（1）一般治疗：评估患者生命体征、动态监测呼吸、循环、水电解质、酸碱平衡及其他重要脏器功能。根据氧合情况及呼吸衰竭类型选择不同的氧疗或呼吸机支持。

（2）驱因治疗：保持呼吸道通畅，及时翻身、拍背，鼓励患者咳嗽并加强引流；早期行支气管镜灌洗吸引气道内容物；化学性肺损伤的，减轻气道痉挛和肺水肿。病因预防：体位改变。意识障碍或长期卧床患者可把床头抬高35° ~ 40° ，对已发生误吸、吞咽功能评估误吸风险大的患者，留置胃管或鼻肠管、间歇置管、胃造瘘。

（3）抗感染：结合误吸内容物可能的病原体选择抗生素，后续根据药敏结果使用抗生素。若全身炎症反应轻微，可按 CAP 治疗，推荐使用头孢曲松、喹诺酮类；全身炎症反应明显或院内获得性感染，考虑革兰氏阴性菌或耐甲氧西林金黄色葡萄球菌（MRSA）（图 5-16）。

（4）其他对症支持治疗：液体管理，纠正低血容量、电解质问题；营养支持。

（5）糖皮质激素：目前尚有争议，不推荐常规使用。显著化学性肺损伤的吸入性肺炎，早期可予短疗程激素治疗。

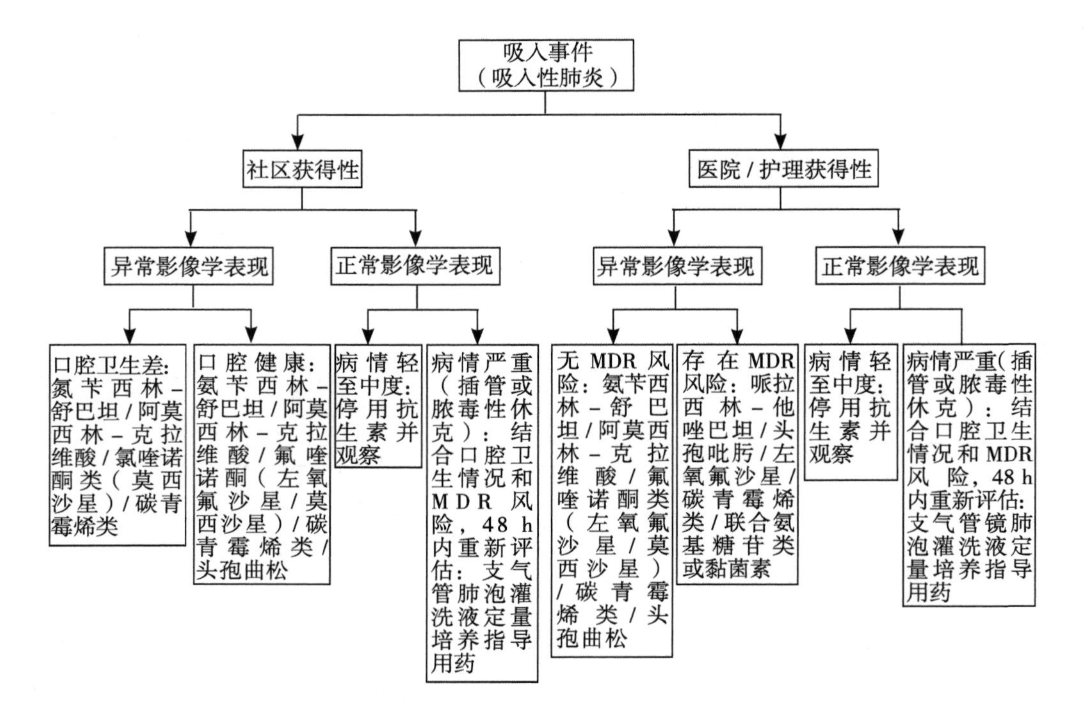

图 5-16 吸入性肺炎的抗感染治疗

参考文献

［1］佘君，丁建文，申捷，等. 成人吸入性肺炎诊断和治疗专家建议［J］. 国际呼吸杂志，2022，42（2）：86-96.

［2］中国吞咽障碍康复评估与治疗专家共识组. 中国吞咽障碍评估与治疗专家共识（2017年版）［J］. 中华物理医学与康复杂志，2017. 39（12）：881-892.

（许丹媛）

◎ 不明原因发热

案例介绍

患者男，22 岁，于 2024-03-17 入院。

主诉：反复发热 3 周。

现病史：患者于 3 周前（2024-02-24）无明显诱因出现反复发热，起初热峰波动于 37.5 ～ 38℃，多于下午出现，伴畏寒、咽痛，发热时全身肌肉关节疼痛、乏力明显，有少许咳嗽，咳少许白色痰，不易咳出，无盗汗、咯血，无喘息、气促，无胸闷、心悸，无恶心、呕吐，无尿频、尿急、尿痛，无皮肤黄染、皮疹、瘀点、瘀斑等。2024-02-24 于当地诊所就诊，予利巴韦林、哌拉西林静滴、布洛芬治疗后，体温可一度恢复正常。2024-02-26 患者再次出现发热，体温最高 39℃，伴畏寒、咽痛，发热时头痛、肌肉疼痛、乏力，再次就诊于当地诊所，予哌拉西林、利巴韦林静滴、布洛芬退热治疗。2024-02-27 患者再次出现高热，热峰 40.3℃，就诊于另一诊所，予甲硝唑静滴，口服退热药后大汗淋漓，乏力、肌肉关节疼痛有所缓解，但体温下降至 38℃左右，无法恢复到正常，持续 2 ～ 3 小时后可再次出现上升。2024-03-03 开始出现恶心，呕吐胃内容物。2024-03-06 到当地中医院就诊，行胸部 CT 检查（未见结果），予阿奇霉素、左氧氟沙星静滴 3 日，未见明显好转。2024-03-07 患者出现双下肢及腹部水肿，呈凹陷性，于 2024-03-10 至 2024-03-13 在外院住院，查降钙素原 0.16 ng/mL，胸部 CT 提示支气管炎样改变，前胸壁皮下软组织水肿，予“多西环素”抗感染、补液、退热等治疗后，仍有反复发热，热峰无明显下降。遂后患者于 2024-03-13 至 2024-03-16 到当地人民医院就诊，2024-03-13 血常规提示白细胞 1.36×10^9/L，血红蛋白 114 g/L，降钙素原 0.519 ng/mL，天冬氨酸氨基转移酶 356.3 U/L，肌酸激酶 3 343.3 U/L，肌酸激酶 –MB 42.8 U/L。2024-03-13 胸部 + 腹部 CT：双侧少量胸腔积液，左侧为著，双侧胸膜增厚，左侧为著，盆、腹少量积液，腹膜炎。胸壁、腹壁水肿。2024-03-16 颈部 + 锁骨上 + 腋窝淋巴结彩超、心脏彩超未见异常。予治疗（具体不详）后，现患者仍有反复发热，热峰无明显下降，为进一步诊断治疗来就医，在门诊拟诊断为“发热查因”收入院。自发病以来精神状态较差，食欲较差，睡眠一般，大便正常，小便尿量正常，颜色浓茶色，体重下降约 2.5 kg。

个人史：从事地铁安全员工作，居住地方有蝙蝠出入，有蚊子叮咬史，否认血吸虫疫水接触史，否认到过地方病高发及传染病流行地区。饮酒 2 年，平均 1 两 / 日，未戒酒。

检查

体格检查：T 38.2℃，P 118 次 / 分，R 22 次 / 分，BP 110/65 mmHg。神志清楚，全身浅表淋巴结未扪及肿大。腹部、双下肢可见散在浅红色皮疹，咽无充血，双侧扁桃体无肿大，胸廓正常，呼吸运动正常，呼吸节律正常，双肺叩诊呈清音，双肺呼吸音清，未闻及干、湿啰音。心律齐整，各瓣膜听诊区未闻及杂音。腹软，无压痛、反跳痛，未触及腹部包块，肝脾肋下未触及，双下肢无水肿。

诊断

初步诊断：发热查因（肺炎？腹膜炎？血液病？）。

鉴别诊断：特殊感染（恙虫病？）；非感染性发热（血液病？结缔组织相关疾病？）。

最终诊断：外周 T 细胞淋巴瘤；皮下脂膜炎样 T- 细胞淋巴瘤，Ⅳ B 期，IPI 2 分；噬血细胞综合征。

诊疗经过

2024-03-17 血常规 CDN+ 血型：白细胞计数 1.97×10^9/L，中性粒细胞比例 56.9%，中性粒细胞绝对值 1.12×10^9/L，淋巴细胞绝对值 0.70×10^9/L，红细胞计数 3.58×10^{12}/L，血红蛋白 98 g/L，红细胞比容 30.2%，血小板计数 120×10^9/L，血小板压积 0.12%。C 反应蛋白 10.16 mg/L。2024-03-17 血气分析：酸碱度 7.393，二

氧化碳分压 30.2 mmHg，氧分压 140.3 mmHg，氧饱和度 99.2%，实际碳酸氢盐 18.6 mmol/L，实际碱剩余 -5.0 mmol/L，氧合指数 483.7。2024-03-17 凝血 5 项：纤维蛋白原 1.08 g/L，D- 二聚体测定＞ 40.00 mg/L。2024-03-17 生化八项 + 血清尿酸测定（URIC）+ 生化八项 + 心肌酶 5 项（AMI5）+ 肝功全套（13 项）：天门冬氨酸氨基转移酶 312 U/L，肌酸激酶 3 065 U/L，肌酸激酶同工酶 MB 活性 49 U/L，乳酸脱氢酶 1 945 U/L，α - 羟丁酸脱氢酶 1 169 U/L，丙氨酸氨基转移酶 336 U/L，γ - 谷氨酰转移酶 61 U/L，总蛋白 49.5 g/L，白蛋白 30.0 g/L，前白蛋白 85.86 mg/L，总胆汁酸 10.4 μmol/L，腺苷脱氨酶 72.1 U/L。降钙素原、高敏肌钙蛋白 I、脑利尿钠肽、甲功 5 项、肿瘤三项正常。2023-03-17 甲乙型流感抗原快速检测阴性。2024-03-17 疟原虫检验组合：未发现。2024-03-17 风湿 3 项：抗链球菌溶血素“O” 220 U/mL。

2024-03-18 铁蛋白＞ 1 500.0 ng/mL。2024-03-18 登革病毒 NS1 抗原阴性（-）。外斐氏、肥达氏试验均阴性。血培养阴性。血 NGS（DNA+RNA）为阴性。2024-03-18 多通道 12 导联心电图检查：窦性心动过速；T 波改变。2024-03-18 胸部 + 全腹部平扫及增强套餐（含三维 MPR）：双肺下叶炎症，双侧胸腔少量积液；双侧腰大肌走行区周围脂肪间隙模糊，拟炎性改变，请结合临床；胸、腹壁散在皮下脂肪间隙模糊，拟炎性改变，请结合临床；肝、胆、胰、脾、双肾、输尿管、膀胱、前列腺平扫及增强未见明显异常。2024-03-18 床边心脏彩超 + 心功能：心内结构及血流未见明显异常。左室收缩功能未见异常。2024-03-19 自身抗体组：自身抗体二项抗核抗体（ANA）弱阳性（1 ： 100），核型胞浆型。2024-03-20 血脂七项：甘油三酯 2.34 mmol/L。2024-03-20 类风湿性关节炎二项：抗环瓜氨酸肽抗体 25.70 U/mL。自身抗体组、血管炎抗体组正常。2024-03-22 腹腔积液 B 超：腹腔未见明显积液声像。2024-03-23 颅脑平扫 + 增强：颅脑平扫及增强 MRI 未见明确异常。右侧下鼻甲肥厚。

入院后予“美罗培南 0.5 g ivd tid”抗感染、护肝、补液、加强营养支持。患者仍有反复感染。考虑非感染性疾病可能性大，不排除血液系统疾病，2024-03-19 行骨髓穿刺术，骨髓涂片结果（图 5-17）：骨髓有核细胞增生活跃 +，偶见噬血现象。予“注射用甲泼尼龙琥珀酸钠（命得生）40 mg”（2024-03-20 至 2024-03-25）抗炎、护肝、补液、营养支持等治疗后，患者

2024-03-21 开始体温恢复正常。

血液科会诊：患者表现为发热，血白细胞及血小板下降，铁蛋白升高，纤维蛋白原降低、高甘油三酯血症，骨髓可见噬血现象，其表现符合噬血细胞综合征，建议完善可溶性白细胞介素 2 受体（sCD25）及 NK 细胞活性检查，患者经甲强龙免疫抑制治疗后体温下降，提示治疗有效，可继续原方案维持 3 天以后改为口服维持，剂量为泼尼松 25 mg/d。注意追查 sCD25 结果并关注体温情况。可同时加用丙种球蛋白 400 mg/（kg·d）冲击治疗 3 天提高治疗效果。

患者体温恢复正常，于 2024-03-26 出院，回当地血液科继续诊治。

细胞名称			血片	髓片		
			（%）	平均值	标准差	（%）
	原始血细胞			0.08	±0.01	
粒细胞系统	原始粒细胞			0.64	±0.33	0.50
	早幼粒细胞			1.57	±0.60	2.00
	中性	中幼		6.49	±2.04	10.00
		晚幼		7.90	±1.97	8.50
		杆状核	4.00	23.72	±3.50	16.00
		分叶核	47.00	9.44	±2.92	12.00
	嗜酸	中幼		0.38	±0.23	
		晚幼		0.49	±0.32	
		杆状核		1.25	±0.61	
		分叶核		0.86	±0.61	3.50
	嗜碱	中幼		0.02	±0.05	
		晚幼		0.06	±0.07	
		杆状核		0.06	±0.09	
		分叶核		0.03	±0.05	0.50
红细胞系统	原始红细胞			0.57	±0.30	
	早幼红细胞			0.92	±0.41	1.50
	中幼红细胞			7.41	±1.91	10.00
	晚幼红细胞			10.75	±2.36	14.00
	早巨幼红细胞					
	中巨幼红细胞					
	晚巨幼红细胞					
粒系：红系				3.00	±1.00	2.08：1
淋巴细胞	原始淋巴细胞			0.05	±0.09	
	幼稚淋巴细胞			0.47	±0.84	
	成熟淋巴细胞		38.00	22.78	±7.04	18.00
	异型淋巴细胞					
单核	原始单核细胞			0.01	±0.04	
	幼稚单核细胞			0.14	±0.19	
	成熟单核细胞		11.00	3.00	±0.88	2.50
浆细胞	原始浆细胞			0.004	±0.02	
	幼稚浆细胞			0.104	±0.16	
	成熟浆细胞			0.71	±0.42	1.00
其他细胞	组织细胞			0.16	±0.21	
	组织嗜碱细胞			0.03	±0.09	
	分类不明细胞			0.05	±0.09	
巨核细胞	原始巨核细胞			0～3		
	幼稚巨核细胞			0～10		
	颗粒巨核细胞			10～30		
	产板巨核细胞			40～70		
	裸核巨核细胞			0～30		
计数（个）			100			200

分析：

（一）骨碎片

1. 取材尚可、图片欠佳、染色良好。小粒（+）油滴（+）
2. 骨髓有核细胞增生活跃+，G/E=2.08/1
3. 粒系细胞占53.0%，比例正常，形态大致正常
4. 红系细胞占25.5%，比例正常，以中晚幼红细胞为主。成熟红细胞大小欠均一
5. 淋巴细胞占18.0%，比例正常，形态大致正常
6. 全片可见66个颗粒巨及3个产板巨，血小板中小簇可见
7. 全片网状巨噬细胞增多，偶见吞噬成熟红细胞及血小板现象

（二）血片

1. 白细胞无明显增减
2. 中性粒细胞比例，形态大致正常
3. 成熟红细胞大小欠均一。未见有核红细胞
4. 淋巴细胞比例，形态大致正常。单核细胞比例增高
5. 血小板中小簇可见

NAP：（+）10%　16分

FE：外铁：未见骨髓小粒　内铁：（+）18%

诊断提示：

骨髓有核细胞增生活跃+，偶见嗜血现象，请结合临床

图 5-17　骨髓涂片（彩插 8）

出院情况

患者出院时无发热等不适，精神、胃纳可，查体无特殊。出院后当地医院血液科门诊就诊，诉复查血常规三系恢复正常（未见结果），无发热，医生建议门诊随诊。

2024-04-20 患者受凉后再次出现发热，最高体温 39.9℃，伴恶心、呕吐，呕吐 2 次黄色水样物，伴畏寒、全身乏力、头痛，到当地卫生院就诊，未行检查，予“哌拉西林抗感染、补液、对乙酰氨基酸降温”对症治疗，体温可降至正常，后又反复升高。2024-04-22 再次到我院就诊，血气分析：酸碱度 7.377，二氧化碳分压 32.3 mmHg，氧分压 74.1 mmHg，标准碳酸氢盐 20.7 mmol/L；血常规：白细胞计数 5.05×10^9/L，血红蛋白 130 g/L，血小板计数 288×10^9/L；C 反应蛋白 26.97 mg/L，甘油三酯 3.03 mmol/L，天门冬氨酸氨基转移酶 53 U/L，乳酸脱氢酶 586 U/L，葡萄糖 6.95 mmol/L，β_2- 微球蛋白 4.77 mg/L，总胆红素 28.8 μmol/L；乙型流感抗原快速检测弱阳性（+/-）。血清铁蛋白测定：铁蛋白 838.60 ng/mL。入院后予“头孢曲松钠”抗感染、“奥司他韦”抗病毒、补液、退热等治疗。患者于 2024-04-23 突然出现寒战、胸闷、气促、烦躁、恶心、呕吐胃内容物数次，血氧饱和度、血压下降，遂转 ICU 监护治疗，血液 sCD25 3 370 U/mL。行腰穿留取脑脊液送检，脑脊液检测未见异常。骨髓穿刺：增生明显活跃骨髓象。予补液抗休克、物理降温、升压、“美罗培南”抗感染、“甲泼尼龙”“丙种球蛋白”等处理，病情稳定。

2024-05-02 转血液内科。sCD25 测定：3 826.00 U/mL。

PET-CT 示：①双上臂、双侧颌面部、双侧腋下、胸背部、腹壁内、腹盆壁、腰骶部及双侧大腿皮下广泛脂肪间隙絮状增厚，伴代谢不同程度增高，倾向于炎性病变，建议临床进一步排查自身免疫性疾病，必要时病检除外淋巴瘤浸润；全身骨髓代谢不均匀轻度增高，考虑为骨髓增生活跃（可符合噬血细胞综合征表现）。请结合临床。②左肺多发良性微结节。③盆腔少量积液。④全身其他部位 PET-CT 显像未见明显异常。左腹部皮肤活检病理：考虑为皮下脂膜炎样 T 细胞淋巴瘤。

后分别于 2024-05-13、2024-06-10 予“长春地辛 + 多柔比星脂质体 + 环磷酰胺＋依托泊苷＋地塞米松”化疗2程，2024-07-09、2024-08-04予“长春地辛＋环磷酰胺＋米托蒽醌脂质体＋依托泊苷＋甲泼尼龙”化疗2程，2024-08-28予“长春地辛＋米托蒽醌脂质体＋依托泊苷＋地塞米松”化疗1程，2024-09-22予“米托蒽醌脂质体＋依托泊苷＋地塞米松”化疗1程，过程顺利，出院后规律服用“芦可替尼1片bid、林普利塞4片qd”治疗。2024年9月后仍继续定期化疗随访。

讨论

不明原因发热（fever of unknown origin，FUO）定义为反复发热超过38.3℃，持续3周以上，其中至少1周住院系统检查仍病因不明。发热待查诊断难、治疗难，是内科公认的临床难题。

本例患者为无基础疾病年轻患者，反复高热超过3周就诊，属于不明原因发热。初感染指标（降钙素原）稍升高，在外院考虑感染相关，但经验性抗感染后无改善。入院后血常规提示白细胞、血红蛋白下降，肝功能异常，空腹甘油三酯升高、纤维蛋白原＜1.5 g/L、血清铁蛋白＞500 μg/L，考虑不排除血液系统相关原因引起发热，骨髓穿刺见噬血现象，考虑噬血细胞综合征。患者经糖皮质激素治疗后体温恢复正常并回当地血液内科随诊。一月余后再次出现发热，PET-CT发现全身多发皮下广泛脂肪间隙絮状增厚，最后行皮肤活检后确诊为T细胞淋巴瘤。病情复杂，经多次辗转，追根刨底，最后明确病因。

引起经典型发热待查的病因超过200种，但总体可归纳为以下4类：感染性疾病、肿瘤性疾病、非感染性炎症性疾病及其他疾病。在FUO常见感染病因中，细菌感染占绝大多数（74%），而其中结核感染首当其冲（54%），其次为败血症（19.8%）。

对所有FUO患者必须完善的工作是：①反复、详细询问病史；②反复、细致体格检查。根据询问得到的病史，提供潜在的诊断线索（potential diagnostic clues，PDC），根据这些线索为患者安排更专业、更细致的实验室及辅助检查并进行动态监测，进行最可能的病因归类。这在该例患者中得到了体现，该患者先后多次出现诊断治疗后反复，后经过反复多次询问病史、体格检查及实验室动态监测结果，逐步明确诊断。不明原因发热的诊断思路见图5-18。

因此发热待查的病因复杂，临床表现多样，临床诊疗过程中应在发散临床思维的同时关注细节，多学科会诊共解疑难，把握蛛丝马迹，一步步抽丝剥茧找到真正的病因。

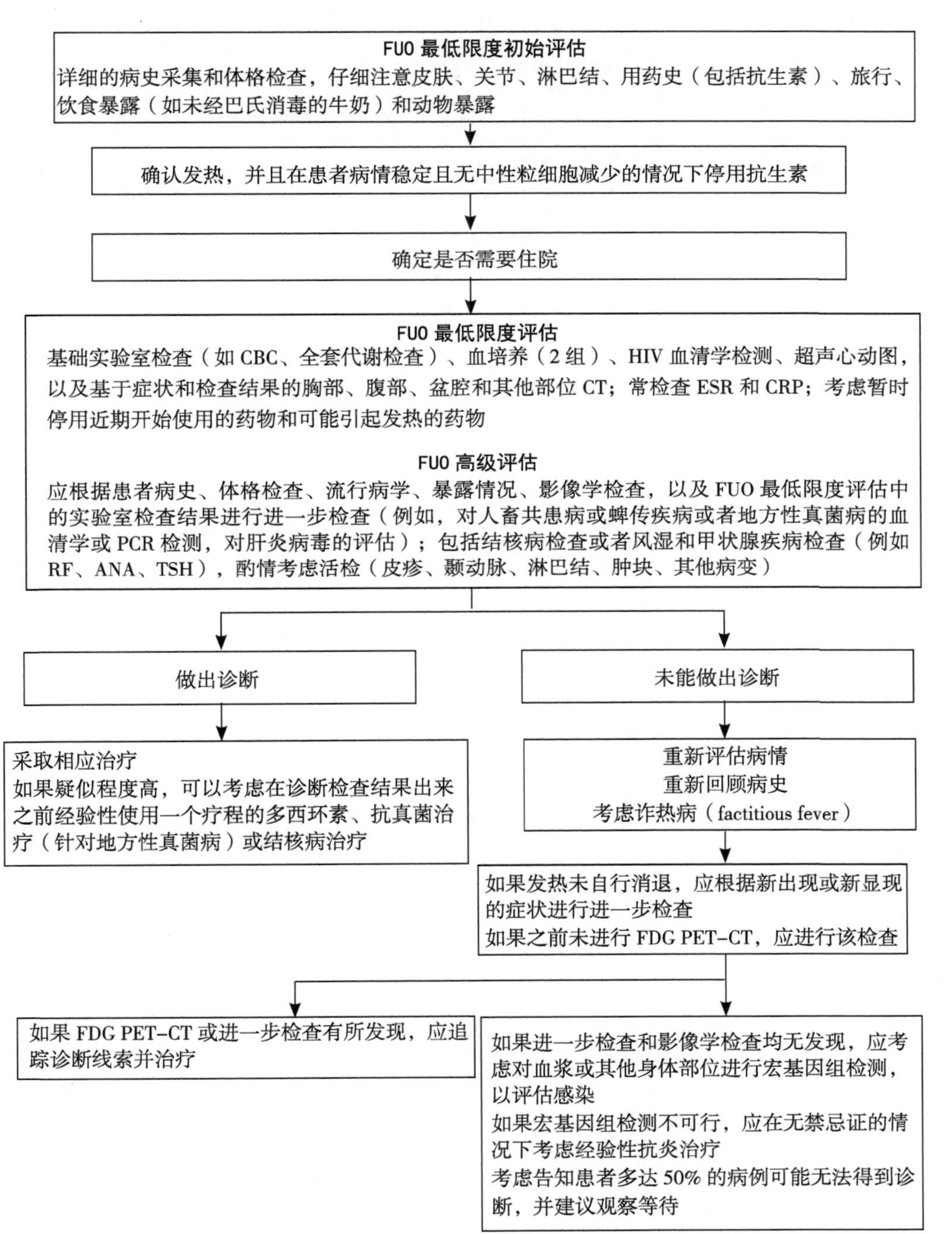

图 5-18 不明原因发热的诊断

参考文献

[1]《中华传染病杂志》编辑委员会. 发热待查诊治专家共识[J]. 中华传染病杂志，2017，35（11）：641-655.

[2] 中国抗癌协会淋巴瘤专业委员会，中华医学会血液学分会淋巴细胞疾病学组，中国噬血细胞综合征专家联盟. 淋巴瘤相关噬血细胞综合征诊治中国专家共识（2022年版）[J]. 中华医学杂志，2022，102（24）：1794-1801.

（许丹媛）

◎ 恶性胸膜间皮瘤

案例介绍

患者女，65 岁，于 2023-12-05 入院。

主诉：反复咳嗽、气促 2 月，再发加重 3 天。

现病史：患者于 2 月前受凉后出现咳嗽，伴少量黄白黏痰，咳嗽频繁，伴活动后气促，无畏寒、发热，无盗汗、乏力，无胸闷、胸痛，无恶心、呕吐，遂于我院住院治疗，查胸部 CT 示：左侧胸腔大量积液，左肺大部不张；右肺散在炎症。诊断“肺炎；左侧胸腔积液；胸膜增厚，性质待定；右肺中叶结节，性质待定”，予胸腔穿刺引流、哌拉西林钠舒巴坦钠（6 g，ivd，q12h）抗感染、化痰止咳、降压、降糖及对症治疗，症状好转出院。胸腔积液常规检查：透明度微浑，李凡他阳性（++），红细胞 13 000 × 10^6/L；胸腔积液生化：腺苷脱氨酶 14.0 U/L，乳酸脱氢酶 232 U/L，总蛋白 48.4 g/L；胸腔积液病理：镜下见检出较多间皮细胞、巨噬细胞、淋巴细胞及单核细胞，其中间皮见非典型增生，未见结核杆菌或真菌，未见明确恶性肿瘤细胞。免疫组化：TTF-1（-），NapsinA（-），p40（-），CD163（巨噬细胞 +），CK7 及 Calretinin（间皮细胞 +）。特殊染色：抗酸染色（-），PAS（-），PASM（-）。胸腔积液细菌培养、胸腔积液 CEA 未见异常。出院后外院就诊，2023-10-20 患者于外院行胸部 CT 增强 CT 示：左侧胸膜弥漫性增厚，左侧胸腔少量积液（部分包裹），性质待定，恶性？结核性？左肺少许炎症；右肺中叶外侧段混杂磨玻璃结节，考虑局灶性炎症与 MIA/IAC 鉴别，请结合临床及随诊；两肺数个实性小结节，拟炎性结节或肺内淋巴结；两肺门、纵隔多发稍大淋巴结，建议随诊；甲状腺所见，建议超声进一步评估。胸膜活检结果示：送检胸膜组织，表面较多纤维素渗出，纤维组织增生，淋巴细胞及浆细胞浸润。组织改变为炎性病变，特殊染色未见特殊病原菌。特殊染色结果：抗酸（-），抗酸荧光（-），真菌荧光（-），GMS（-），PAS（-）。诊断“类炎性胸腔积液”，予莫西沙星抗感染、乙酰半胱氨酸化痰及对症治疗后好转出院。3 天前患者再次出现咳嗽增多，伴咳少量白痰，伴活动后气促，无发热等，其余症状基本同前，门诊查胸部 CT 示：左侧胸腔少－中等量积液（部分包裹）较前明显减少，左肺部分不张，较前进展；左肺胸膜弥漫增厚，请结合临床及既往检查。为进一步诊断治疗来就医，胸部 CT 提示“左侧大量胸腔积液”，在门诊拟诊断为“肺炎；胸腔积液”收入院。自发病以来精神状态一般，食欲一般，睡眠良好，大便正常，小便正常，体力情况如常，体重无明显变化。

既往史：本院诊断糖尿病 2 年，服用“沙格列汀”降糖，血糖控制满意。患高血压 10 余年，目前服用拜新同 30 mg qd、倍他乐克 47.5 mg qd、倍悦 162.5 mg qd，血压控制不详。否认冠心病等慢性病史，否认肝炎、结核等传染病史，2023–10 曾于外院行胸膜活检术。否认外伤史，否认输血史，否认过敏史，预防接种史不详。

检查

体格检查：T 36.2℃，P 71 次 / 分，R 22 次 / 分，BP 120/80 mmHg。发育正常，营养良好，神志清楚，自主体位，应答切题，查体合作。全身皮肤黏膜色泽正常。胸廓正常，呼吸运动正常，呼吸节律正常，双肺叩诊呈清音，左肺呼吸音减弱，可闻及湿啰音。心脏相对浊音界正常，心律齐整，各瓣膜听诊区未闻及杂音。腹无压痛、反跳痛，未触及腹部包块。

辅助检查：第一次入院前后胸部 CT 对比见图 5–19。第二次住院时胸部 CT 检查见图 5–20。

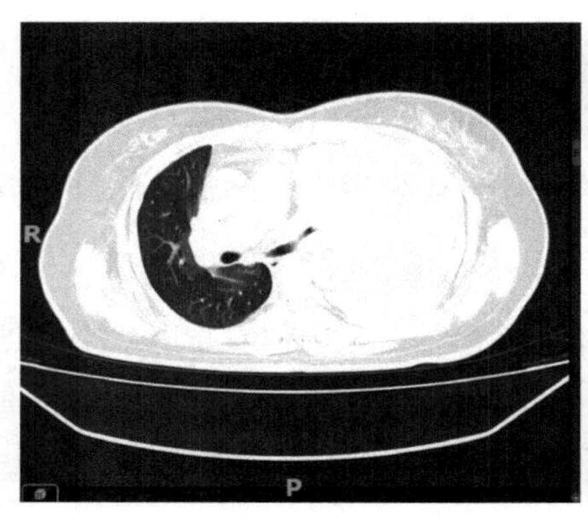

A

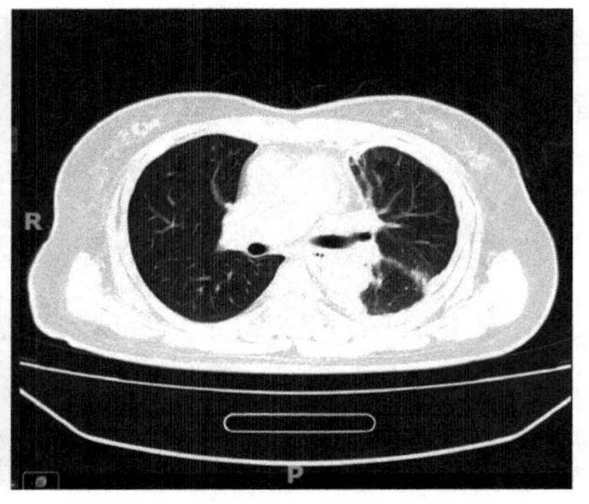

B

图 5–19　第一次入院前后胸部 CT 对比

注：A. 2023–10–07；B. 2023–10–12

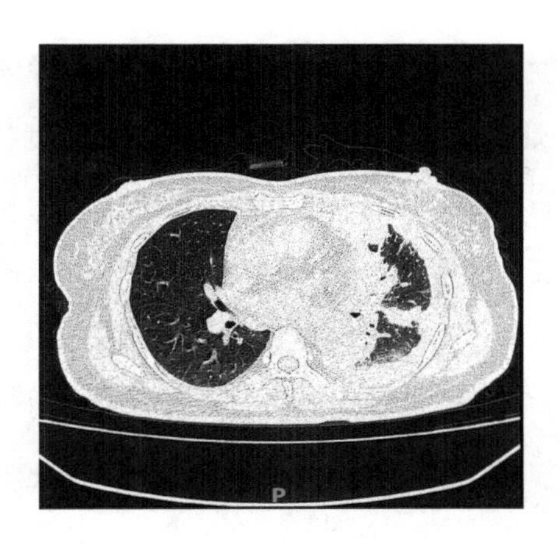

图 5-20　第二次住院时胸部 CT 检查

注：2023-12-01 胸部 CT 示左侧胸膜较前明显增厚

诊断

诊断：左侧恶性胸膜间皮瘤；肺炎；右肺中叶结节，性质待定。

诊疗经过

入院查 2023-12-05 血常规 +CRP：快速 CRP 12.74 mg/L，白细胞计数 7.49×10^9/L，中性粒细胞比例 63.4%；凝血 5 项：纤维蛋白原 5.09 g/L，D- 二聚体测定 2.12 mg/L；生化 + 血脂 4 项 + 心肌酶 5 项 + 肝功：钠 136.0 mmol/L，氯 93.0 mmol/L，甘油三酯 1.73 mmol/L，乳酸脱氢酶 257 U/L；脑利尿钠肽 187.00 pg/mL；肺癌 4 项：神经元特异烯醇化酶 45.850 μg/L，细胞角蛋白 19 片段 12.370 μg/L；肌钙蛋白、降钙素原、感染四项、糖化血红蛋白、血清 β－羟基丁酸、血清尿酸、结核菌涂片、痰细菌涂片、痰真菌免疫荧未见异常。2023-12-05 多通道 12 导联心电图检查：窦性心律；正常心电图。2023-12-06 床边胸腔积液超声：左侧胸腔积液声像（少量）。2023-12-12 PET-CT 全身显像：左侧胸膜弥漫性增厚，糖代谢明显增加，结合病史首先考虑为胸膜间皮瘤，待排结核性胸膜炎可能；左侧胸腔少量积液（部分包裹）。右肺中叶斜裂胸膜旁磨玻璃结节糖代谢未见明显异常，疑早期肺癌，建议随诊。左肺炎症；左肺下叶肺不张；双肺散在炎性增殖灶。右颈Ⅱ区、纵隔（4R 及 6 组）及左侧内乳区淋巴结糖代谢部分轻度增加，疑炎症。甲状腺右侧叶密度不均，糖代谢未见明显异常，考虑结节性甲状腺肿。轻度脂肪肝；肝 S6 钙化灶；肝左叶局部胆管及胆总管轻度扩张。右肾囊肿；右肾及右侧输尿管多发结石；副脾。子宫内膜局部糖代谢明显增加，建议进一步检查；阴道壁囊肿；盆腔少量积液。致密型骶髂关节炎；椎体退行性变。再次行胸膜活检（图 5–21）提示恶性胸膜间皮瘤。予抗感染、化痰止咳及对症治疗后，咳嗽、咳痰较前好转，家属要求肿瘤医院进一步诊疗，予出院。

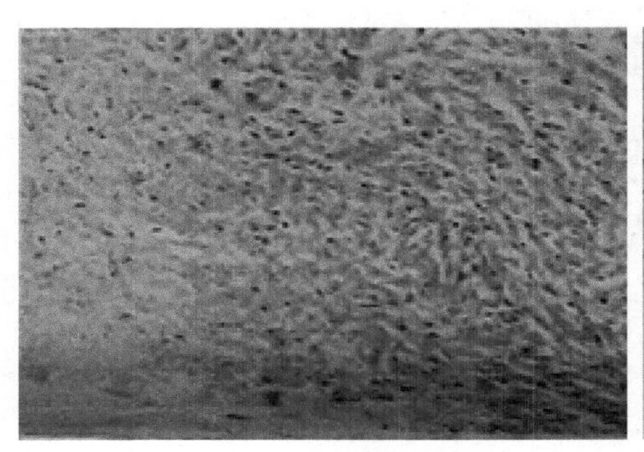

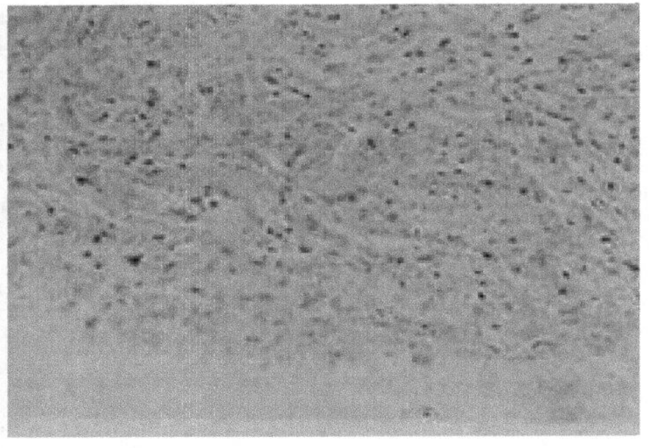

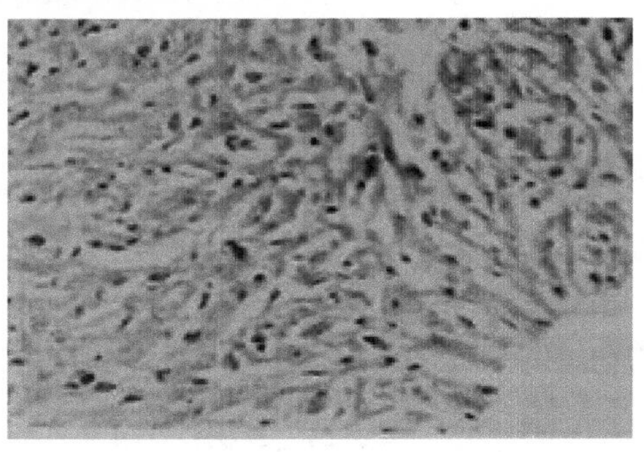

图 5–21　第二次胸膜活检病理（彩插 9）

注：（左侧胸膜）送检横纹肌及纤维组织，间质纤维组织增生，部分玻璃样变，其中可见肿瘤细胞散在分布，细胞核圆形，梭形及不规则形，胞浆稍丰富，免疫组化结果示 CR（大部分 +），WT–1（部分 +），D2–40（部分 +），TTF1（–），CK（+），Vim（+），SMA（–），S–100（–），Ki67（约 30% +），CK5/6（+）。组织改变为恶性肿瘤，结合免疫组化，倾向恶性间皮瘤（肉瘤样型）

出院情况

精神、食纳、睡眠可，咳嗽、咳痰少，活动后稍感气促，无胸痛。查体：左肺呼吸音减弱，未闻及干、湿啰音。

讨论

本例恶性胸膜间皮瘤患者以咳嗽、气促为主要表现，初诊时伴有单侧大量胸腔积液及胸膜增厚，血及胸腔积液肺癌标志物无明显升高，胸腔积液病理未找到肿瘤细胞，支气管镜检查无特殊，肺泡灌洗液 NGS 无结核感染依据，外院第一次胸膜活检未发现肿瘤细胞，第二次住院时胸膜较前明显增厚，再次胸膜活检病理诊断恶性胸膜间皮瘤。恶性胸膜间皮瘤是来源于胸膜的恶性肿瘤，近年来，发病率逐年上升。因起病隐匿，局部侵袭性强，大多数患者发现时已为晚期，治疗困难，疗效欠佳。恶性胸膜间皮瘤的发病与石棉暴露有一定相关性，但本例患者无石棉暴露史。

参考文献

中国医师协会肿瘤多学科诊疗专业委员会．中国恶性胸膜间皮瘤临床诊疗指南（2021 版）［J］．中华肿瘤杂志，2021，43（4）：383-394.

（王银燕）

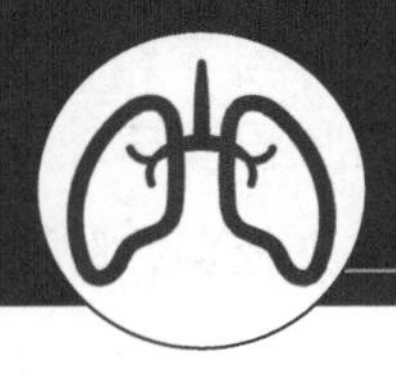

第六章　免疫相关性疾病

◎ 肉芽肿性多血管炎合并血管炎性肺损害

案例介绍

患者女，67 岁，于 2023-10-06 入院。

主诉：发现游走性肺部病灶半年。

现病史：患者于半年前无明显诱因出现咳嗽症状，伴有咽后痰黏感、咽痛，咳少许白痰，无畏寒、发热，无乏力、盗汗，曾在当地医院就诊，查胸部影像提示“双肺炎症改变”，曾在我院住院治疗，先后予“左氧氟沙星”“哌拉西林他唑巴坦”抗感染治疗后效果欠佳，遂行经皮肺穿刺活检，病理活检提示考虑为“符合肺慢性炎症伴灶性肉芽肿性炎，未排除结核可能，请结合临床”，加用全身激素治疗后病灶部分消散出院，出院后继续口服激素维持治疗，现口服泼尼松剂量为 10 mg qd，患者一直门诊随诊，动态评估胸部影像，发现肺部阴影呈游走性改变。现为求进一步诊治，遂再次住院治疗。起病以来，患者精神、睡眠、胃纳尚可，二便如常，体重稍有增加。

检查

体格检查：T 36.4℃，P 86 次 / 分，R 20 次 / 分，BP 136/78 mmHg。发育正常，体型肥胖，神志清楚，自主体位，应答切题，查体合作。胸廓正常，呼吸运动正常，呼吸节律正常，双肺叩诊呈清音，双肺呼吸音清，未闻及干、湿啰音。心律齐整，各瓣膜听诊区未闻及杂音。腹肌柔软，无压痛、反跳痛，未触及腹部包块，肝脏肋下未触及，脾脏肋下未触及，肾脏未触及，墨菲阴性，肝浊音界存在，移动性浊音阴性，肾区无叩击痛，肠鸣音正常。

诊断

初步诊断：双肺炎；继发结缔组织疾病的血管炎；高血压病 1 级，高危；双侧上颌窦、筛窦炎；肝囊肿。

最终诊断：肉芽肿性多血管炎；血管炎性肺损害；高血压病 2 级，高危；双侧上颌窦、筛窦炎；慢性萎缩性胃炎并肠化生；胃食管反流病；肝囊肿。

诊疗经过

入院后查 2023-10-06 大便分析（OB+TF）：粪便隐血（OB）阳性；尿液分析：红细胞 3+，蛋白质 1+，葡萄糖 1+；2023-10-07 凝血 5 项：纤维蛋白原 7.33 g/L；生化：肌酐 57.6 μmol/L，钾 3.2 mmol/L，天门冬氨酸氨基转移酶 18 U/L，丙氨酸氨基转移酶 11 U/L，白蛋白 36.1 g/L；血常规 +SAA+CRP：快速 CRP 66.60 mg/L，血清淀粉样蛋白 A 233.28 mg/L，白细胞计数 5.66×10^9/L，淋巴细胞比例 14.7%，血红蛋白 102 g/L；免疫 5 项（Ig5）：补体单体 3 1.41 g/L。2023-10-06 多通道 12 导联心电图检查：窦性心动过速。胸部平扫：考虑双肺炎症及炎性肉芽肿，较前明显进展，建议治疗后复查；肝脏 S4 段囊肿较前相仿。2023-10-07 G 试验＜ 3.836 pg/mL；2023-10-08 自身抗体组：SS-A/Ro52 kD 阳性，AMA M2 阳性，PM-Scl 弱阳性；自身抗体组：自身抗体二项抗核抗体（ANA）阳性（1 ∶ 3 200），核型胞浆型，双链 DNA（ds-DNA）阴性（-）；2023-10-09 淋巴细胞亚群套餐（流式细胞仪法）：自然杀伤细胞 9.3%。2023-10-10 血管炎抗体组（内科）：抗中性粒细胞胞浆抗体阳性（++++），过氧化酶抗体阳性（+）。2023-10-09 支气管镜：气管下段膜部黏膜溃疡，其余两侧支气管黏膜轻度炎症改变，气道痉挛。肺泡灌洗液 tNGS：未检出。

2023-10-11 胃体上部、胃窦病理：慢性炎症。2023-10-14 生化：天门冬氨酸氨基转移酶 19 U/L，肌酐 57.9 μmol/L，丙氨酸氨基转移酶 15 U/L，钾 3.1 mmol/L；2023-10-14 血常规 +SAA+CRP：快速 CRP 18.20 mg/L，血清淀粉样蛋白 A 260.78 mg/L，白细胞计数 6.68×10^9/L，分叶细胞比例 75.4%，淋巴细胞比例 17.5%，血红蛋白 99 g/L，血小板计数 348×10^9/L。2023-10-16 肺炎支原体抗体阳性（1 ∶ 160）。2023-10-18 大便常规：粪便隐血（OB）阳性，转铁蛋白（TF）阳性；2023-10-18 尿液分析：白细胞计数 200.2/μL，红细胞计数 390.3/μL。外院肺活检病理（图 6-1）会诊：结合临床，组织改变倾向肉芽肿性多血管炎。

入院后予“左氧氟沙星”抗感染、“甲泼尼龙 40 mg qd+ 吗替麦考酚酯 0.5 g bid”抗炎、化痰、止咳制酸护胃、促胃排空等对症支持治疗，现患者病情改善，予出院，嘱患者限期至风湿免疫科进一步治疗。

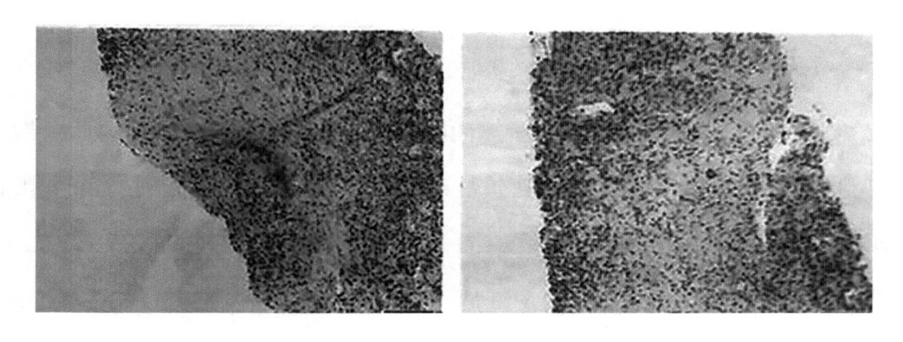

图 6-1　外院肺活检病理（彩插 10）

出院情况

患者仍诉有咳嗽，夜间明显，其余无特殊，精神可，睡眠差，胃纳可。查体：BP 131/69 mmHg，神清，生命体征平稳，双肺呼吸音清，未闻及干性、湿啰音。心前区无隆起，HR 72 bpm，律齐，各瓣膜听诊区未闻及病理性杂音。腹部查体无特殊。双下肢无水肿。

讨论

肉芽肿性多血管炎（GPA）是一种少见的自身免疫性疾病，是 ANCA 相关性血管炎（AAV）的一种。GPA 可累及全身小动脉、静脉及毛细血管，以肾脏、肺脏受累最常见，其病理特点为小血管壁的炎症和纤维素样坏死。GPA 早期表现无特异性，如发热、全身不适、体重减轻、关节痛和肌痛等，胸部 X 线片也缺乏特异性，主要表现为中下肺野结节和浸润，有的形成空洞，也可见胸腔积液，故该病误诊、漏诊率较高。

发热是该病最常见的临床表现，大约 90% 的患者以感冒、鼻窦炎或过敏样症状开始，且对通常的治疗措施无效。并可出现多系统受累，耳、鼻、眼、口腔、喉、呼吸系统、肾、皮肤、关节、神经系统、心脏、消化系统等均可受累。

肺受累是 GPA 最常见、最基本特征之一，咳嗽、咯血、呼吸困难，少数患者可出现慢性支气管狭窄，可导致远端肺不张，有 1/3 的患者有肺部影像改变而无临床症状。肺功能可出现阻塞性通气功能障碍（气道的狭窄）、限制性通气功能障碍及弥散功能障碍（肺泡出血）。GPA 患者中有 40% 的严重感染源自肺部感染，并成为 GPA 主要的死亡原因。

血常规示中性粒细胞计数及血小板计数增多，正细胞正色素贫血。ESR 和 CRP 水平增高。RF 阳性、血清免疫球蛋白增高，但这些均没有特异性。c-ANCA（+）：90% 以上病情活动的患者及 40% 病情静止的患者。c-ANCA 是对 GPA 有特异性的抗体，且与 GPA 的活动性有关。同时还要有 PR3 阳性。抗内皮细胞抗体（AECA）：在 GPA 的阳性率为 55%～80%，AECA 滴度与疾病的活动性相关。

胸部影像学具有多形性、多变性、多发性、多分布特点，而结节、肿块、空洞、实变、间质变是其常见的肺部表现，结节多表现为散布的局灶性坏死性肉芽肿可融合形成结节，结节内可形成空洞。

显微镜下肉芽肿中心为地图状坏死，周边为淋巴细胞、浆细胞、巨噬细胞和不同数量的巨细胞，可见小动脉或静脉的坏死性或肉芽肿性血管炎。

肉芽肿性多血管炎症状缺乏特异性，发热、全身不适、体重减轻、关节痛和肌痛等，且呼吸道受累常见，常误诊为呼吸道感染，当出现规范抗菌效果欠佳，且出现多系统受累时，应注意血管炎相关疾病，支气管镜活检在疾病的诊断过程中起着重要作用，对有以下情况者建议反复进行活组织检查：①不明原因的发热伴有呼吸道症状，如慢性鼻炎及鼻窦炎，经检查有黏膜糜烂或肉芽组织增生；②眼、口腔黏膜有溃疡、坏死或肉芽肿；③肺内有可变性结节状阴影或空洞；④皮肤有紫癜、结节、坏死和溃疡等。

参考文献

[1] 李登维，何晓鹏，黄新文，等. 肺肉芽肿性多血管炎的 MSCT 特征及其动态分析 [J]. 临床放射学杂志，2014，33（12）：4.

[2] 刘播，谭伟，封辰叶，等. 肺脏肉芽肿性多血管炎的临床特征和误诊分析 [J]. 中国医师进修杂志，2014，37（7）：20-22.

[3] 李富裕，曹孟淑，孟奎，等. 肺肉芽肿性多血管炎伴普通型裂褶菌感染 1 例 [J]. 中华病理学杂志，2024，53（06）：634-636.

[4] 张帮艳，张湘燕，叶贤伟，等. 肉芽肿性多血管炎 1 例报告并文献复习 [J]. 中国实用内科杂志，2017，37（4）：364-366.

（老奋坚）

◎ 免疫性肺炎

案例介绍

患者男，59 岁，于 2023-11-02 入院。

主诉：咳嗽、咳痰 1 周。

现病史：患者于 1 周前无明显诱因突然出现咳嗽、咳痰，痰为白色黏液样，每日咳痰少量，无咯血，无发热、畏寒，不伴有咽痛、胸痛，无气短，不伴有盗汗、乏力。到我院就诊，胸部 CT：考虑双肺多发感染性病变，建议治疗后复查。左肺上叶舌段团片状，未排除肿瘤性病变，请结合临床。肺气肿。心包少量积液；左侧胸腔少量积液。主动脉、冠状动脉硬化。门诊拟诊断为“肺炎”收入院。自发病以来精神状态较差，食欲一般，进食可，睡眠良好，大便正常，小便正常，体力情况如常，体重无明显变化，无意识障碍。

既往史：确诊左肺鳞癌 11 月，免疫组化示，P40（+）、CK5/6（+）、TTF-1（-）、Napsin（-）、PD-L1（22C3）（TPS 约 1 %）、PD-L1（22C3）Neg（-）、Ki67（70% +）。2022-12-29、2023-01-29、2023-02-21 予“替雷利珠单抗 200 mg d1+ 白蛋白紫杉醇 400 mg d1+ 卡铂 600 mg d1”化疗，2023-02-27 开始肺转移瘤姑息常规分割放疗。2023-03-15、2023-04-07 予“顺铂 40 mg d1，50 mg d2、d3”化疗，2023-04-28 予“替雷利珠单抗 200 mg d1+ 白蛋白紫杉醇 400 mg d1+ 卡铂 450 mg d1”化疗，患高血压 10 余年，最高达 180+/120+ mmHg，目前服用降压药硝苯地平 30 mg qd，血压控制欠佳。对参麦过敏。

检查

体格检查：T 36.6℃，P 75 次 / 分，R 20 次 / 分，BP 179/111 mmHg。神志清楚，全身浅表淋巴结未扪及肿大。咽无充血，双侧扁桃体无肿大，胸廓正常，呼吸运动正常，呼吸节律正常，双肺叩诊呈清音，双肺呼吸音清，未闻及干、湿啰音。心律齐整，各瓣膜听诊区未闻及杂音。腹软，无压痛、反跳痛，未触及腹部包块，肝脾肋下未触及，双下肢无水肿。

辅助检查：2023-11-01 胸部 CT 检查（图 6-2）结果见现病史。

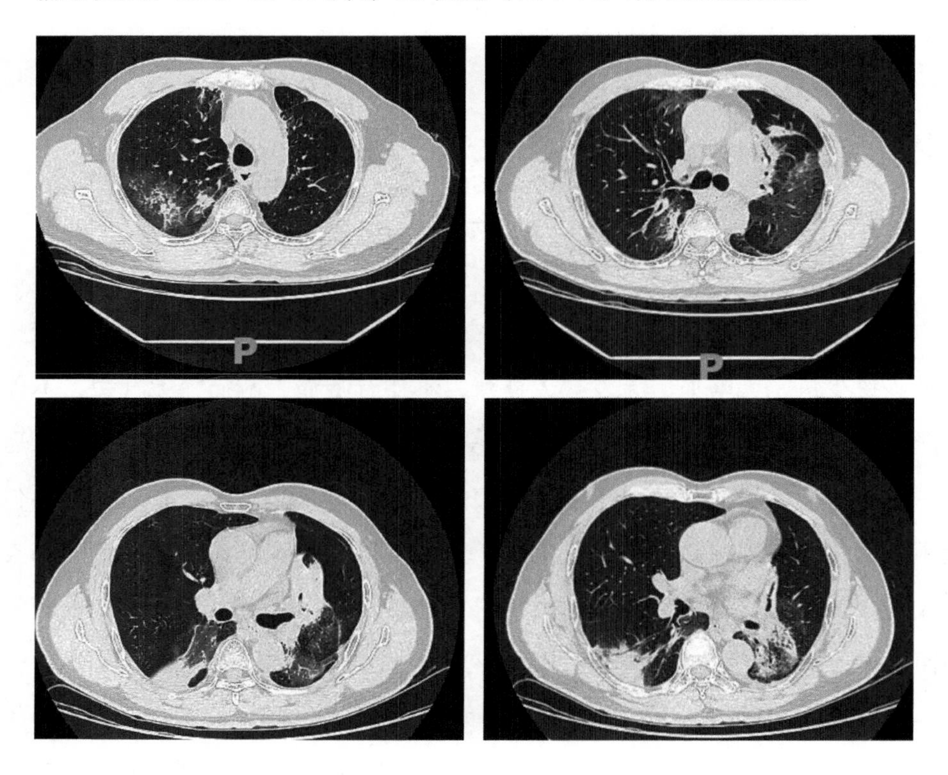

图 6-2　2023-11-01 胸部 CT

诊断

初步诊断：肺炎；左上肺鳞癌（cT3N2M0，Ⅲ b 期）；高血压病 3 级，极高危。

鉴别诊断：免疫性肺炎；肺结核；肺脓肿。

最终诊断：免疫性肺炎；左上肺鳞癌（cT3N2M0，Ⅲ b 期）；高血压病 3 级，极高危；混合性高脂血症。

诊疗经过

2023-11-02 血常规 +SAA+CRP：快速 CRP 6.85 mg/L，血清淀粉样蛋白 A 22.21 mg/L，白细胞计数 6.55×10^9/L，中性粒细胞比例 63.2%，中性粒细胞绝对值 4.14×10^9/L，单核细胞比例 11.1%，单核细胞绝对值 0.73×10^9/L，血红蛋

白 128 g/L，血小板计数 327 × 10^9/L；2023–11–02 生化：甘油三酯 2.01 mmol/L，总胆固醇 6.23 mmol/L，高密度脂蛋白胆固醇 1.14 mmol/L，低密度脂蛋白胆固醇 4.26 mmol/L；2023–11–02 免疫 5 项（Ig5）：补体单体 3 1.79 g/L；2023–11–02 凝血 5 项：纤维蛋白原 4.90 g/L，D– 二聚体测定 0.84 mg/L；2023–11–02 多通道 12 导联心电图检查：窦性心律；正常心电图。

入院后予“左氧氟沙星注射液 0.5 g qd 静滴”抗感染、祛痰治疗。

2023–11–03 行支气管镜检查：气管、支气管腔内未见明显新生物。左上叶灌洗液：（左上叶灌洗液）液基细胞学制片：巴氏 ×1，离心涂片：HE × 2。镜下：检出少量支气管黏膜上皮细胞及组织细胞，未见恶性肿瘤细胞。肺泡灌洗液 NGS 未见病原学。肺泡灌洗液细胞学分类：巨噬细胞 20.16%，淋巴细胞 67.44%，中性粒细胞 12.4%，嗜酸性粒细胞 0%。

结合上述支气管镜检查结果，考虑不排除免疫性肺炎，于 2023–11–05 加用注射用甲泼尼龙琥珀酸钠 40 mg qd 静脉滴注。患者咳嗽、咳痰逐步减少。2023–11–09 复查胸部 CT（图 6–3）：双肺磨玻璃斑片病灶、实变病灶较前减少。

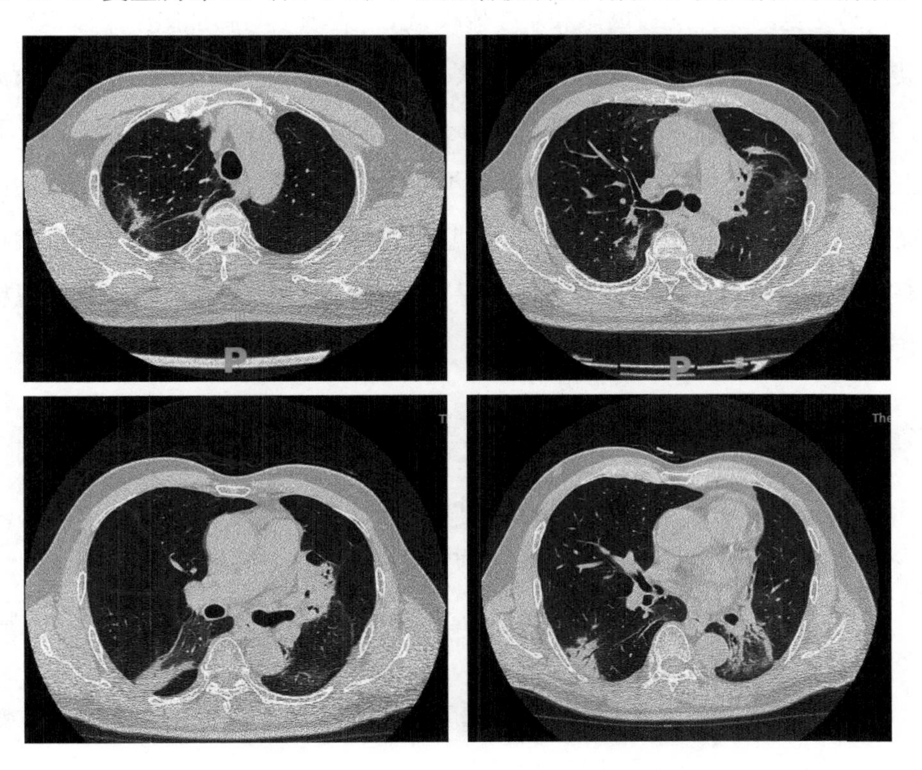

图 6–3　2023–11–09 复查胸部 CT

出院情况

患者咳嗽、咳痰明显减少，无畏寒、发热，精神、睡眠、胃纳可，二便如常。查体：生命体征平稳。胸廓正常，呼吸运动、呼吸节律正常，双肺叩诊呈清音，双肺呼吸音清，未闻及干、湿啰音。心率 75 次 / 分，心律齐整，各瓣膜听诊区未闻及杂音。

讨论

本例患者使用免疫治疗后 5 个月出现咳嗽，胸部 CT 见双肺新发磨玻璃、斑片影，肺泡灌洗液 NGS 及其他病原学均为阴性，予甲泼尼龙抗炎治疗有吸收。对于接受免疫治疗的患者出现新发的影像学表现或呼吸道症状，需要考虑免疫性肺炎（CIP）可能。CIP 的诊断主要依靠排除性诊断，需要排除肺部感染（细菌、病毒、肺孢子菌、非典型病原体、真菌等）、肿瘤进展、肺部非感染性疾病（肺水肿、肺栓塞、放射性肺损伤）等才能诊断。由于 CIP 的影像学表现各异，较为多见的斑片磨玻璃影和实变影仅从 CT 表现上与肺部感染难以鉴别，所以其鉴别诊断较为困难。炎症指标、痰培养、血培养、鼻拭子、呼吸道病原体谱、G/GM 试验有助于鉴别，必要时可行支气管肺泡灌洗或肺活检。偶有 CIP 和肺炎不能鉴别、同时或继发感染者，可给予经验性抗生素治疗。在 CIP 激素治疗的过程中，需警惕因免疫抑制引起的继发机会性感染。对于使用超过 20 mg/d 泼尼松或等效剂量药物≥ 4 周的患者，应考虑使用预防肺孢子菌肺炎治疗并注意糖皮质激素相关不良反应监控及预防。

参考文献

[1] 中华医学会呼吸病学分会肺癌学组. 免疫检查点抑制剂相关肺炎诊治专家共识[J]. 中华结核和呼吸杂志，2019，42（11）：820-825.

[2] 王汉萍，郭潇潇，周佳鑫，等. 免疫检查点抑制剂相关肺炎的临床诊治建议[J]. 中国肺癌杂志，2019，22（10）：621-626.

[3] 洪群英，宋元林. 免疫检查点抑制剂相关间质性肺疾病诊疗进展[J]. 临床内科杂志，2022，39（10）：652-655.

（许丹媛）

◎ 免疫缺陷人群新型冠状病毒感染

案例介绍

患者男，67 岁，于 2023-06-26 入院。

主诉：反复发热、咳嗽 1 月余。

现病史：患者于 1 月余前出现发热，体温 38.5℃，伴畏寒，伴少许咳嗽，无明显咳痰，无鼻塞、流涕，无咽痛，无胸痛、胸闷、气促，无恶心、呕吐等不适，遂于外院就诊，测新冠抗原阳性，查胸部 CT 提示：病毒性肺炎。考虑诊断为“新型冠状病毒肺炎”，予奈玛特韦 / 利托那韦抗病毒、头孢哌酮舒巴坦抗感染及对症治疗 10 天后好转出院。出院后（2023-06-13）再次出现发热，体温最高 39.5℃，间有出现胸闷、气促，其余症状基本同前，再次于当地医院就诊，测新冠抗原仍为阳性，先后予阿兹夫定、自购莫诺拉韦抗病毒，头孢哌酮舒巴坦抗感染后，仍有反复发热，2023-06-22 复查胸部 CT 示：左肺上叶尖后段及下叶背段部分病灶较前略增多，其余双肺病灶较前有吸收。为进一步诊断治疗来我院就医，在门诊拟诊断为“肺炎”收入院。自发病以来精神状态一般，食欲一般，进食可，睡眠良好，大便正常，小便正常，体力情况如常，体重明显减轻，减轻 5 kg，无意识障碍。

既往史：既往有脑梗死病史，间断服用阿司匹林抗血小板治疗。2022-06 因颈部肿大于外院就诊，诊断“滤泡性淋巴瘤”，予“奥妥珠单抗”抗肿瘤治疗共 15 疗程，末次使用时间为 2023-05-15，曾使用沙利度胺治疗，近期已停用。否认高血压、冠心病、糖尿病等慢性病史，否认肝炎、结核等传染病史，既往曾行鼻息肉手术。否认外伤史，否认输血史，否认过敏史，预防接种史不详。

检查

体格检查：T 36.1 ℃，P 73 次 / 分，R 25 次 / 分，BP 93/60 mmHg。发育正常，营养良好，神志清楚，自主体位，应答切题，查体合作。胸廓正常，呼吸运动正常，呼吸节律正常，双肺叩诊呈清音，双肺呼吸音清，左下肺可闻及湿啰音。心律齐整，各瓣膜听诊区未闻及杂音。腹部平坦，腹肌柔软，无压痛、反跳痛，未触及腹部包块。

诊断

诊断：多重感染的肺炎；新型冠状病毒感染；呼吸衰竭；鼻窦炎；肝功能不全；下肢静脉血栓形成；双侧颈动脉粥样硬化斑块形成；滤泡性淋巴瘤；脑梗死后遗症。

诊疗经过

入院查血常规正常、降钙素原、BNP、肌钙蛋白、感染四项、大便分析、尿液分析、EB 病毒抗体、巨细胞病毒抗体、真菌 G 试验、免疫 5 项、结核菌涂片、血液细菌培养等均未见异常。血气分析：酸碱度 7.433，二氧化碳分压 25.5 mmHg，氧分压 90.7 mmHg，氧饱和度 97.5%，实际碳酸氢盐 17.2 mmol/L，实际碱剩余 –5.2 mmol/L；凝血 5 项：凝血酶原时间 15.26 秒，国际标准化比率 1.28，纤维蛋白原 5.48 g/L，D– 二聚体测定 0.97 mg/L；生化 + 血清尿酸 + 生化 8 项 + 血脂 4 项 + 心肌酶 5 项 + 肝功：钾 3.41 mmol/L，钙 2.00 mmol/L，天门冬氨酸氨基转移酶 42.9 U/L，乳酸脱氢酶 461.0 U/L，丙氨酸氨基转移酶 67.4 U/L，γ – 谷氨酰转移酶 116.8 U/L，白蛋白 28.7 g/L；痰细菌涂片检查（一般细菌 + 真菌）：涂片染色找细菌发现 G^- 杆菌、G^+ 球菌、G^+ 杆菌、G^- 球菌，涂片找真菌发现真菌孢子及菌丝；肺癌 4 项：神经元特异烯醇化酶 30.460 μg/L，细胞角蛋白 19 片段 13.250 μg/L，癌胚抗原 8.81 μg/L；甲功 5 项：游离三碘甲状腺原氨酸（FT_3）2.46 pmol/L，甲状腺过氧化物酶抗体 35.33 IU/mL，甲状腺球蛋白抗体 117.9 IU/mL；痰真菌免疫荧光染色检测：涂片检出菌丝（++）；淋巴细胞亚群套餐（流式细胞仪法）：总 T 细胞 62.8%，T 辅助 / 诱导细胞 25.7%，T 抑制 / 细胞毒细胞 35.7%，$CD19^+$ 0.0%，自然杀伤细胞 35.6%。

2023–06–26 床边心脏 + 心功能超声：主动脉硬化；主动脉瓣退行性变并关闭不全（轻度）；三尖瓣关闭不全（轻度）；左室收缩功能未见明显异常；

舒张功能减退。2023-06-27 行纤支镜检查肺泡灌洗液病原学检测（表 6-1）回报示：白念珠菌（序列数 11285），新型冠状病毒（序列数 68216）。2023-06-28 头颅螺旋平扫 + 胸部平扫：双侧基底节区多发性腔隙性脑梗死；脑萎缩。右侧额窦炎；左侧上颌窦炎。双肺广泛炎症，建议治疗后复查。双侧胸腔少量积液。2023-06-28 颈部血管超声：双侧颈动脉硬化伴左侧斑块形成；双侧椎动脉未见异常。2023-06-28 双下肢血管（静脉）超声：右侧腓肠肌间静脉血栓形成（完全阻塞）；其余下肢深静脉未见明显异常声像。2023-06-30 痰培养：无名念珠菌阳性。2023-07-04 行纤支镜检查肺泡灌洗液病原学检测（表 6-2）回报示：白念珠菌（序列数 685），新型冠状病毒（序列数 17377）。2023-07-07 复查胸部平扫：双肺多发炎症，较前有所吸收，病灶密度较前降低。2023-07-12 动态心电图：窦性心律；偶发房性早搏；ST-T 改变。

予氟康唑抗感染、莫诺拉韦抗病毒（共 10 天）、丙球（7 天）、甲泼尼龙抗炎（7 天）、胸腺肽调节免疫、化痰止咳、补充白蛋白、护心、控制心率、抗凝及对症治疗，复查新冠抗体（表 6-3）较入院时明显升高，病情好转出院。

入院及出院时胸部 CT 对比见图 6-4，入院及出院半年后胸部 CT 对比见图 6-5。

表 6-1　2023-06-27 肺泡灌洗液 NGS 检查

病原生物检测结果					
微生物类型	属名	微生物名称	均一化序列数	微生物估测浓度（copies/mL）	致病性分类
1. 特殊病原体列表（分枝杆菌、支原体、衣原体等）					
未检出					
2. 细菌列表					
未检出					
3. 真菌列表					
真菌	念珠菌属 *Candida*	白念珠菌 *Candida albicans*	11285	$> 1.0 \times 10^6$	B 类
4. 病毒列表					

续 表

RNA 病毒	乙型冠状病毒属 *Betacoronavirus*	新型冠状病毒（Omicron_XBB.1）SARS-CoV-2_Omicron_XBB.1	68216	＞1.0×10^6	A 类

均一化序列数：每 100 K 的原始序列中含有该微生物的序列数，均一化序列数越高，则样本含有该微生物的确定性越高。

微生物估测浓度（copies/mL）：通过生物信息学方法计算样本中微生物含量，该结果并非绝对定量，仅供临床参考。

致病性 A 类：在呼吸道标本中为专性致病病原体，或临床常见致病病原体。

致病性 B 类：在呼吸道标本中为机会性（条件性）致病病原体，患者存在全身或局部免疫低下 / 受损 / 缺陷、呼吸道屏障功能破坏或下呼吸道微生态失衡时可能导致感染，请结合患者临床实际情况综合考虑是否为致病病原体。

致病性 C 类：是呼吸道正常微生态菌群，一般不导致感染，但存在经误吸引起肺脓肿的可能。

注：上述微生物分类仅供临床参考，对微生物的最终释义以临床为准。

耐药基因检测结果				
分类	耐药基因家族	序列数	建议解析	疑似关联菌
未检出				
疑似关联菌：检出耐药基因不一定是关联病原体携带，也不能说明关联病原体一定会耐药。				

可预期耐药信息	
病原微生物	可预测耐药信息
未检出	
可预期耐药信息：参考资料《CLSI M100 抗菌药物敏感性试验执行标准》	

表 6-2　2023-07-04 肺泡灌洗液 NGS 检查

病原生物检测结果					
微生物类型	属名	微生物名称	均一化序列数	微生物估测浓度（copies/mL）	致病性分类
1. 特殊病原体列表（分枝杆菌、支原体、衣原体等）					
未检出					
2. 细菌列表					
未检出					
3. 真菌列表					
真菌	念珠菌属 *Candida*	热带念珠菌 *Candida tropicalis*	685	8.7×10^3	B 类
4. 病毒列表					

续　表

RNA 病毒	乙型冠状病毒属 *Betacoronavirus*	新型冠状病毒（Omicron_XBB.1）SARS-CoV-2_Omicron_XBB.1	17377	$> 1.0 \times 10^6$	A 类

均一化序列数：每 100 K 的原始序列中含有该微生物的序列数，均一化序列数越高，则样本含有该微生物的确定性越高。

微生物估测浓度（copies/mL）：通过生物信息学方法计算样本中微生物含量，该结果并非绝对定量，仅供临床参考。

致病性 A 类：在呼吸道标本中为专性致病病原体，或临床常见致病病原体。

致病性 B 类：在呼吸道标本中为机会性（条件性）致病病原体，患者存在全身或局部免疫低下 / 受损 / 缺陷、呼吸道屏障功能破坏或下呼吸道微生态失衡时可能导致感染，请结合患者临床实际情况综合考虑是否为致病病原体。

致病性 C 类：是呼吸道正常微生态菌群，一般不导致感染，但存在经误吸引起肺脓肿的可能。

注：上述微生物分类仅供临床参考，对微生物的最终释义以临床为准。

耐药基因检测结果				
分类	耐药基因家族	序列数	建议解析	疑似关联菌
未检出				
疑似关联菌：检出耐药基因不一定是关联病原体携带，也不能说明关联病原体一定会耐药。				

可预期耐药信息	
病原微生物	可预测耐药信息
未检出	
可预期耐药信息：参考资料《CLSI M100 抗菌药物敏感性试验执行标准》	

表 6-3　出院前新冠抗体检测

项目	检测方法	结果	单位	提示	参考值 / 范围
新型冠状病毒（SARS-CoV-2）IgM 抗体	化学发光法	0.07	S/CO		0.01 ～ 1.00
新型冠状病毒（SARS-CoV-2）IgG 抗体	化学发光法	7.76	S/CO	↑	0.01 ～ 1.00

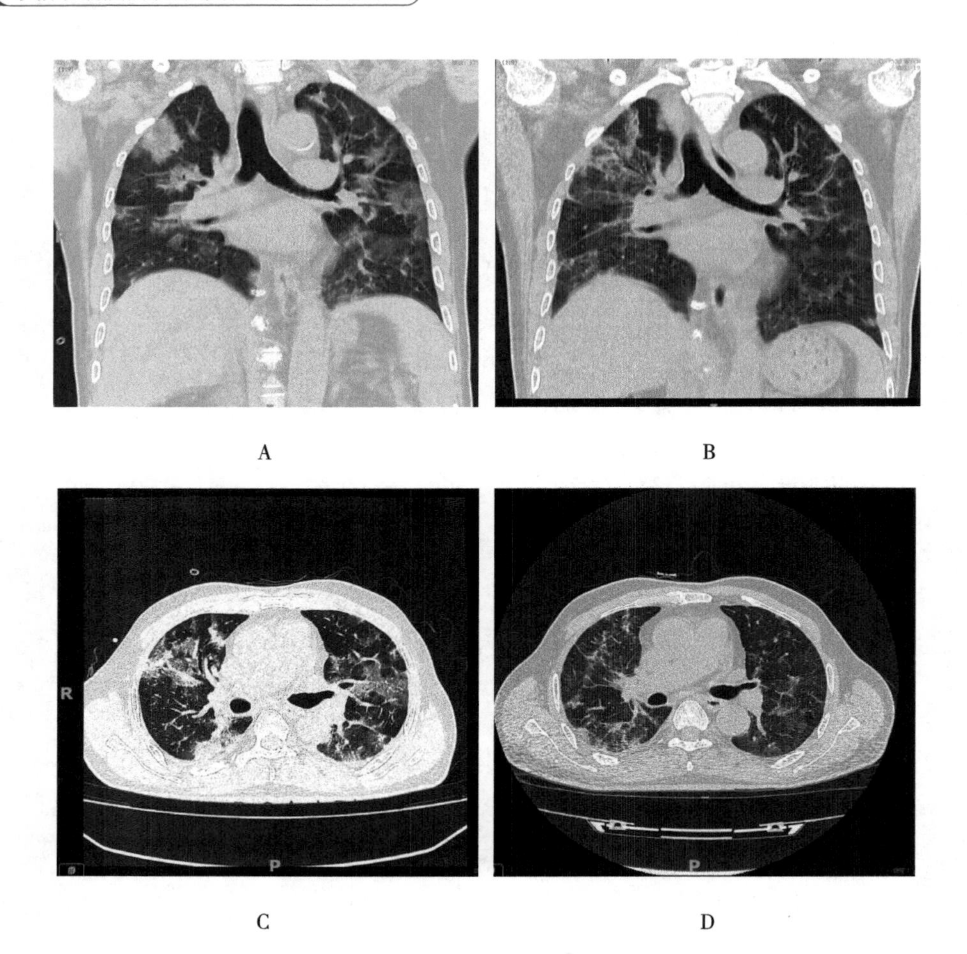

图 6-4　入院及出院时胸部 CT 对比

注：A. 2023-06-27；B. 2023-07-13；C. 2023-06-27；D. 2023-07-13

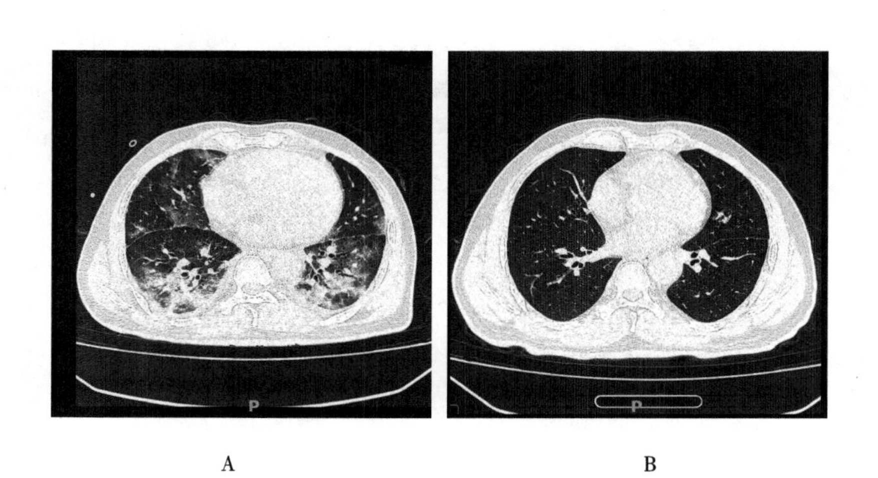

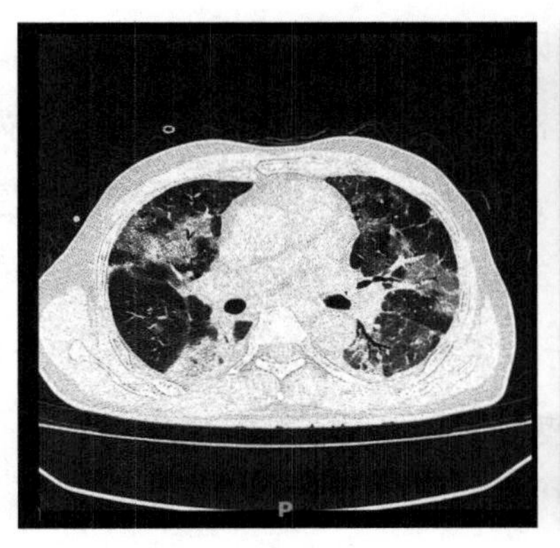

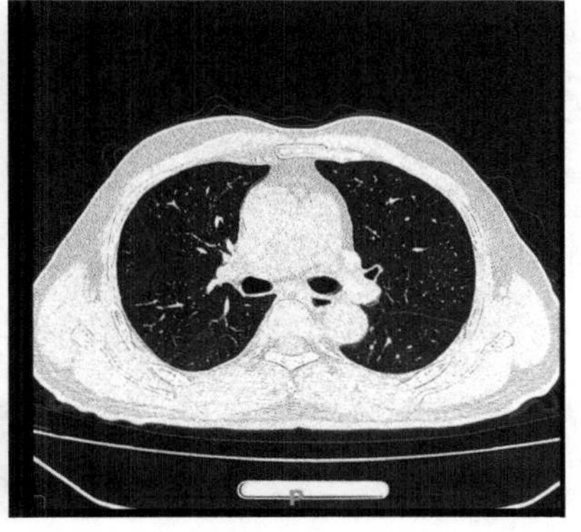

C D

图 6-5 入院及出院半年后胸部 CT 对比

注：A. 2023-06-27；B. 2024-01-04；C. 2023-06-27；D. 2024-01-04

出院情况

患者少许咳嗽，无明显咳痰，有活动后气促，无发热，无胸痛、胸闷、恶心、呕吐等。精神、睡眠、胃纳一般，二便可。低流量给氧，查体：BP 114/76 mmHg，SpO_2 98%。神清，双肺呼吸音粗，双肺可闻及湿啰音。心前区无隆起，HR 92 bpm，律齐，各瓣膜听诊区未闻及病理性杂音。腹平软，无压痛、反跳痛。双下肢无水肿。2023-07-10 复查双下肢血管：右侧腓肠肌间静脉血栓形成（较前缩小）。其余下肢深静脉未见明显异常声像。2023-07-13 胸部平扫：双肺炎症，较前有所吸收。

讨论

感染新冠病毒后，患者病情发展、转归及后续特异性免疫力的产生都与其机体免疫功能密切相关。免疫缺陷人群罹患新冠病毒感染后，其临床表现、诊断、治疗均和普通人群存在很大差异性，需要高度关注。免疫缺陷患者感染新冠病毒后，部分患者表现为肺炎，甚至重型或危重型肺炎；而且病程持续时间长，核酸检测持续阳性。免疫缺陷人群抗体检测存在特殊性，在原发性和继发性免疫缺陷患者中观察到，注射新冠病毒疫苗后，这类人群的免疫反应受损、应答不足，抗体效价低甚至无法产生抗体。因此，对于免疫缺陷人群而言，确认新冠病毒感染的首选检测方法为病毒核酸检测和抗原检测，不推荐新冠病毒抗体作为诊断依据。核酸检测具有早期诊断、灵敏度和特异度高等特点，是确诊新冠病毒感染的“金标准”。免疫缺陷患者新冠病毒的排毒时间延长，可适当延长抗病毒药物的使用时间，或换用 / 联合应用其他类型的抗病毒药物。对于长期发热患者，在感染可控情况下，可少量使用糖皮质激素抗炎治疗。

参考文献

巨春蓉，王梅英，袁静，等. 免疫缺陷人群新型冠状病毒感染诊治策略中国专家共识（2023. V2 版）[J]. 中国感染控制杂志，2023，22（12）：1411−1424.

（王银燕）

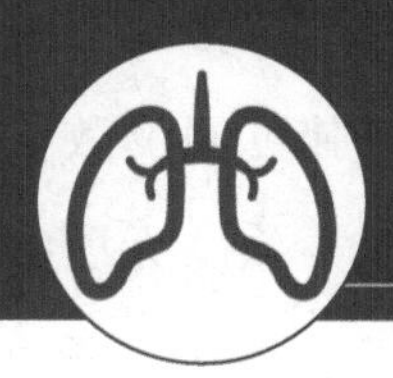

第七章　其他呼吸系统疾病

◎ 肺栓塞

案例介绍

患者女，77 岁，于 2023-12-13 入院。

主诉：反复咳嗽、咳痰 8 年余，加重伴咯血 2 天。

现病史：患者于 8 年前开始无明显诱因出现反复咳嗽、咳痰，每天以晨起咳嗽为重，痰为白色黏液样，间断咳黄色脓性痰，严重时伴有腥臭味。“感冒”“受凉”等可使咳痰加重，无咯血。经应用抗生素及止血药物病情缓解。8 年来，上述症状反复出现，曾在我院住院治疗，2020-11-03 查胸部平扫：双肺多发支气管扩张合并感染，双下肺为甚。右肺上叶尖后段纤维灶。慢性支气管炎、肺气肿并多发肺大疱。予“头孢哌酮他唑巴坦 + 阿米卡星”抗感染、化痰、止咳、化痰、痰液引流等对症支持治疗病情改善后出院。2 天前咳嗽、咳痰较前加重，痰量增多，伴咳血痰，量少，今遂到我院门诊就诊，查门诊拟“支气管扩张合并感染”收入呼吸内科。起病以来，患者精神、睡眠、胃纳可，二便如常，体重无明显变化。

检查

体格检查：T 36.7℃，P 88 次/分，R 23 次/分，BP 116/56 mmHg。神清，全身浅表淋巴结未扪及肿大。咽正常无充血，扁桃体无肿大。胸廓正常，呼吸运动正常，呼吸节律正常，双肺叩诊呈清音，双肺呼吸音清，双肺可闻及散在湿啰音。心律齐整，各瓣膜听诊区未闻及杂音。腹部平坦，腹肌柔软，无压痛、反跳痛，未触及腹部包块，肝脾肋下未触及，肾脏未触及，墨菲阴性，肝浊音界存在，移动性浊音阴性，肾区无叩击痛，肠鸣音正常。

诊断

初步诊断：支气管扩张合并感染；慢性阻塞性肺疾病伴有急性加重。

最终诊断：双肺下叶背段动脉及右肺中叶内动脉栓塞；支气管扩张合并感染；慢性阻塞性肺疾病伴有急性加重；轻度贫血；肝功能损害。

诊疗经过

入院查 2023-12-13 血常规（CDN）：白细胞计数 6.13×10^9/L，中性粒细胞比例 76.3%，中性粒细胞绝对值 4.68×10^9/L，淋巴细胞比例 17.0%，淋巴细胞绝对值 1.04×10^9/L，血红蛋白 107 g/L，血小板计数 269×10^9/L；2023-12-13 凝血 5 项：纤维蛋白原 5.91 g/L，D-二聚体测定 1.19 mg/L；2023-12-13 生化：肌酐 68.3 μmol/L，尿素 4.3 mmol/L，钾 3.7 mmol/L，钠 134.0 mmol/L，氯 88.0 mmol/L，葡萄糖 10.08 mmol/L，白蛋白 30.8 g/L，丙氨酸氨基转移酶 15 U/L，天门冬氨酸氨基转移酶 18 U/L，肌酸激酶 39 U/L，肌酸激酶同工酶 MB 活性 20 U/L；2023-12-13 尿液分析：比重 1.045，白细胞计数 25.6/μL；2023-12-13 大便分析（OB+TF）：转铁蛋白（TF）阳性；2023-12-13 静息 12 导联心电图：窦性心律；正常范围心电图。2023-12-14 支气管动脉 CTA：双侧支气管动脉走行迂曲，增粗。双肺下叶背段动脉及右肺中叶内段动脉栓塞。双肺多发支气管扩张合并感染，双下肺为甚，较前略吸收。右肺上叶尖后段纤维灶。慢性支气管炎、肺气肿并多发肺大疱。肝多发囊肿。拟结节性甲状腺肿。肺动脉及支气管动脉 CTA 检查见图 7-1。2023-12-15 感染八项定性：乙肝病毒表面抗体阳性（+），乙肝病毒核心抗体阳性（+）；

2023-12-16 痰培养：白念珠菌阳性，伊曲康唑（S）0.125，5- 氟胞嘧啶（S）4，伏立康唑（S）0.125，氟康唑（S）1，两性霉素 B（S）0.5。2023-12-18 床边双下肢血管超声：双侧下肢动脉未见异常。双侧下肢深静脉及大隐静脉起始段未见明显异常声像。

2023-12-19 血气分析：酸碱度 7.389，二氧化碳分压 60.1 mmHg，氧分压 82.6 mmHg，实际碳酸氢盐 36.6 mmol/L，实际碱剩余 10.8 mmol/L，标准碱剩余 11.4 mmol/L，标准碳酸氢盐 34.5 mmol/L；2023-12-19 血常规（CDN）：白细胞计数 4.42×10^9/L，中性粒细胞比例 55.6%，中性粒细胞绝对值 2.47×10^9/L，血红蛋白 99 g/L，血小板计数 298×10^9/L；2023-12-19 凝血 5 项：D- 二聚体测定 4.49 mg/L；2023-12-19 生化：肌酐 69.3 μmol/L，尿素 1.95 mmol/L，钾 3.76 mmol/L，钠 143 mmol/L，氯 97 mmol/L，钙 2.20 mmol/L，白蛋白 31.5 g/L，丙氨酸氨基转移酶 9.4 U/L，天门冬氨酸氨基转移酶 13.0 U/L；2023-12-20 隐血试验（免疫法）：粪便隐血（OB）阳性；2023-12-25 血常规（CDN）：白细胞计数 4.71×10^9/L，中性粒细胞比例 65.1%，中性粒细胞绝对值 3.08×10^9/L，血红蛋白 107 g/L，血小板计数 231×10^9/L；2023-12-25 生化：肌酐 71.1 μmol/L，尿素 3.5 mmol/L，钾 3.6 mmol/L，钠 140.0 mmol/L，氯 90.0 mmol/L，白蛋白 31.7 g/L，丙氨酸氨基转移酶 105 U/L，天门冬氨酸氨基转移酶 106 U/L；2023-12-25 凝血 5 项：D- 二聚体测定 0.78 mg/L；2023-12-28 生化：总蛋白 63.3 g/L，白蛋白 33.2 g/L，丙氨酸氨基转移酶 77.9 U/L，天门冬氨酸氨基转移酶 49.0 U/L。

入院后予“哌拉西林舒巴坦”抗感染、化痰、止咳、抗凝等对症支持治疗，现患者病情改善，予带药出院。

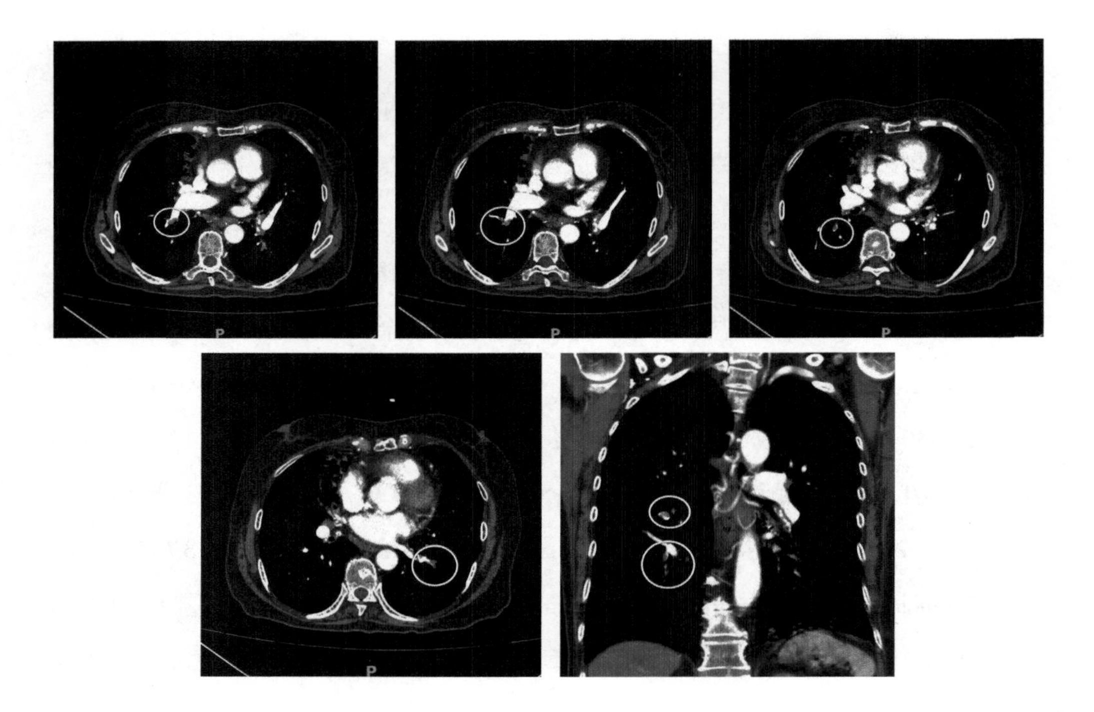

图 7-1　肺动脉及支气管动脉 CTA 检查

出院情况

患者偶有咳嗽、咳少许黄白痰，无胸闷、胸痛，无发热、畏寒、寒战，无潮热、盗汗，余未诉特殊不适，精神、睡眠、胃纳可，二便如常。查体：生命体征平稳，神清。胸廓正常，呼吸运动正常，呼吸节律正常，双肺叩诊呈清音，双肺呼吸音清，双下肺可闻及少许湿啰音。心率 88 次 / 分，心律齐整，各瓣膜听诊区未闻及杂音。腹部查体无特殊。

讨论

肺栓塞（pulmonary embolism，PE）是指以各种栓子阻塞肺动脉或其分支为其发病原因的一组疾病或临床综合征的总称，包括肺血栓栓塞症、脂肪栓塞综合征、羊水栓塞、空气栓塞等。栓子阻塞肺动脉或其分支，导致肺循环和呼吸功能障碍。栓子来源多为下肢深静脉血栓脱落，其他栓子如脂肪栓、空气栓、羊水、骨髓、寄生虫、胎盘滋养层、转移性癌、细菌栓、心脏赘生物等均可引起肺栓塞。

1. 流行病学

肺栓塞的发病率较高，但具体数字因地区、年龄、性别等因素而异。高龄、长期卧床、静脉曲张、创伤、手术、恶性肿瘤、妊娠和分娩等均为肺栓塞的高危因素。未经治疗的肺栓塞死亡率高达25% ~ 30%，但及时诊断和治疗可显著降低死亡率。

2. 临床表现与诊断

肺栓塞的症状多样且缺乏特异性，常见症状包括呼吸困难、胸痛、咯血、咳嗽、心悸等。严重者可出现休克甚至猝死。根据栓子大小和数量，肺栓塞可分为急性大面积肺栓塞和非大面积肺栓塞；根据病程长短，可分为急性肺栓塞和慢性肺栓塞。此外，还有一些特殊类型的肺栓塞，如脂肪栓塞综合征、羊水栓塞等。

肺栓塞患者常出现呼吸困难、胸痛、咯血等典型症状，以及呼吸急促、心率加快、血压下降等体征。实验室检查包括D-二聚体检测、血气分析、心肌酶谱等，有助于评估患者病情及预后。胸部影像学如CT肺动脉造影（CTPA）、核素肺通气/灌注扫描等，可直观显示肺动脉栓塞情况。

诊断标准：根据临床症状、体征及实验室和影像学检查结果，结合患者病史进行综合分析，可做出肺栓塞的诊断。

3. 治疗

肺栓塞是一种紧急情况，需要迅速诊断和治疗以防止病情恶化。主要包括以下措施。

（1）抗凝：使用抗凝药物如利伐沙班、华法林、肝素等。

（2）溶栓：对于高危患者，可使用溶栓药物如尿激酶、链激酶等，溶解血栓，恢复血流。

（3）对症治疗：根据患者症状，使用相应的药物如止痛药、止咳药等，缓解患者痛苦。

肺栓塞的危险分层治疗。①高危：血流动力学不稳定，溶栓或介入治疗。②中危：血压正常，右心功能不全，溶栓或抗凝治疗。③低危：血压正常，右心功能正常，抗凝治疗。

肺栓塞的发病率较高，症状较为隐匿，死亡率高，但及时诊断和治疗可显著降低死亡率，CTPA 是诊断肺栓塞的金标准，肺栓塞的治疗应当根据危险分层决定。

参考文献

[1] 中华医学会呼吸病学分会肺栓塞与肺血管病学组，中国医师协会呼吸医师分会肺栓塞与肺血管病工作委员会，全国肺栓塞与肺血管病防治协作组. 肺血栓栓塞症诊治与预防指南[J]. 中华医学杂志，2018，98（14）：1060-1087.

[2] 丁洁，郭晓纲. 肺栓塞危险因素与预后评价的研究进展[J]. 中华危重症医学杂志（电子版），2016，9（1）：58-66.

[3] 中华医学会心血管病学分会肺血管病学组. 急性肺栓塞诊断与治疗中国专家共识（2015）[J]. 中华心血管病杂志，2016，44（3）：197-211.

（老奋坚）

◎ 多病因慢性咳嗽

案例介绍

患者男，67 岁，于 2022-07-05 入院。

主诉：间断咳嗽 20 余年，加重半月。

现病史：患者于 20 余前无明显诱因出现间歇性咳嗽、咳痰，痰为白色黏液样，每日咳痰少量，咳嗽无明显规律，刺激性气味、灰尘可诱发，伴咽痒，间中有鼻塞、鼻后滴流，无阵发性呼吸困难、发作性喘息，无发热、盗汗、乏力，无鼻塞、流涕，无鼻后滴漏感，无胸闷、气促，无反酸、胃灼热等不适。2013 年曾于外院就诊，行肺功能检查示：肺通气功能正常，支气管激发试验阳性，诊断为“咳嗽变异性哮喘”，予布地奈德福莫特罗吸入粉雾剂Ⅱ治疗后咳嗽症状较前好转。2015-03 因受凉后咳嗽症状加重住院，予左氧氟沙星抗感染、茶碱平喘、泼尼松抗炎、舒张气道、止咳及对症治疗后好转出院。出院后间断有咳嗽，可自行缓解，吸入布地奈德福莫特罗吸入粉雾剂Ⅱ 2 个月后自行停药。每年气候转变时会出现咳嗽，自行吸入布地奈德福莫特罗吸入粉雾剂Ⅱ后可缓解，症状缓解后自行停药。半月前患者受凉后再次出现咳嗽，无明显昼夜规律，伴咳少量白黏痰，伴胸闷、心悸，伴咽痒、鼻塞、黄涕、鼻后滴流，无发热，无气促，无反酸、嗳气等。患者多次在外院就诊，予药物治疗（具体不详）治疗后改善不明显，为进一步诊断治疗就医，门诊拟诊断为“咳嗽变异型哮喘”收入院。自发病以来精神状态一般，食欲一般，进食可，睡眠良好，大便正常，小便正常，体力情况如常，体重无明显变化，无意识障碍。

既往史：患高血压 20 年，收缩压最高达 180 mmHg，长期服用降压药替米沙坦 40 mg qd、非洛地平缓释片 5 mg qd、琥珀酸美托洛尔缓释片 47.5 mg qd，自诉血压控制可（具体情况不详）。

个人史：吸烟 10 年，平均 10 支 / 日，已戒烟 30 年。

检查

体格检查：T 36.1℃，P 78 次 / 分，R 20 次 / 分，BP 117/76 mmHg。神志清楚，全身浅表淋巴结未扪及肿大。鼻腔通气良好，双鼻窦区均无压痛。咽无充血，双侧扁桃体无肿大，胸廓正常，呼吸运动正常，呼吸节律正常，双肺叩诊呈清音，双肺呼吸音清，未闻及干、湿啰音。心律不齐，偶可闻及早搏，各瓣膜听诊区未闻及杂音。腹软，无压痛、反跳痛，未触及腹部包块，肝脾肋下未触及，双下肢无水肿。

辅助检查：2013 年外院肺功能检查示，肺通气功能正常，支气管激发试验阳性。

诊断

初步诊断：咳嗽变异性哮喘；高血压病 3 级，极高危。

鉴别诊断：上气道咳嗽综合征；嗜酸性粒细胞性支气管炎；胃食管反流相关性咳嗽。

最终诊断：咳嗽变异性哮喘；上气道咳嗽综合征；鼻窦炎（右上颌窦）；心律失常（频发房性早搏，短阵房性心动过速，频发性多源性室性早搏）；高血压病 3 级，极高危。

诊断依据：咳嗽病程超过 8 周，胸部影像学未见明显异常，肺功能支气管激发试验阳性，既往吸入 ICS+LABA 后有改善。

诊疗经过

入院后完善相关检查，2022-07-05 血常规（CDN）：分叶细胞绝对值 6.76×10^9/L，单核细胞绝对值 0.71×10^9/L，血红蛋白 109 g/L，红细胞比容 35.2%，平均红细胞体积 76.2 fL，平均 RBC 血红蛋白量 23.5 pg，平均 RBC 血红蛋白浓度 308 g/L；凝血 5 项：D- 二聚体测定 2.82 mg/L；尿酸 562 μmol/L；生化八项：葡萄糖 7.63 mmol/L；总免疫球蛋白 E 67.43 IU/mL；查过敏原（吸入组）、痰细菌涂片、结核菌涂片、真菌 G 试验、心肌标志物二项、肿瘤三项、血脂 4 项、心肌酶 5 项、肝功 8 项、蛋白三项、尿液分析、大便分析、感染八项未见异常。2022-07-05 肺功能：轻度限制性通气功能正常；支气管激发试验可疑阳性。2022-07-05 静息 12 导联心电图：窦性心动过速；ST 段改变。动态心电图：窦性心律；频发房性早搏，部分成对出现、三联律，短阵房性心动过速；频发多源室性早搏，部分成对出现、二联律、三联律；ST-T 间歇改变。心脏 + 心功能超声：主动脉硬化声像；左房增大；二尖瓣反流（轻度）；主动脉瓣反流（轻度）；左室收缩功能未见异常；舒张功能减退。2022-07-05 副鼻窦 + 胸部 CT 平扫：右侧上颌窦少许炎症；双肺下叶少许慢性炎症。

入院后予异丙托溴铵雾化解痉平喘，布地奈德雾化、甲泼尼龙（40 mg，qd）静滴、左氧氟沙星（0.5 g，ivd，qd）抗感染及化痰，糠酸莫米松鼻喷剂喷鼻、生理海盐水洗鼻。患者咳嗽稍减少，但仍控制不理想。动态心电图提示频发多源室性早搏，考虑不排除同事与心律失常相关，予控制心律失常后，患者心悸、胸闷可改善，咳嗽减少，好转出院。

出院情况

患者咳嗽减少，鼻塞、流涕、鼻后滴流较前改善，无心悸、胸闷，出院后继续吸入布地奈德福莫特罗吸入粉雾剂Ⅱ（q12h），糠酸莫米松鼻喷剂喷鼻，口服复方甲氧那敏胶囊、孟鲁司特钠。患者出院后到外院行冠脉造影诉排除冠心病，继续予控制血压、控制心律失常治疗。

讨论

临床上通常将咳嗽为唯一症状或主要症状、时间超过 8 周、胸部 X 线检查无明显异常者称为慢性咳嗽。慢性咳嗽的常见病因主要为咳嗽变异性哮喘、上气道咳嗽综合征、嗜酸性粒细胞性支气管炎、变应性咳嗽、胃食管反流性咳嗽。

慢性咳嗽的评估应包括临床病史、症状、体格检查和辅助检查等。病史有助于医生从常见病因、肺部病因和非肺部病因的方向进行鉴别诊断。体格检查不应限于肺部，可包括口腔和鼻腔、咽后部、颈部、皮肤和四肢等的评估。鉴别诊断可以细化为病史、体格检查、初始影像和肺功能检查的进一步评估。

本例患者咳嗽病史长，对灰尘、气味敏感，胸部影像学未见异常，起初曾行肺功能检查提示支气管激发试验阳性，诊断咳嗽变异性哮喘，吸入ICS+LABA后可改善。但本次咳嗽再发后，规律吸入ICS+LABA后改善不理想，伴有鼻部症状，鼻窦CT见上颌窦炎，考虑合并上气道咳嗽综合征，予鼻吸入表面糖皮质激素、抗组胺药物等治疗后咳嗽稍减少，但仍无法完全控制。动态心电图提示频发多源性早搏，考虑不排除心律失常相关咳嗽，予控制心律失常后咳嗽可改善。

临床上慢性咳嗽患者常同时存在多种病因，除了肺部疾病（咳嗽变异性哮喘、嗜酸性粒细胞性支气管炎），还要重视肺外疾病，比如鼻咽部（上气道咳嗽综合征）、消化系统（胃食管反流相关咳嗽）、药物相关（AECI相关性咳嗽）、心血管系统（心律失常相关咳嗽）、心理（心因性咳嗽）等。针对性治疗或经验性治疗后注意跟踪随访，观察咳嗽的变化，进一步验证诊断。

参考文献

中华医学会呼吸病学分会哮喘学组. 咳嗽的诊断与治疗指南（2021）[J]. 中华结核和呼吸杂志，2022，45（1）：13-46.

（许丹媛）

◎ 支气管扩张合并特殊感染

案例介绍

患者男，67 岁，于 2023-06-29 入院。

主诉：反复咳嗽、咳痰 10 余年，右下胸痛 1 周。

现病史：患者于 10 余年前开始出现咳嗽，咳痰，阵发性连声咳，咳少量白色黏痰，晨起为主，与闻及刺激性气味及冷空气不相关，季节变换受凉后症状加重，伴咯血，鲜红色为主，量较少。曾多次外院住院，诊断为“双肺支气管扩张合并感染、慢性阻塞性肺疾病”，予亚胺培南、美罗培南、莫西沙星等抗感染，祛痰等药物治疗，症状可减轻但反复。2018 年 10 月、2022 年 4 月均因咳痰增加、痰中带血住院，2022-04-14 行支气管镜检查提示支气管炎症（重度），行经支气管肺泡灌洗术、经支气管肺刷检术。肺泡灌洗液 NGS：盖尔森基兴诺卡菌，诊断为“支气管扩张合并感染；鼻窦炎；肝内胆管结石；慢性阻塞性肺疾病”，予以（特灭菌）哌拉西林钠舒巴坦钠针（6 g，ivd，q12h）、复方磺胺甲噁唑片（0.96 g，po，q12h）抗感染，裸花紫珠、肾上腺色腙片止血，护胃，祛痰等治疗后好转出院，出院后口服“复方磺胺甲噁唑片”半年，咳嗽、咳痰减少，无咯血。1 周前无明显诱因出现右下胸部隐痛，与呼吸、体位转变、饮食无明显关系，偶有少许咳嗽，咳少许白黏痰，无潮热、盗汗，无喘息、气促，无胸闷、心悸等，今就诊，查胸部 CT 见双肺泛细支气管炎，广泛支气管扩张合并感染，其内多发空洞形成，右肺下叶病灶较前稍增多。为进一步诊治收入呼吸内科。患者自发病以来精神状态一般，食欲一般，进食可，睡眠良好，大便正常，小便正常，体力情况如常，体重无明显变化。

既往史：既往有“鼻窦炎、肝内胆管结石”病史，头孢过敏。

个人史：吸烟 30 余年，平均 20 支 / 日，已戒烟 20 余年。

检查

体格检查：T 36.6℃，P 101 次 / 分，R 20 次 / 分，BP 124/76 mmHg。神志清楚，全身浅表淋巴结未扪及肿大。咽无充血，双侧扁桃体无肿大，胸廓桶状胸，呼吸运动正常，呼吸节律正常，双肺叩诊呈过清音，双肺呼吸音稍弱，双下肺可闻及吸气相湿啰音。心律齐整，各瓣膜听诊区未闻及杂音。腹软，无压痛、反跳痛，未触及腹部包块，肝脾肋下未触及，双下肢无水肿。

辅助检查：2018-10-19 肺功能示，中度阻塞性肺通气功能障碍；支气管舒张试验阴性；残气量、残总比增高，肺总量正常；弥散功能轻度下降。2022-04-11 胸部 CT 平扫及增强示，右侧支气管动脉迂曲、扩张；双肺多发空洞，慢性炎症与结核相鉴别，请结合临床；双肺泛细支气管炎，广泛支气管扩张合并感染；肺气肿，双肺多发肺大疱；双肺散在慢性炎症，部分纤维化；双侧胸膜增厚。2022-04-14 支气管镜示：支气管炎症（重度），肺泡灌洗液 NGS 示盖尔森基兴诺卡菌。

诊断

初步诊断：双肺支气管扩张合并感染；慢性阻塞性肺疾病；鼻窦炎；肝内胆管结石。

鉴别诊断：泛性细支气管炎；肺结核；侵袭性肺曲霉病。

最终诊断：双肺支气管扩张合并感染（曲霉菌、非结核分枝杆菌、铜绿假单菌）；慢性阻塞性肺疾病；鼻窦炎。

诊断依据：患者有慢性咳嗽、黄痰、咯血病史，查体双肺可闻及固定吸气相湿啰音，胸部 CT 提示广泛支气管扩张合并感染，内见空洞，对比既往胸部 CT 有缓慢进展，支气管镜肺泡灌洗液 NGS 提示马萨分枝杆菌、烟曲酶、铜绿假单胞菌。

诊疗经过

2023-06-29 血常规：白细胞计数 9.27×10^9/L，分叶粒细胞比例 7.57×10^9/L，分叶细胞比例 81.6%。生化：尿酸 461 μmol/L；凝血功能、肝肾功能、心肌酶均在正常范围。2023-06-29 胸部 CT（图 7-2）：双肺泛细支气管炎，广泛支气管扩张合并感染，其内多发空洞形成，病灶较前稍减少。肺气肿，双肺多发肺大疱；双肺散在慢性炎症，部分纤维化；双侧胸膜增厚。

2023-06-30 支气管镜检查（图 7-3）结果如下。喉部：声门活动自如，关闭良好；气管：黏膜光滑，管腔通畅，软骨环清晰；隆突：隆突锐利，活动可；左侧支气管：各段支气管黏膜光滑，管腔通畅，未见新生物，各段支气管开口见较多黄色气道分泌物；右侧支气管：各段支气管黏膜光滑，管腔通畅，未见新生物，各段支气管开口见较多黄色气道分泌物，右下叶背段支气管见活动性出血，于局部喷洒肾上腺素后出血停止。留取气道分泌物行细菌培养＋药敏、真菌培养＋药敏、结核菌涂片。伸入左上叶前段行支气管肺泡灌洗，留取灌洗液行 NGS 检查。

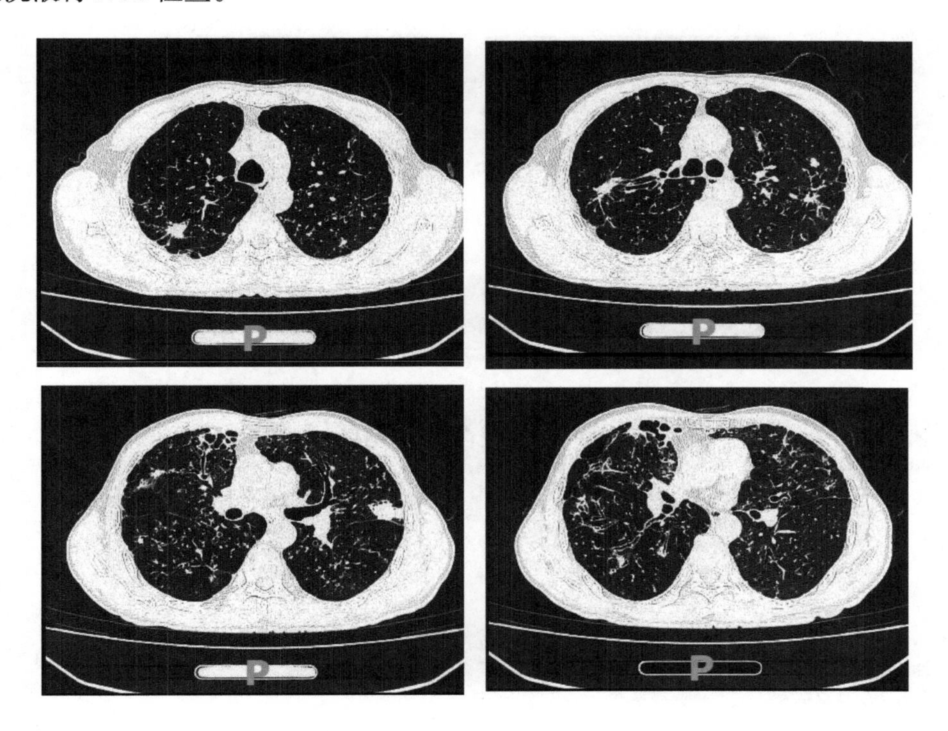

图 7-2　2023-06-29 胸部 CT

病原学结果如下。痰细菌涂片检查：发现 G^- 杆菌、G^+ 球菌；痰培养：铜绿假单胞菌；结核分枝杆菌核酸、γ 干扰素释放试验、真菌 G 试验、真菌 G 试验均为阴性。

支气管肺泡灌洗液 NGS：非结核分枝杆菌，序列数 573；铜绿假单胞菌，序列数 234；烟曲酶，序列数 44739；分枝杆菌靶向测序提示马萨分枝杆菌。

住院期间予哌拉西林他唑巴坦（4.5 g，q8h，静滴）抗感染，注射用伏立康唑抗真菌，乙胺丁醇片、阿奇霉素片针对非结核分枝杆菌治疗，同时予止血、化痰等治疗。

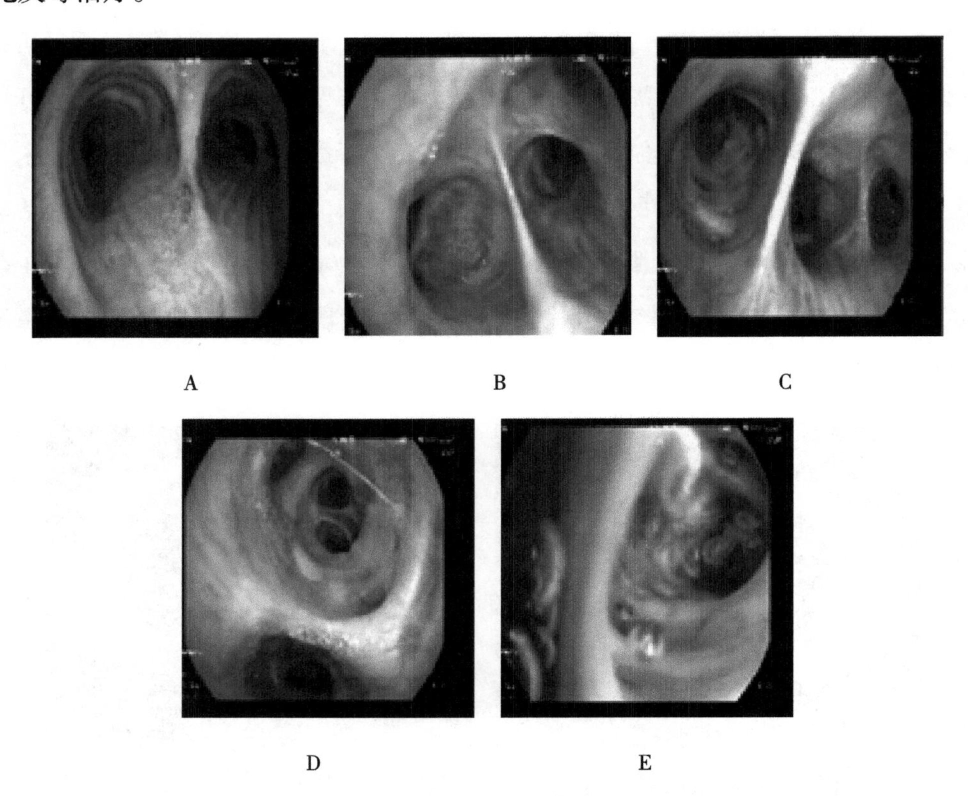

图 7-3 2023-06-30 支气管镜检查（彩插 11）

注：A. 隆突；B. 右上叶支气管；C. 右中、下叶支气管；D. 左上、下叶支气管；E. 左上叶前段灌洗

出院情况

患者咳嗽、咳痰减少，无咯血，无发热等。复查血常规、肝肾功能均在正常范围。出院带药：伏立康唑片 200 mg po q12h；阿奇霉素片 0.50 g po qd；乙胺丁醇片 0.75 g po qd。嘱患者出院后注意加强痰液引流，加强营养支持，避免劳累，规律服药，门诊随诊，定期复查血常规、肝肾功能及胸部影像学。

讨论

本例支气管扩张患者病程长，病情迁延，存在慢性肺部毁损改变，对于此类患者，注意排查特殊感染，该例患者发现同时合并多种感染，包括常见细菌：铜绿假单胞菌；特殊感染：曲霉菌、非结核分枝杆菌。

（一）支气管扩张合并常见细菌感染

常见病原体包括铜绿假单胞菌、流感嗜血杆菌、卡他莫拉菌、肺炎克雷伯菌、变形杆菌等革兰氏阴性菌，以及肺炎链球菌、金黄色葡萄球菌等。

1．铜绿假单胞菌感染的危险因素

（1）近期住院。

（2）频繁（每年 4 次以上）或近期（3 个月以内）应用抗生素。

（3）重度气流阻塞（FEV_1% pred ＜ 30%）。

（4）口服糖皮质激素（最近 2 周每日口服泼尼松＞ 10 mg）。

至少符合 4 条中的 2 条和（或）既往细菌培养存在铜绿假单胞菌，在急性加重经验性使用抗生素治疗时需选择针对铜绿假单胞菌的药物。其后依据痰培养等微生物学依据、临床症状及时调整抗生素用法用量。

2．治疗

（1）判断有无假单胞菌感染的高危因素，经验性用抗菌药物。

（2）积极行痰培养，明确病原菌及耐药情况，合理调整抗生素应用，减少诱导耐药的出现。

（3）对于首次分离出铜绿假单胞菌且病情进展的支气管扩张患者，建议行病原体清除治疗，推荐应用环丙沙星 500 mg（2 次 /d）口服 2 周的治疗；二线治疗选用氨基糖苷类联合具有抗假单胞活性的 β – 内酰胺类药物静脉给药 2 周的治疗，继以 3 个月的吸入妥布霉素或多黏菌素等抗菌药物。非首次分离铜绿假单胞菌的患者，不主张病原体清除治疗。

（二）支气管扩张合并非结核分枝杆菌（NTM）感染

1．临床特征

（1）支气管扩张和 NTM 感染孰因孰果，尚未阐明，非结核分枝杆菌肺病可

发展为支气管扩张，支气管扩张可感染 NTM。

（2）NTM 的感染与环境暴露、肺结构破坏和潜在免疫缺陷有关。

（3）易合并其他菌感染，最常见为铜绿假单胞菌（27% ~ 52%）。

（4）倾向于发生在女性、长期使用免疫抑制剂、居住地在长江以南的人群中。

2. 影像学 CT 特征

（1）右中叶和（或）左舌叶支气管扩张（Lady Windermere 综合征）。

（2）以上中肺叶病灶为主，薄壁小空洞、小结节或条索影占优势。

（3）广泛的微结节，多位于右中下叶和左舌叶，轻度扩张的亚段支气管周围有树芽征。

3. 治疗

（1）明确 NTM 的类型。

（2）评估患者状态：疾病的严重程度、疾病进展和药物的耐药性。

（3）确定治疗方案：建议结合体外药物敏感性测试结果指导临床药物选择，而药物的选择和疗程需根据菌种的不同及疾病的严重程度确定。选择至少 3 种药物，一般是 3 ~ 4 种药物联合治疗，疗程持续至痰培养转阴后至少 12 个月。由于 NTM 很难清除且会反复出现，因此临床上确定治疗人群及疗程十分困难。对于症状较轻、胸部影像学表现病灶较为局限，经过动态随访变化不明显且药敏结果显示为高度耐药的 NTM 肺病患者，可不给予抗分枝杆菌治疗并密切随访动态调整。对于病灶进展明显的 NTM 肺病患者，无论是否存在耐药，需要结合患者自身情况进行规范的抗 NTM 治疗。

（三）支气管扩张合并真菌感染

真菌在支气管扩张中的致病作用主要与免疫失调和暴露后的急性过敏反应有关，以白念珠菌和烟曲霉最多见。烟曲霉感染的高危因素还包括高龄、严重肺病、痰脓增多等。对于有上述高危因素及黄脓痰栓、中心性支气管扩张、发作喘息、IgE 升高等患者，注意排查合并真菌可能。完善痰真菌培养、涂片，真菌 G 试验、真菌抗原三项，有条件完善支气管镜肺泡灌洗液 NGS 等病原体检查。

治疗：三唑类药物是治疗曲霉菌感染的主要抗真菌药物，治疗过程中注意监测血药浓度。根据病情轻重及耐受程度选择药物。伊曲康唑为病情较轻患者首选，较重者可选用伏立康唑，但患者耐受性较差或治疗无效时，可换成棘白菌素类药物（卡泊芬净、米卡芬净等）或两性霉素 B。对于合并过敏性支气管肺曲霉病（ABPA）时，糖皮质激素仍是基础治疗，治疗期间注意动态复查胸部影像学、感染指标及 IgE 等，效果欠佳可考虑使用生物制剂治疗（奥马珠单抗、美泊利单抗、瑞利珠单抗、度普利单抗等）。

参考文献

[1] 中国支气管扩张症临床诊治与研究联盟，中华医学会呼吸病学分会. 成人支气管扩张症病因学诊断专家共识 [J]. 中华结核和呼吸杂志，2024，47（10）：921-932.

[2] 中华医学会结核病学分会. 非结核分枝杆菌病诊断与治疗指南（2020 年版）[J]. 中华结核和呼吸杂志. 2020. 43（11）：918-946.

[3] 中华医学会呼吸病学分会哮喘学组. 变应性支气管肺曲霉病诊治专家共识（2022 年修订版）[J]. 中华结核和呼吸杂志，2022. 45（12）：1169-1179.

（许丹媛）

◎呼吸道感染合并吉兰－巴雷综合征

案例介绍

患者男，76岁，于2023-12-27入院。

主诉：反复咳嗽、咳痰、喘息6年余，气促5年余，加重10天。

现病史：患者于6年余前始反复出现发作性喘息，伴有咳嗽、咳少许白痰，夜间明显，刺激性气味如汽油、油漆、香水、油烟、汽车排放尾气可诱发，偶有打喷嚏、流涕。5年前开始出现活动后气促，起初未规范诊治。2019-04曾在当地医院就诊，行肺功能检查诊断为“支气管哮喘”，未戒烟及规律使用吸入药物。2019年至今多次于呼吸内科住院治疗，诊断为：慢性阻塞性肺疾病伴有急性加重；支气管哮喘；左上肺结节伴空洞性质待定；2型糖尿病；高尿酸血症。予抗炎、解痉平喘、降血糖等对症治疗后，患者症状好转出院。院外家庭氧疗，规律门诊复诊，规律吸入噻托溴铵。10天前无明显诱因出现咳嗽、咳痰增加，咳嗽夜间明显，痰多为白色，量多，易咳出；伴咳嗽时气促，持续约数秒，可自行缓解；有咽干、咽痛，无畏寒、发热，无流涕，无胸闷、胸痛、心悸、双下肢水肿等，今就诊，拟以“慢性阻塞性肺疾病急性加重”收入呼吸内科，起病以来，精神、胃纳、睡眠可，二便正常，体重无明显改变。

既往史：患糖尿病2年，不规律服药，血糖控制不详。患高尿酸血症1年，现未服药，无关节疼痛。

检查

体格检查：T 36.9℃，P 95次/分，R 22次/分，BP 110/77 mmHg。神志清楚，全身浅表淋巴结未扪及肿大。咽无充血，双侧扁桃体无肿大，胸廓桶状胸，呼吸运动正常，呼吸节律正常，双肺叩诊呈过清音，双肺呼吸音稍弱，未闻及干、湿啰音。心律齐整，各瓣膜听诊区未闻及杂音。腹软，无压痛、反跳痛，未触及腹部包块，肝脾肋下未触及，双下肢无水肿。

诊断

初步诊断：慢性阻塞性肺疾病伴有急性加重；支气管哮喘急性加重；支气管扩张合并感染；高尿酸血症；2 型糖尿病。

鉴别诊断：心源性哮喘；肺结核；肺癌。

最终诊断：慢性阻塞性肺疾病伴下呼吸道感染（流感嗜血杆菌、巨细胞病毒）；吉兰－巴雷（格林－巴利）综合征；支气管哮喘急性加重；支气管扩张合并感染；鼻窦炎；2 型糖尿病；高尿酸血症。

诊断依据：患者有呼吸道病毒及细菌感染前驱症状，出现全身乏力，且有加重，饮水呛咳，吞咽困难，构音不清，脑脊液提示细胞蛋白分离。

诊疗经过

2023–12–27 血常规（CDN）：白细胞计数 12.60×10^9/L，中性粒细胞比例 71.7%，中性粒细胞绝对值 9.03×10^9/L。超敏 C 反应蛋白 11.68 mg/L。

2023–12–27 副鼻窦平扫 + 胸部 CT 平扫：双侧上颌窦、筛窦炎症。慢性支气管炎，双上肺小叶中心型肺气肿。右肺上叶后段、双肺下叶支气管扩张合并感染，其中右肺下叶渗出灶较前稍吸收，右肺上叶及左肺下叶渗出较前稍增多。纵隔多发稍大淋巴结，同前相仿。肝右叶肝内胆管小结石，同前。2023–12–27 静息 12 导联心电图：窦性心动过速。2023–12–28 尿液分析：葡萄糖 3+，酮体 3+。肝肾功能、心肌酶、肌钙蛋白、BNP 未见异常。2023–12–29 肺炎支原体抗体阳性（1 ∶ 160）。

入院后予注射用哌拉西林钠舒巴坦钠（4 ∶ 1）抗感染、祛痰、解痉平喘等治疗后，因患者痰多，于 2023–12–29 行支气管镜检查，结果：支气管炎症伴大量脓痰，行经支气管肺泡灌洗术。肺泡灌洗液 NGS：流感嗜血杆菌（序列数 4518），巨细胞病毒（序列数 10）。

经上述治疗后患者咳嗽、咳痰、气促明显改善。

2024–01–01 开始出现全身乏力，且有加重，查体示瞳孔直接和间接对光反射迟钝，饮水呛咳，吞咽困难，构音不清，右侧软腭运动减弱，悬雍垂偏右，咽反射减退。双手指鼻试验不准、双侧跟膝胫试验不稳、昂伯征检查不配合。

2024–01–02 头颅 DWI 未见明显急性脑梗表现。神经内科会诊，考虑不排除脑炎，转神经内科进一步治疗。

转神经内科后，2024–01–03 行腰椎穿刺术，脑脊液常规：潘台氏试验阳性（+），白细胞 4.0×10^6/L，红细胞 0×10^6/L，单个核细胞 50%，多个核细胞 50%，2024–01–03 脑脊液生化：葡萄糖 4.53 mmol/L，微量蛋白 926.00 mg/L，氯 115.0 mmol/L。脑脊液隐球菌涂片检查未发现隐球菌。脑脊液涂片未发现真菌、细菌。脑脊液结核涂片检查未发现抗酸菌。2024–01–04 脑电检查：广泛性周围神经病变。上述腰椎穿刺示脑脊液提示细胞蛋白分离，肌电图提示周围神经病变，考虑吉兰 – 巴雷综合征，予甲泼尼龙琥珀酸钠针（500 mg，ivd，qd）6 日，静注人免疫球蛋白（25 g，ivd，qd）5 日，患者病情好转稳定，后不方便照顾，转当地医院继续康复治疗。

出院情况

患者生命体征平稳，构音欠清，饮水呛咳，吞咽困难，右侧软腭运动减弱，悬雍垂偏右，咽反射减退。伸舌居中。左侧肢体肌力 5 级，右侧肢体肌力 5 级，双侧肢体肌张力正常，未见有肢体震颤，双手指鼻试验不准、双侧跟膝胫试验不稳、昂伯征检查不配合。感觉系统检查正常。四肢肌腱反射正常。颈软无抵抗，克氏征阴性，布鲁津斯基征阴性，双侧巴宾斯基征阴性。

讨论

该例患者有支气管哮喘、慢性阻塞性肺疾病、支气管扩张、糖尿病基础，本次呼吸道症状加重入院，肺泡灌洗液 NGS 提示巨细胞病毒及流感嗜血杆菌混合感染，经广谱抗生素抗感染后，呼吸道症状改善，但出现全身乏力，且有加重，饮水呛咳，吞咽困难，构音不清，结合此前有巨细胞病毒、流感嗜血杆菌前驱感染、脑脊液及电生理检查，诊断吉兰 – 巴雷综合征（GBS），经糖皮质激素、免疫球蛋白治疗后好转。

吉兰 – 巴雷综合征（GBS）是一种以周围神经和神经根脱髓鞘病变为特点的自身免疫性周围神经病。主要表现为急性四肢对称性迟缓性肌无力，肌张力正常或降低，肌腱反射减弱或消失，无病理反射，病变多由远端向近端进展，部分患者可伴有四肢远端感觉异常或自主神经功能紊乱，严重者可发生呼吸肌麻痹、心律失常甚至猝死。

GBS 确切病因不明，属神经系统的一种迟发型过敏性自身免疫性疾病，可能与感染、疫苗接种有关。多数患者在本病发病前 1 ~ 4 周有呼吸道、肠道感染病史，常见病原体为空肠弯曲菌、流感嗜血杆菌、巨细胞病毒、EB 病毒、流感病毒、肺炎支原体等。

临床检查主要是肌电图提示末梢神经受损，腰穿送检脑脊液蛋白 – 细胞分离。治疗包括，①综合治理：保持呼吸道通畅、防止继发感染；呼吸肌受累时，加强呼吸支持，必要时行气管切开、呼吸机辅助呼吸；经常翻身，预防压疮；预防深静脉血栓（DVT）/ 肺栓塞（PE）；②激素：早期应用，急性重症患者可用氢化可的松短期冲击治疗；③静脉应用大剂量免疫丙种球蛋白：尽早使用；④血浆置换；⑤神经营养药物：辅酶 A、ATP、弥可保等。

在临床中，对于有呼吸道前驱感染后出现急性四肢对称性迟缓性肌无力、肌张力正常或降低、肌腱反射减弱或消失，甚至感觉异常的患者，应注意排查 GBS，及时明确诊断、合理诊治。

参考文献

[1] 中华医学会神经病学分会，中华医学会神经病学分会周围神经病协作组，中华医学会神经病学分会肌电图与临床神经电生理学组，等. 中国吉兰 – 巴雷综合征诊治指南 2019 [J]. 中华神经科杂志，2019，52（11）：877–882.

[2] 高华，吴维，赵玉洁. 巨细胞病毒和 EB 病毒双重感染的急性重症溃疡性结肠炎伴发格林 – 巴利综合征一例 [J]. 中华炎性肠病杂志（中英文），2024，08（3）：258–260.

（许丹媛）

◎ 特发性嗜酸性粒细胞多浆膜腔积液

案例介绍

患者男，52 岁，于 2022-06-10 入院。

主诉：突发胸痛 3 天。

现病史：患者于 3 天前砍树时出现胸痛，伴咳嗽，气促，稍活动即呼吸困难，无畏寒发热，无咯血，无鼻塞流涕及咽痛不适，无头痛、恶心、呕吐，无肢体乏力、麻木，无言语不清、吞咽困难、饮水呛咳、视物模糊、重影，无肢体不自主运动、肢体抽搐、意识不清。现为进一步诊治就诊，拟“胸痛”收住呼吸内科。起病以来，精神、食欲、睡眠一般，二便正常。

检查

体格检查：T 36.6℃，P 136 次 / 分，R 26 次 / 分，BP 141/98 mmHg。查体合作；无特殊病容。无黄染，无皮疹，无血管痣，无脱水征，扁桃体无肿大；舌苔正常；无黏膜溃疡，无血管杂音，无颈椎压痛，无颈肌压痛，无颈肌紧张，转颈试验阴性，呼吸节律整齐；右肺呼吸音低；无干、湿啰音。心界稍大；无杂音，无强迫头位，无脊柱活动受限，皮肤、指甲营养正常；无双下肢水肿。

诊断

诊断：特发性嗜酸性粒细胞多浆膜腔积液（胸腔、心包）；双肺炎；左肾囊肿；脂肪肝；胆囊结石；前列腺增大伴钙化。

诊疗经过

入院查 2022-06-10 血常规：白细胞计数 10.29×10^9/L，分叶细胞绝对值 7.67×10^9/L，淋巴细胞比例 14.9 %，单核细胞绝对值 0.72×10^9/L，血小板计数 361×10^9/L，余正常；凝血 5 项：纤维蛋白原 5.42 g/L，D– 二聚体测定 1.07 mg/L；心肌酶五

项 +IMA+ 离子四项：缺血修饰白蛋白 83.9 U/mL；高敏肌钙蛋白 I 2.5 pg/mL，肌红蛋白 24.40 ng/mL，脑利尿钠肽 29.00 pg/mL。血沉 58 mm/h；血气分析：酸碱度 7.404，二氧化碳分压 26.5 mmHg，氧分压 64.8 mmHg，实际碳酸氢盐 16.7 mmol/L，实际碱剩余 –5.6 mmol/L；生化八项 + 血清尿酸测定 + 生化八项 + 心肌酶 5 项 + 肝功全套：白蛋白 35.7 g/L，余可；凝血 5 项示纤维蛋白原 6.13 g/L，D– 二聚体测定 1.18 mg/L；尿液分析：红细胞 2+，蛋白质 1+。2022–06–13 结核分枝杆菌 IgG 抗体阴性（–）；肺癌 1 组：神经元特异烯醇化酶 27.860 μg/L；2022–06–13 胸腔积液常规检查：红细胞 4 000 × 10^6/L，单个核细胞 26.6%，多个核细胞 73.4%；2022–06–13 胸腔积液生化：葡萄糖 7.27 mmol/L，氯 110.0 mmol/L，腺苷脱氨酶 21.2 U/L，乳酸脱氢酶 362 U/L，总蛋白 51.4 g/L；尿红细胞位相：红细胞计数 84.1/ μL，畸形 RBC 48 778/mL；血管炎二项、自身抗体全套、抗环瓜氨酸肽抗体、吸入食物 IgE 组合 19 项、总 IgE、甲功五项、寄生虫抗体 7 项、真菌抗原三项及真菌 G 试验未见特殊，多次 BNP 心肌酶及肌钙蛋白未见特殊。胸腔积液细菌学培养及细菌涂片未见特殊。胸腔积液及痰 NGS 未检测到病原。2022–06–13 胸部 CT 平扫：双肺炎症，右下肺实变。右侧中量胸腔积液。左侧胸膜增厚。心影稍大，心包少量积液。脂肪肝；胆囊小结石。2022–06–13 床边胸腔积液超声：右侧胸腔少 – 中量积液。左侧胸腔未见明显积液。

2022–06–16 床边双肾输尿管膀胱超声：左肾囊性病变，符合囊肿声像。右肾、双侧输尿管、膀胱未见明显异常。2022–06–16 心脏 + 心功能超声：主动脉硬化。左室收缩功能未见明显异常；舒张功能减退；心包积液。2022–06–16 肝胆脾胰 B 超：符合脂肪肝声像；餐后胆囊息肉。2022–06–16 前列腺精囊 B 超：前列腺增大伴钙化。2022–06–16 双下肢静脉 + 双下肢动脉血管彩超示双下肢动脉硬化。双下肢静脉结构及血流未见异常。2022–06–18 肺动脉 CTA 未见明显异常。双肺多发炎症并局部肺组织实变，较前进展；双侧少量胸腔积液，左侧较前增多，右侧较前减少。心包积液较前增多。轻度脂肪肝；少许胆囊结石。拟左肾囊肿并囊壁少许钙化。骨盆骨质增生；前列腺增生并钙化。全组副鼻窦未见异常。2022–06–20 胸腔积液 B 超：右侧胸腔少量积液，左侧胸腔中量积液。2022–06–20 心脏 + 心功能超声：心包积液（大量）；左室收缩功能未见明显异常；舒张功能减退。予右侧胸腔穿刺置管抽液共 600 mL

左右，胸腔积液病理回报检出大量嗜酸性粒细胞及较多间皮细胞，未见肿瘤细胞；胸腔积液细胞分类示嗜酸性粒细胞比例 39.5%。心包穿刺抽液心包活检病理（图 7-4）：镜下见较多嗜酸性粒细胞，未见典型结核结节及真菌改变，组织形态符合慢性炎症改变。

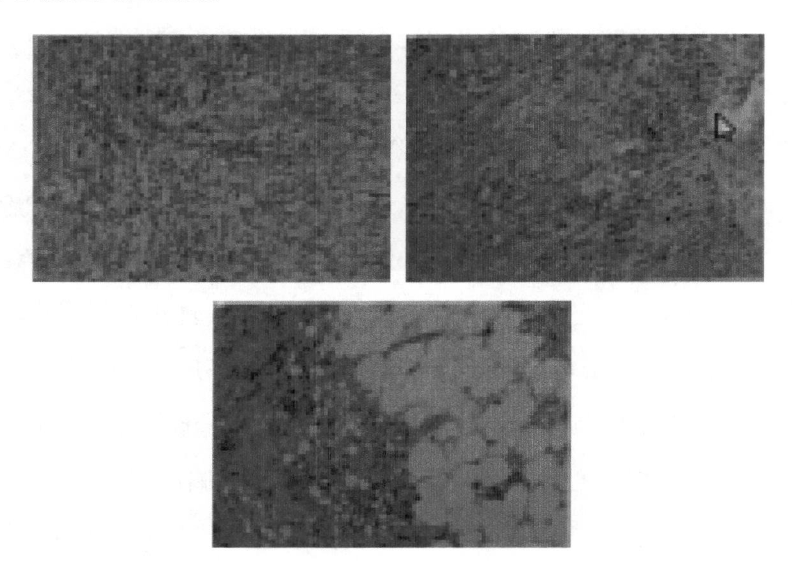

图 7-4　心包活检病理（彩插 12）

起初予哌拉西林他唑巴坦抗感染、胸腔穿刺引流治疗 3 天，患者症状无明显改善，且气促及胸闷心悸进一步加重，心包积液较前明显增多（图 7-5），后胸腔积液病原学未见特殊，且发现嗜酸性粒细胞很高，遂加甲强龙 40 mg 抗炎对症治疗，行心包穿刺引流，胸闷气促症状明显改善，心率逐渐由 136 bpm 下降至 90 bpm，停抗生素继续激素减量治疗，住院 20 天，病情好转出院。

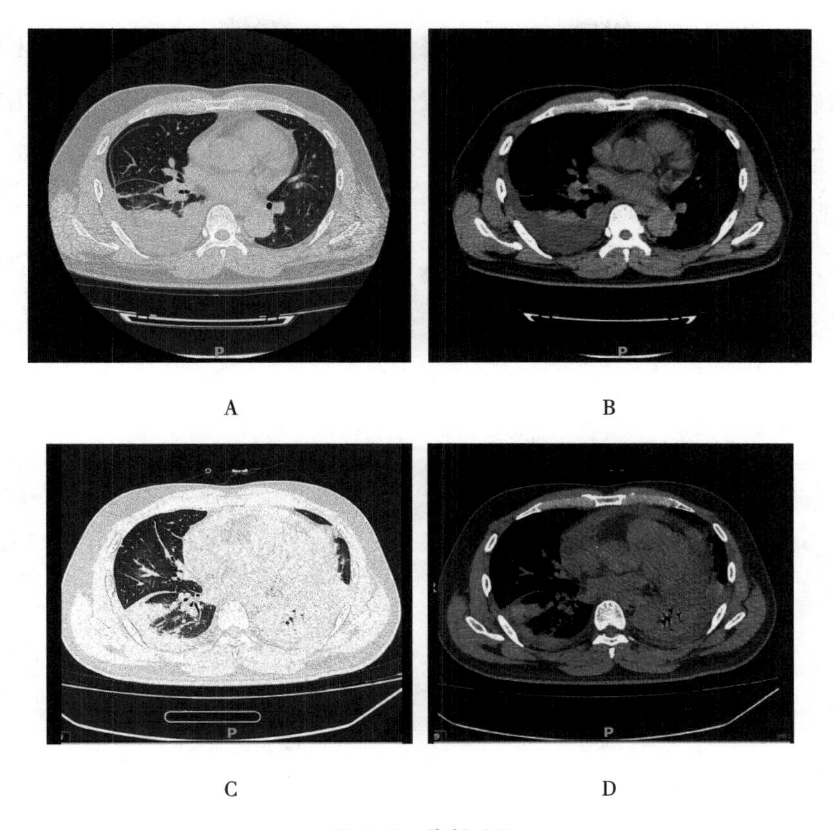

A B

C D

图 7-5 胸部 CT

注：胸腔穿刺引流后胸腔积液明显减少但心包积液明显增多。A、B. 2022-06-10；C、D. 2022-06-20

出院情况

一般情况可，无胸闷气促及心悸等不适。出院后继续口服激素并逐渐减量治疗 2 周，复诊一次，后症状改善，出院 1 个月后当地医院复查胸部 CT 自诉无特殊，之后未再复诊，半年后电话随访未诉不适。

讨论

嗜酸性粒细胞胸腔积液被定义为胸腔积液中嗜酸性粒细胞占白细胞比值超过 10%，伴或不伴血嗜酸性粒细胞增多的一种非独立性疾病。嗜酸性粒细胞胸腔积液与许多因素有关，其中主要包括感染性、恶性肿瘤、创伤性和药物相关病因。然而，在嗜酸性粒细胞胸腔积液患者中，也有即使经过彻底的临床检查仍不能明确特定病因者，则被诊断为特发性嗜酸性粒细胞胸腔积液，使用糖皮质激素可能受益。本例患者胸腔积液和心包积液中嗜酸性粒细胞显著增高，不伴外周血嗜酸性粒细胞增多，入院后相继排除肿瘤、结核、寄生虫及感染（细菌、真菌），且患者否认近期外伤史，否认药物服用史，故嗜酸性胸腔积液原因并不明了，糖皮质激素治疗效果明显。

参考文献

Luo W，Zeng Y，Shen P，et al. Diagnostic procedure for idiopathic eosinophilic pleural effusion：a single-center experience［J］. BMC Pulm Med，2020 Apr 3；20（1）：82.

（王银燕）

◎ 难治性气胸

案例介绍

患者男，69 岁，于 2022-12-24 入院。

主诉：患者于 10 余年前开始出现慢性咳嗽、咳痰，咳嗽呈阵发性、非金属样，多为白色泡沫样痰，伴有气促，以活动后明显，休息后可缓解，多于感冒、受凉后上述症状加重，每年发作时间累计超过三个月，2016 年曾因气促加重于外院就诊，诊断为“慢性阻塞性肺疾病急性加重期”，予左氧氟沙星、亚胺培南西司他丁抗感染等治疗后病情好转出院，出院后多由家属门诊取药，长期吸入“信必可、思力华”，同时进行家庭氧疗。1 天前患者无明显诱因出现气促加重，伴有咳嗽，咳少量黄白痰，无胸闷胸痛，无畏寒发热，无咽痛、鼻塞流涕，无头痛肌肉酸痛，遂到急诊就诊，患者气促明显，查指尖血氧波动于 83%～96%，床旁胸片示右侧气胸，约压缩 30%；慢性支气管炎、肺气肿并双肺慢性炎症。新冠抗原阳性，立即行右侧胸腔穿刺闭式引流术，现为进一步治疗，拟“右侧气胸、慢性阻塞性肺疾病急性加重、新型冠状病毒感染”收入院。自发病以来精神状态较差，食欲一般，睡眠较差，大便正常，小便正常，体力情况如常，体重无明显变化。

既往史：否认高血压史、冠心病史、糖尿病等慢性病史，有乙肝、陈旧性结核病史，2017-09 患者因左侧气胸于呼吸内科就诊，予胸腔闭式引流术，后因气胸闭合欠佳，转外院于 2017-10-24 静脉麻醉下行“VATS 胸腔粘连松解术 + 肺大疱切除术”，曾予腔内注射人血白蛋白、50% 葡萄糖 50 mL。2022-11 曾因右侧气胸在呼吸内科行胸腔闭式引流术，住院 1 月余，好转出院。否认外伤史，否认输血史。有青霉素、头孢哌酮舒巴坦（舒普深）、布地奈德、复方异丙托溴铵过敏史，预防接种史不详。

检查

体格检查：T 36.9℃，P 96 次 / 分，R 20 次 / 分，BP 113/85 mmHg。神志清楚，车床入院，口唇红润，胸廓桶状胸，呼吸运动正常，呼吸节律正常，右锁骨中线第 2 肋间留置右侧胸腔闭式引流管，嘱患者咳嗽时可见水封瓶水柱波动，右肺叩诊呈鼓音，右肺呼吸音弱，未闻及干、湿啰音。心前区无隆起，心律齐整，各瓣膜听诊区未闻及杂音。腹平软，无压痛、反跳痛，未触及腹部包块，肠鸣音正常。双下肢无水肿。

辅助检查：急诊胸部 X 线见图 7-6。

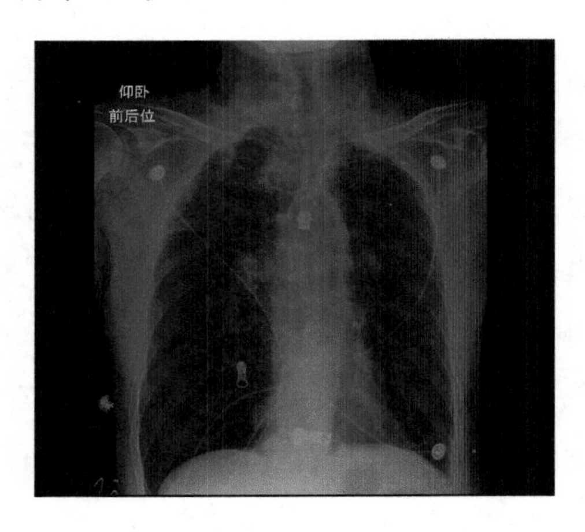

图 7-6　急诊胸部 X 线

诊断

诊断：难治性气胸；慢性阻塞性肺疾病伴有急性加重，呼吸衰竭；新型冠状病毒肺炎。

诊疗经过

入院后予完善相关检查，2022-12-25 血常规：白细胞计数 6.99 × 10^9/L，分叶细胞比例 53.7%，嗜酸细胞比例 0.1%，血红蛋白 129 g/L；生化八项 + 肝功 8 项：肌酐 57.7 μmol/L，尿素 5.5 mmol/L；2022-12-26 胸部正位 + 床旁摄影：考虑右上肺炎症，建议治疗后复查。左肺尖术后改变，请结合临床。左下肺少许纤维灶，伴左侧膈面幕状粘连。右侧胸壁皮下气肿，请结合临床。2023-01-11 胸部平扫（含三维 MPR）：双肺多发肺大疱形成，并部分肺不张，右侧气胸，肺组织压缩约 15%。右侧胸腔少量积液。慢支肺气肿，双肺散在慢性炎症并部分纤维灶形成，双肺叶多发肺大疱。主动脉粥样硬化。2023–02–01 胸部正位片：右侧胸腔引流术后，双肺炎症，较前减少。双侧胸腔少量积液，较前减少。入院后先后予吸氧、左氧氟沙星、抗感染、胸腔闭式引流、止咳化痰、营养支持等对症治疗，期间患者气促反复加重，气胸难以闭合，胸外科会诊考虑患者多次气胸，曾经有 VATS 胸腔粘连松解术 + 肺大疱切除术史，但术后气胸历经数月才闭合，且患者肺质地较差，有严重慢性阻塞性肺疾病，不易行胸外科手术治疗，后予高渗糖胸腔注药连续 10 天，后气胸好转，住院 42 天，气胸闭合拔除胸腔闭式引流管，办理出院。住院时胸部 CT 见图 7–7，出院前胸部 X 线见图 7–8。

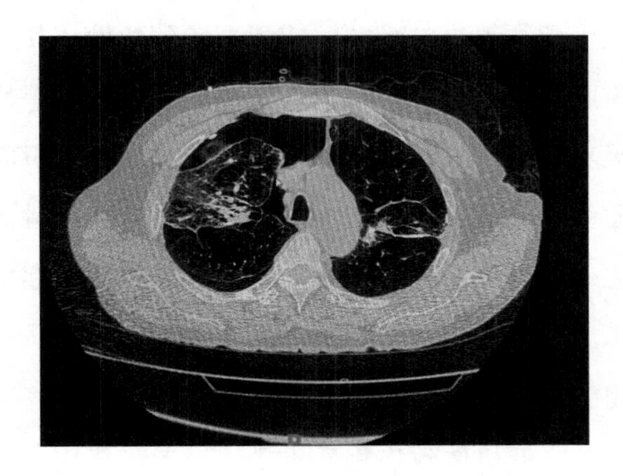

图 7–7　住院时胸部 CT

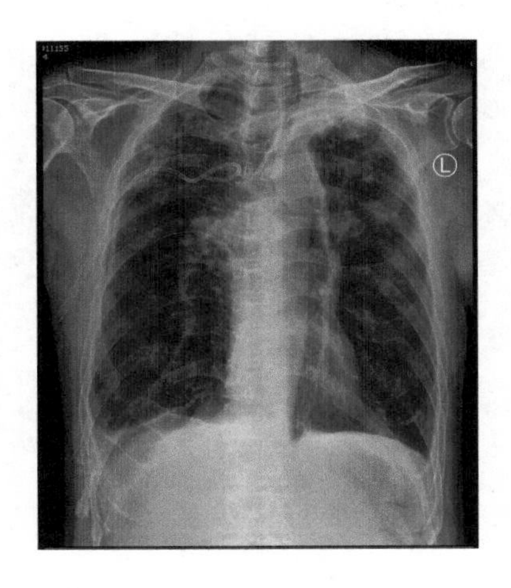

图 7–8　出院前胸部 X 线

出院情况

患者活动后稍气促，偶有咳嗽、咳痰，无发热，一般情况可，查体：生命体征平稳，胸廓桶状胸，呼吸运动正常，呼吸节律正常，双肺呼吸音弱，未闻及干、湿啰音。心前区无隆起，心律齐整，各瓣膜听诊区未闻及杂音。

讨论

难治性自发性气胸患者往往存在长时间的持续胸腔闭式引流，治疗周期长、复发率高，同时患者机体状况不理想，随着留置胸腔闭式引流管时间的延长，院内感染率明显增高，甚至导致患者死亡。故针对难治性自发性气胸的治疗一直以来为呼吸科医生亟须解决的难题。使用高渗葡萄糖，其逆行胸腔灌注属于一种硬化剂诱导胸膜产生粘连，具有起效迅速、效果可靠等特点。使用后能较快地改善患者呼吸功能，提高机体氧合状况，并促进肺组织破口主动修复与肺组织复张，同时还可促使脏层胸膜与壁层胸膜之间相互接触而产生粘连，诱导胸膜组织的纤维化，通过脏层胸膜与壁层胸膜的无菌性炎症反应，促进肺组织的中性粒细胞聚集，从而诱导脏层胸膜表面产生胸膜粘连，最终达到诱导自发性胸膜粘连而封闭肺组织破口的目的。针对难治性自发性气胸患者，应用高渗葡萄糖灌注，可有效降低机体致痛物质水平，患者恢复快，且操作简单，是内科治疗难治性气胸的一种好办法。

参考文献

黄壮伟，麦伟豪，吴格怡. 高渗葡萄糖胸腔内灌注治疗难治性自发性气胸的临床价值［J］. 中国医药科学，2022，12（15）：174-177.

（王银燕）

◎ 支气管哮喘 – 慢性阻塞性肺疾病重叠综合征

案例介绍

患者男，67 岁，于 2022-08-02 入院。

主诉：反复咳嗽咳痰 5 年，气促 1 年，加重 1 周余。

现病史：患者于 5 年前始出现慢性咳嗽、咳痰，咳嗽呈阵发性、非金属样咳嗽，多为白色黏液样痰，多于晨起时出现，未予重视。1 年前始出现活动后气短，劳动耐力逐年下降，上 2 楼时、快步行走即有气促，伴有咳嗽、咳黄痰黏痰，无伴胸闷胸痛，无夜间阵发性呼吸困难、端坐呼吸、双下肢水肿，无畏寒发热，无乏力盗汗，到当地医院就诊，2021-05-13 查胸部 CT 示慢性支气管炎、肺气肿改变，右肺下叶少许慢性炎症，纵隔淋巴结增大，2021-05-14 肺通气功能示重度混合性通气功能障碍（FEV_1 40.28%，FEV_1/FVC 47.52%），遂到外院呼吸内科就诊，诊断为“慢性阻塞性肺疾病”，予抗感染、激素抗炎、祛痰、平喘等治疗后症状好转。出院后规律吸入布地格福吸入剂。患者于 20 多天前因病情加重就诊，入院查 2022-07-13 胸部 + 副鼻窦平扫（含三维 MPR）：慢性支气管炎肺气肿，双肺多发肺大疱；双肺慢性间质性炎症，部分纤维化；双侧胸膜增厚；右肺上叶尖段、左肺上叶前段结节，建议定期复查。肝 S7 ~ 8 段包膜下异常密度影，建议进一步检查；肝 S7 段钙化灶与胆管内结石相鉴别；右侧上颌窦、右侧筛窦少许炎症。2022-07-23 肺功能：重度混合性通气功能障碍；支气管舒张试验阳性（吸入万托林 400 μg，FEV_1 上升大于 12%，绝对值大于 200 mL），FENO 74 ppb，总 IgE 389.5 IU/mL，考虑诊断为慢性阻塞性肺疾病合并支气管哮喘，考虑外源性支气管哮喘的可能性大，入院后予吸氧、左氧氟沙星抗感染、奥马珠单抗 450 mg 靶向、平喘、祛痰治疗，症状好转后出院，1 周前患者上诉症状再发，咳嗽、咳痰，咳嗽为阵发性、非金属样咳嗽，为黄色黏液样痰，痰不易咳出；伴气促，劳动耐力下降，上 2 楼即出现气喘；伴发热，伴体温达 38.5℃，当时于当地医院就诊，予头孢类及甲泼尼龙药物治疗，自诉几个小时后即退热。现咳嗽、咳痰及气促症状仍未好转。为进一步诊断治疗就医，在门诊拟诊断为“慢性阻塞性肺疾病急性加重期”收入院。自发病以来精神状态一般，食欲一般，进食可，睡眠良好，大便正常，小便正常，体力情况如常，体重无明显变化。

既往史：既往有2型糖尿病、双肺间质性肺炎、慢性鼻窦炎病史；2020年于外院有“肠息肉”切除史（具体不详）。2021-06因发现双侧颈部淋巴结肿大于外院整形烧伤外科行淋巴结穿刺活检，自述病理未见异常（具体不详）。否认“高血压、冠心病”病史。对头孢类、连花清瘟胶囊、海鲜过敏。

个人史：有吸烟史。

检查

体格检查：T 36.7℃，P 86次/分，R 22次/分，BP 119/77 mmHg。发育正常，神志清楚，胸廓正常，呼吸运动正常，呼吸节律正常，双肺叩诊呈清音，双肺呼吸音清，未闻及干、湿啰音。心前区无隆起，心尖搏动范围正常，心前区未触及震颤和心包摩擦感，心脏相对浊音界正常，心律齐整，各瓣膜听诊区未闻及杂音。双下肢无水肿。

诊断

初步诊断：慢性阻塞性肺疾病急性加重期；外源性支气管哮喘；双肺间质性肺炎；慢性鼻窦炎；双肺结节；2型糖尿病。

鉴别诊断：癔症？患者反复晕倒在地，但肺功能仅轻度下降。

最终诊断：慢性阻塞性肺疾病急性加重期；外源性支气管哮喘；双肺间质性肺炎；慢性鼻窦炎；双肺结节；2型糖尿病；右肝内胆管结石；前列腺增大并钙化；心律失常（偶发房早，短阵房性心动过速，偶发室早）。

诊断依据：既往反复发作性咳嗽、咳痰，伴有喘息，2021-05-14肺通气功能示重度混合性通气功能障碍，2022-07-23肺功能检查示支气管激发试验阳性，予激素治疗后症状缓解。海鲜过敏史，总IgE明显增高，目前需要使用到第5级治疗，症状未完全控制。

诊疗经过

2022-08-02 入院后检查血沉 68 mm/h；总 IgE：423.08 IU/mL；静息 12 导联心电图：窦性心律；ST-T 改变。前列腺精囊彩超示前列腺增大并钙化斑声像。2022-08-02 胸部 CT 平扫：慢性支气管炎、肺气肿，双肺多发肺大疱；双肺慢性间质性炎症，部分纤维化；双侧胸膜增厚；右肺上叶尖段、左肺上叶前段结节，炎性可能，建议随诊；肝 S7 ～ 8 段包膜下异常密度影，建议进一步检查；肝 S7 段钙化灶与胆管内结石相鉴别。2022-08-05 吸入食物 IgE 组合 19 项无特殊。2022-08-24 动态心电图提示：窦性心律；偶发房性早搏，短阵房性心动过速；偶发室性早搏；ST-T 间歇改变。

入院后予低流量吸氧、丙酸氟替卡松（1.0 mg，q12h）+ 复方异丙托溴铵（2.5 mL，q8h）、左氧氟沙星抗感染（0.5 g，qd）、止咳化痰及奥马珠单抗 450 mg、苯环喹溴铵鼻喷雾剂等治疗 8 天，患者咳嗽、咳痰、气促逐渐缓解。出院后予“布地格福”（布地奈德 160 μg、格隆溴铵 7.2 μg 和富马酸福莫特罗 4.8 μg）吸入（q12h）、孟鲁司特（10 mg，qd）、茶碱缓释片（0.1 g，bid）、枸地氯雷他定（8.8 mg，qd）治疗。

出院情况

患者咳嗽、咳痰、气促症状较前缓解，继续规律使用“布地格福”，于 2022-08-02、2022-09-02、2022-09-23 予奥马珠单抗 450 mg 治疗；停药 5 个月后气促加重，2023-08-29 肺功能示极重度混合性通气功能障碍。2023-03-10 至 2023-08-29 期间予奥马珠单抗 450 mg 治疗，每月 1 次。后症状改善，病情稳定，奥马珠单抗治疗减量，于 2024-01-04 予奥马珠单抗 450 mg 治疗；2024-01-06 肺功能：重度混合性通气功能障碍。2024-08-13 予奥马珠单抗 450 mg 治疗。目前症状稳定，正常生活。

讨论

此病例是一个典型的慢性阻塞性肺疾病与支气管哮喘重叠综合征的案例，在临床工作中，慢性阻塞性肺疾病与支气管哮喘的重叠综合征是一个复杂的临床情况，其诊断标准如下。①临床症状：患者通常表现为慢性咳嗽、咳痰及气促，症状可随时间波动，且对常规 COPD 治疗反应不佳。②肺功能测试：FEV_1/FVC 比值小于 70%，通常表明存在气流受限。支气管舒张试验阳性，即吸入短效 β_2 受体激动剂后 FEV_1 增加大于 12%且绝对值增加大于 200 mL，提示存在可逆性气流受限。某些患者可能还表现出气道高反应性。③病史：长期吸烟史或长期暴露于其他已知的 COPD 风险因素。有过敏性疾病史，如过敏性鼻炎、湿疹等，或有明确的过敏原接触史。④对治疗的反应：对于 COPD 的常规治疗（如长效支气管扩张剂）反应不佳，但对哮喘的控制性治疗（如吸入性皮质类固醇）有较好的反应。⑤排除其他诊断：需要排除其他可能导致类似症状的疾病，如心脏疾病、肺部感染、肺纤维化等。综上所述，此患者的症状、病史、肺功能测试结果，以及对治疗的反应均符合慢性阻塞性肺疾病与哮喘重叠综合征的诊断标准。

此病例不仅具有临床复杂性，而且在治疗上也面临诸多挑战。根据专家共识需对此类病患进行综合评估和个体化治疗：治疗应基于患者的临床症状、肺功能、急性加重频率和生活质量的影响程度进行个体化调整。

药物治疗包括以下几种。①吸入性皮质类固醇（ICS）：对于有持续气道炎症的患者，ICS 是控制哮喘症状的重要药物。②长效 β_2 受体激动剂（LABA）：与 ICS 联合使用，可进一步改善肺功能和减少急性发作。③长效抗胆碱药物（LAMA）：对于 COPD 患者，LAMA 可以提供持续的支气管扩张作用。④茶碱类药物：在某些患者中，茶碱类药物可以作为附加治疗，改善症状和肺功能。⑤生物制剂：如奥马珠单抗，针对 IgE 介导的过敏性哮喘，可以减少急性发作和提高生活质量。

非药物治疗包括以下几种。①肺康复：包括呼吸肌训练、营养支持和心理干预，旨在提高患者的整体生活质量。②戒烟：对于有吸烟史的患者，戒烟是改善 COPD 预后的关键措施。③避免环境刺激物：减少对过敏原和环境污染物的暴露，以降低气道炎症。

在急性加重期中，可能需要短期使用口服皮质类固醇和增加支气管扩张剂的剂量。此外，通过基因组学和生物标志物的研究，识别不同患者对治疗的反应差异，以实现个体化治疗。研究新型药物，如针对特定炎症途径的生物制剂，以提供更有效的治疗选择，以及探索通过调节免疫系统来改善 COPD 和哮喘患者的气道炎症。此患者的治疗符合专家共识推荐的治疗方案，治疗方案综合了 COPD 和哮喘的治疗原则，使用了 ICS/LABA 组合和 LAMA，并且考虑到了他的过敏史和高 IgE 水平，奥马珠单抗的使用针对了患者的高 IgE 水平，这在治疗过敏性哮喘中是合理的，显示了治疗的个体化。但需要定期监测患者的肺功能和症状，奥马珠单抗治疗过程中需要密切监测患者的反应和潜在不良反应，并根据患者的具体情况调整治疗方案。应考虑加入肺康复计划，以进一步提高患者的生活质量和减少急性加重。需要对患者进行教育，包括正确使用吸入器技术和避免接触已知的过敏原。

参考文献

［1］中华医学会变态反应分会呼吸过敏学组（筹），中华医学会呼吸病学分会哮喘学组．中国过敏性哮喘诊治指南（第一版，2019 年）［J］．中华内科杂志，2019，58（9）：636−655.

［2］中华医学会呼吸病学分会慢性阻塞性肺疾病学组，中国医师协会呼吸医师分会慢性阻塞性肺疾病工作委员会．慢性阻塞性肺疾病诊治指南（2021 年修订版）［J］．中华结核和呼吸杂志，2021，44（3）：170−205.

（莫秋弟）

◎噬血细胞综合征

案例介绍

患者男，22 岁，于 2024-03-17 入院。

主诉：反复发热 3 周。

现病史：患者于 3 周前无明显诱因出现反复发热，热峰波动于 37 ～ 38℃，多发生于 13：00 ～ 15：00，伴大汗、咽部疼痛、全身肌肉关节疼痛，有咳嗽、咳白色痰，不易咳出，无恶心、呕吐，2024-02-24 于当地诊所就诊，予利巴韦林静滴、布洛芬退热后，症状有所好转，但退热效果较差。2024-02-25 夜间患者再次出现上述症状，自服布洛芬未退热，2024-02-26 患者再次就诊于当地诊所，予哌拉西林、利巴韦林静滴后，有所好转。2024-02-27 患者再次出现高热，热峰 40.3℃，就诊于另一诊所，予甲硝唑静滴，未退热，但乏力、肌肉关节疼痛有所缓解。2024-03-03 出现上述症状，并伴呕吐、恶心，具体治疗不详，并于 2024-03-06 就诊于外院，予阿奇霉素、左氧氟沙星静滴 3 日，未见明显好转，2024-03-07 患者出现双下肢及腹部水肿，呈凹陷性，后患者出院，于 2024-03-10 就诊于外院住院治疗 3 日（具体不详）。2023-03-13 患者就诊于外院，查血常规提示三系偏低，心肌酶五项高，PCT 0.34 ng/mL，予甲泼尼龙抗炎、利尿、护胃等对症治疗，建议骨髓穿刺以明确发热原因，患者家属拒绝检查，2024-03-17 要求转上级医院予办理出院。现患者仍反复高热、畏寒，伴有头痛、咽痛，全身乏力，现为进一步诊断治疗来我院就医，在门诊拟诊断为“发热查因”收入院。自发病以来精神状态较差，食欲较差，睡眠一般，大便正常，小便尿量正常，颜色浓茶色，体力情况如常，体重无明显变化。

检查

体格检查：T 38.2℃，P 118 次 / 分，R 22 次 / 分，BP 110/65 mmHg。神志清楚，腹部双下肢可见轻微红色斑疹，全身皮肤水肿，未见焦痂。全身浅表淋巴结未扪及肿大。咽充血水肿，扁桃体Ⅱ度肿大，右侧有白色脓点。胸廓正常，呼吸运动正常，呼吸节律正常，双肺叩诊呈清音，双肺呼吸音清，未闻及干、湿啰音。心前区无隆起，心尖搏动范围正常，心前区未触及震颤和心包摩擦感，心脏相对浊音界正常，心律齐整，各瓣膜听诊区未闻及杂音。腹部平坦，右中腹有压痛，无反跳痛，腹式呼吸存在，腹壁静脉无曲张，无胃型、肠型、蠕动波。

辅助检查：2024-03-10 外院查生化示，白蛋白 34.8 g/L，总胆红素 23.5 μmol/L，直接胆红素 9.3 μmol/L，PCT 0.6 ng/mL，CRP 6.81 ng/mL，SAA 63.3 mg/L。胸部 CT 示，支气管炎样改变；前胸壁皮下软组织水肿，请结合临床。血常规提示白细胞、中性粒细胞偏低，抗核抗体组、寄生虫组、结核 γ 干扰素、呼吸道九联检大致正常。2024-03-13 血常规提示，白细胞 1.36×10^9/L，血红蛋白 114 g/L，血小板 148×10^9/L，降钙素原 0.519 ng/mL，天冬氨酸氨基转移酶 356.3 U/L，肌酸激酶 3 343.3 U/L，肌酸激酶 -MB 42.8 U/L。2024-03-13 胸部 + 腹部 CT 示，双侧少量胸腔积液，左侧为著，双侧胸膜增厚，盆、腹少量积液，腹膜炎。胸壁、腹壁水肿。2024-03-16 颈部 + 锁骨上 + 腋窝淋巴结彩超、心脏彩超未见异常。

诊断

初步诊断：发热查因；新型冠状病毒感染；肝功能受损。

最终诊断：噬血细胞综合征；双肺炎；双侧胸腔积液（少量）；肝功能不全；心肌酶谱异常；低蛋白血症。

诊断依据：根据最新的中国噬血细胞综合征诊断与治疗指南，其诊断标准如下。①发热，体温 $>$ 38.5℃，持续 $>$ 7 天。②脾大。③血细胞减少（累及外周血两系或三系）。④血红蛋白 $<$ 90 g/L（新生儿 $<$ 100 g/L）。⑤血小板 $< 100 \times 10^9$/L。⑥中性粒细胞 $< 1.0 \times 10^9$/L（非骨髓造血功能减低所致）。⑦高三酰甘油血症和（或）低纤维蛋白原血症：空腹甘油三酯 $\geqslant$ 3.0 mmol/L（或高于同年龄的 3 个标准差）。⑧纤维蛋白原 $<$ 1.5 g/L（或低于同年龄的 3 个标准差）。⑨骨髓、脾脏、肝脏或淋巴结中发现噬血细胞现象。⑩血清铁蛋白升高，铁蛋白 $\geqslant$ 500 μg/L。⑪ NK 细胞活性降低或缺如。⑫ sCD25（可溶性白细胞介素 -2 受体）升高。诊断噬血细胞综合征时，符合以上 8 条中的 5 条即可。此外，对于原发性噬血细胞综合征，分子诊断发现已知噬血细胞综合征相关致病基因的病理性突变也是诊断标准之一。此患者符合以上 8 条中的 5 条，因此诊断明确。

诊疗经过

入院后予完善相关检查，2024-03-17 血常规 CDN+ 血型：白细胞计数 1.97×10^9/L，中性粒细胞绝对值 1.12×10^9/L，血红蛋白 98 g/L，血小板计数 120×10^9/L。凝血 5 项：纤维蛋白原 1.08 g/L，D- 二聚体测定＞ 40.00 mg/L。生化八项 + 血清尿酸测定（URIC）+ 生化八项 + 风湿 3 项（Fe3）+ 心肌酶 5 项（AMI5）+ 肝功全套（13 项）：抗链球菌溶血素“O” 220 U/mL，C 反应蛋白 10.16 mg/L，天门冬氨酸氨基转移酶 312 U/L，肌酸激酶 3 065 U/L，肌酸激酶同工酶 MB 活性 49 U/L，乳酸脱氢酶 1 945 U/L，丙氨酸氨基转移酶 336 U/L，总蛋白 49.5 g/L，白蛋白 30.0 g/L，前白蛋白 85.86 mg/L。2024-03-17 疟原虫检验组合：未发现。2024-03-18 登革病毒 NS1 抗原阴性（-）。2024-03-18 铁蛋白＞ 1 500.0 ng/mL。多通道 12 导联心电图检查：窦性心动过速；T 波改变。胸部 + 全腹部平扫及增强套餐（含三维 MPR）：双肺下叶炎症，双侧胸腔少量积液；双侧腰大肌走行区周围脂肪间隙模糊，拟炎性改变，请结合临床；胸、腹壁散在皮下脂肪间隙模糊，拟炎性改变，请结合临床。肝、胆、胰、脾、双肾、输尿管、膀胱、前列腺平扫及增强未见明显异常。2024-03-18 床边心脏彩超 + 心功能：心内结构及血流未见明显异常；左室收缩功能未见异常。

入院后予美罗培南（1 g，q12h）抗感染、化痰、营养支持及对症治疗。2024-03-18 予来瑞特韦片（0.4 g，tid）抗病毒，多烯磷脂酰胆碱、异甘草酸镁注射液护肝，补液，升白细胞，利尿，营养支持等治疗。2024-03-19 自身抗体组：自身抗体二项抗核抗体（ANA）弱阳性（1 ：100），核型胞浆型。

因抗感染后仍持续高热 3 天，于 2024-03-20 予甲泼尼龙琥珀酸钠（命得生）（40 mg，qd）抗炎、退热治疗。2024-03-20 血脂七项：甘油三酯 2.34 mmol/L。类风湿性关节炎二项：抗环瓜氨酸肽抗体 25.70 U/mL。降钙素原、高敏肌钙蛋白 I、脑利尿钠肽、甲功 5 项、肿瘤三项、自身抗体组、血管炎抗体组正常。甲、乙型流感抗原快速检测阴性。外斐氏、肥达氏试验均阴性。血培养阴性。血液 NGS（DNA+RNA）为阴性。2024-03-21 骨髓穿刺涂片：骨髓有核细胞增生活跃，偶见噬血现象。可溶性白细胞介素 2 受体（sCD25）：10 104.00/mL。2024-03-22 腹腔积液 B 超：腹腔未见明显积液声像。2024-03-23 颅脑平扫 + 增强：颅脑平扫及增强 MRI 未见明确异常。右侧下鼻甲肥厚。

患者于 2024-03-21 开始体温恢复正常，2024-03-23 血常规：白细胞计数 24.59×10^9/L，中性粒细胞绝对值 19.61×10^9/L，血红蛋白 108 g/L。凝血 5 项：纤维蛋白原 0.82 g/L，D- 二聚体测定 6.69 mg/L。钾 2.94 mmol/L，总蛋白 61.0 g/L，白蛋白 37.2 g/L，丙氨酸氨基转移酶 186.8 U/L，天门冬氨酸氨基转移酶 121.6 U/L，肌酸激酶 590.00 U/L，乳酸脱氢酶 1 328.0 U/L，α – 羟丁酸脱氢酶 1 012 U/L。经血液内科医师会诊考虑诊断为噬血细胞综合征。建议血液内科进一步治疗，经与家属商量，2024-03-25 停静脉激素，改口服泼尼松（25 mg，qd）治疗，患者 4 天内无发热，于 2024-03-26 予出院，嘱当地医院血液内科进一步治疗。

出院情况

患者体温正常 4 天以上，于 2024-03-26 出院。出院后用药：继续口服多烯磷脂酰胆碱胶囊（易善复）（456 mg，po，tid）；醋酸泼尼松片（强的松）（25 mg，po，qd）；雷贝拉唑钠肠溶胶囊（20 mg，po，qd）；氯化钾缓释片（1 g，po，tid）。

患者出院后于当地血液专科就诊后未予特殊诊治。因“发热 2 天”于 2024-04-23 再次入院，入院后予注射用头孢曲松钠（立健松）（2 g，qd）抗感染、磷酸奥司他韦胶囊（达菲）（75 mg，bid）抗病毒、补液、退热等治疗。患者于 2024-04-23 晚上突然出现寒战、胸闷、气促、烦躁、恶心、呕吐胃内容物数次，测血压 98/50 mmHg，脉搏 170 ~ 183 次 / 分，呼吸 33 ~ 44 次 / 分，SpO_2 96%。查床旁心电图提示室上性心动过速，遂转 ICU 监护治疗，2024-04-25 外送金域血液 sCD25 3 370 U/mL。血液 NGS 检测未见相关病原学。血培养阴性。2024-04-25 行腰穿留取脑脊液送检，脑脊液检测未见异常。2024-04-26 骨髓穿刺：增生明显活跃。予以开通深静脉通道补液抗休克、物理降温、升压、“美平”强化抗感染、注射用甲泼尼龙琥珀酸钠 40 mg（2024-04-24 至 2024-04-28 每天两次，2024-04-29 至出院每天一次）、丙种球蛋白 20 g 及稳定内环境等处理，患者病情稳定，无发热，未诉明显不适，考虑嗜血细胞综合征，嘱患者出院后肿瘤医院就诊。

讨论

首先，须分析发热的原因。发热是机体对感染、炎症、肿瘤、免疫反应等病理过程的一种生理反应。在本病例中，患者的症状和体征提示可能的病因有：①感染性疾病。患者有发热、咳嗽、咳痰等症状，需要考虑呼吸道感染，包括病毒性肺炎、细菌性肺炎等。但患者的胸部CT显示支气管炎样改变，并未显示典型的肺炎征象，且血培养阴性，病毒性感染的抗原检测也为阴性，因此感染性疾病的可能性降低。还需要排除其他可能导致发热的疾病，如结核：虽然患者的结核γ干扰素检测正常，但结核可以表现为非典型症状，需要进一步排除。②淋巴瘤或其他恶性肿瘤。患者的发热等症状需要考虑淋巴瘤等恶性肿瘤的可能，但目前检查结果不支持这一诊断，需要进行淋巴结活检协助诊断。③自身免疫性疾病。患者自身抗体ANA弱阳性，但其他自身免疫性疾病的指标正常，不足以诊断自身免疫性疾病。患者的症状包括发热、血细胞减少、高三酰甘油血症和低纤维蛋白原血症、血清铁蛋白升高、sCD25升高等，符合《中国噬血细胞综合征诊断与治疗指南（2022年版）》的诊断标准。此外，骨髓穿刺涂片显示偶见噬血现象，进一步支持了噬血细胞综合征的诊断。总结此病例的发热特点，笔者认为最可能的诊断是噬血细胞综合征。患者经过抗感染、抗病毒、激素抗炎、护肝、补液、白蛋白、升白细胞、利尿、营养支持等治疗后，体温恢复正常，症状有所改善。但出院后患者再次出现发热，提示病情可能复发或未得到有效控制，需要进一步的血液内科治疗。

噬血细胞综合征是一种罕见但严重的疾病，其特征是过度的炎症反应和免疫激活，导致多器官功能障碍。噬血细胞综合征可以是原发性的，与遗传性免疫调节缺陷有关，也可以是继发性的，由感染、恶性肿瘤、自身免疫性疾病等多种因素触发。在本病例中，患者的症状和实验室检查结果提示继发性噬血细胞综合征的可能性较大。根据最新指南，噬血细胞综合征的治疗分为两个阶段：诱导治疗和维持治疗。诱导治疗的目的是迅速控制炎症反应和噬血现象，常用的方案包括依托泊苷、地塞米松和环孢素A的联合使用。研究表明，这种联合治疗方案能显著提高噬血细胞综合征患者的存活率。近年来，噬血细胞综合征的研究取得了显著进展。基因治疗在原发性噬血细胞综合征中显示出了巨大潜力，特别是对于PRF1、UNC13D等基因突变的患者。此外，生物制剂如阿那白滞素和托珠单抗也被用于治疗难治性噬血细胞综合征，显示出良好的疗效和安全性。噬血细胞综合征的预后与多种因素相关，包括病因、治疗反应和患者的基础状况。早期诊断和治疗是改善预后的关键。系统评价发现，及时的免疫抑制治疗能显著降低噬血细胞综合征患者的死亡率。

针对本病例，建议采用以下治疗方案。①诱导治疗：依托泊苷（VP-16）联合地塞米松和环孢素A，治疗周期通常为8周。②维持治疗：在诱导治疗后，根据患者反应，可使用依托泊苷和地塞米松的交替方案进行维持治疗。③对症治疗：包括抗感染治疗、补充白蛋白、纠正凝血功能障碍等。④基因治疗：对于有明确基因突变的患者，可考虑进行基因治疗。⑤生物制剂：对于难治性或复发性噬血细胞综合征，可考虑使用阿那白滞素或托珠单抗。

另外，对于噬血细胞综合征患者，需定期进行血液学检查、生化指标、铁蛋白水平和影像学检查，以评估治疗效果和监测潜在的并发症。由于噬血细胞综合征患者免疫功能受损，容易发生感染，因此需要密切监测感染迹象，并采取预防措施。噬血细胞综合征的治疗过程可能漫长且具有挑战性，患者及其家庭可能需要心理支持和咨询。噬血细胞综合征的治疗需要血液科、感染科、重症监护等多学科团队的合作，以提供全面的护理。噬血细胞综合征是一种复杂的临床综合征，需要多学科团队合作进行综合治疗。早期诊断、及时的免疫抑制治疗和个体化治疗方案对于改善患者预后至关重要。

参考文献

［1］Lehmberg K，Schäfer M，Janka G E. Biotherapies for hemophagocytic lymphohistiocytosis［J］. Expert Opin Biol Ther，2013，13（2）：195-205.

［2］Henter J I，Horne A，Aricó M，et al. HLH-2004：Diagnostic and therapeutic guidelines for hemophagocytic lymphohistiocytosis［J］. Pediatr Blood Cancer，2007 Feb；48（2）：124-131.

（莫秋弟）

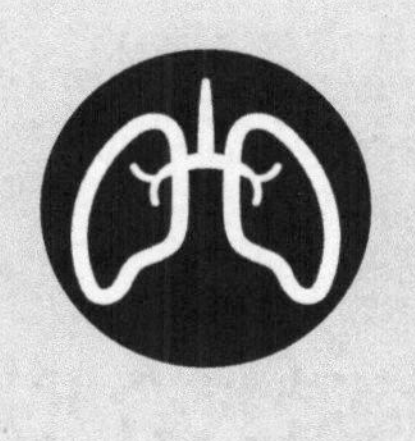

一 护理篇

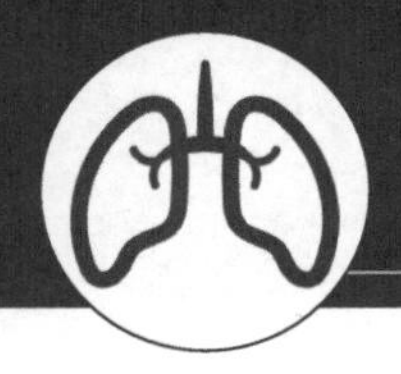

第八章　感染性疾病护理

◎ 重症肺炎合并腹腔感染

案例介绍

1．基本信息

患者男，76 岁。

主诉：（家属代诉）咳嗽咳痰 1 个月。

现病史：家属代诉患者于 1 个月前发现呼之不应，怀疑自服“高效氯氟氰菊酯”，呼叫救护车至外院，予以阿托品抢救及急诊洗胃、抗胆碱能、氯解磷定复能、血液灌流、护肝护胃、抗感染等治疗好转。期间出现突发血氧下降、呼吸心率减慢，予以心肺复苏、气管插管后转 ICU 治疗后好转，伴咳嗽痰多，痰难以咳出，诊断考虑为肺炎型呼吸衰竭，先后予美罗培南、头孢哌酮舒巴坦抗感染治疗好转后，10 天前转至另一医院继续吸氧、抗感染、止咳化痰、支气管镜吸痰等治疗，病情一度好转，但 1 天前突发气促明显，血氧饱和度下降，神志不清，家属办理自动出院。出院后患者神志一度转清，但痰多，无法自行排出，为进一步诊断治疗来我院急诊就医，急诊胸部 CT 提示双肺炎症，右侧为著；双侧少量胸腔积液，右侧稍多；建议治疗后复查；气管及右主支气管黏液栓；气管憩室。在急诊拟诊断为“肺炎；中毒性脑病”收入院。自发病以来，精神状态较差，无法自行进食，睡眠差。

2．病史

既往史：平素身体良好，外院住院诊断脑梗死，否认高血压、冠心病、糖尿病等慢性病史，否认肝炎、结核等传染病史，否认手术史、外伤史，否认输血史，否认过敏史。

3．医护过程

体格检查：T 36.5℃，P 78 次 / 分，R 21 次 / 分，BP 111/77 mmHg。神志清楚，平卧位，不能应答。胸廓正常，呼吸运动正常，呼吸节律正常，双肺叩诊呈清音，双肺呼吸音粗，闻及双肺散在干、湿啰音及痰鸣音，双下肺显著。心律不齐整，各瓣膜听诊区未闻及杂音。腹部平坦，腹式呼吸存在，腹肌柔软，无压痛、反跳痛。

诊疗计划：① I 级护理，流质饮食；②完成下列检查：三大常规、生化、心彩超、心电图、BNP、CTnI、心肌酶、血气分析等；③胃管进食、吸氧、抗炎、平喘、祛痰；④根据病程调整方案，择期气管镜检查。

护理措施

（一）感染护理

（1）遵医嘱正确使用抗感染药物，观察药物疗效和不良反应，动态观察患者实验室检查指标。

（2）监测患者体温情况，并注意病房温湿度环境，医护人员注重手卫生，防止交叉感染。同时指导患者及家属勤洗手，注意个人卫生。

（3）做好患者的口腔护理，预防细菌滋生，防止进一步感染。

（4）观察患者腹腔引流液的性质、量、颜色，管道不可反折，确保通畅无阻，并观察穿刺口有无红肿，敷料有无渗液出血等。

（5）观察患者有无大汗淋漓、肌力紧张、疼痛、腹胀、腹部硬直等情况。

（二）清理呼吸道无效

（1）予药物氧气雾化吸入，雾化后拍背排痰，予吸痰护理，保持呼吸道通畅，减少痰液。

（2）保持病房内空气通风，湿度为 50% ~ 70%，加强患者气道的湿化。

（3）协助家属经常变换体位，至少 2 h 翻身一次。

（4）必要时行纤维支气管镜。

（5）持续心电监测，密切关注患者血氧等生命体征的变化。

（三）营养支持

（1）合理使用营养制剂：选择适当的肠内营养配方，浓度由稀到浓，采用营养泵控制速度，输注速度逐渐递增。

（2）禁食期间，遵医嘱使用静脉营养液，通过静脉输液方式将营养物质输送到血液中，满足患者的营养需求。

（3）胃残余量监测：定时回抽患者胃管，观察潴留情况，记录胃肠减压的性质、量、颜色，防止管道脱出及受压，确保有效减压。

（4）监测患者胃肠道情况：有无出现腹胀、反流、恶心、呕吐、腹泻。

（5）动态关注患者血糖、血脂、血钙检验指标，评估患者营养情况。

（四）并发症预防：下肢深静脉血栓

（1）指导并协助患者行被动踝泵运动：10 组 / 次，5 次 / 天。

（2）指导并协助患者行被动直腿抬高运动：20 组 / 次，3 次 / 天。

（3）在生命体征平稳、保证管道安全下，协助患者行坐位下肢运动：患者坐于床边，双下肢自然下垂，进行踝关节屈伸动作。持续 3 ~ 5 分钟，每天进行 2 次。

（五）预防非计划性拔管

（1）患者留置左右腹腔引流管、空肠管、尿管、深静脉导管，有非计划性拔管的危险。

（2）充分评估、熟悉各管道的作用，做好标识。

（3）科学有效做好二次固定，勤巡视，床头悬挂防脱管警示牌。

（4）保持各管道的固定通畅，防止扭曲、脱落、堵塞。

（5）做好患者及家属宣教，讲解留置各管道的重要性及防脱管的方法。

小结

（1）腹腔感染指致病菌从原发致病器官进入腹腔造成感染，多为腹腔内脏器官穿孔、坏疽、器官穿透等原因。由于腹膜表面积大、血管丰富，极易吸收腹腔感染的各种细菌与毒素入血及发生细菌易位，引起全身炎症反应，造成脓毒症。

（2）重症肺炎是呼吸科中常见的感染和并发症，据报道南欧一些国家呼吸内科的重症肺炎死亡率高达30%。我国一些文献报道老年患者普遍基础疾病多且重，部分合并应用激素制剂等导致免疫功能低下。

（3）护士在疾病治疗护理过程中制订精准细致的护理计划在护理安全中起着积极的作用。

（4）制订精准细致的营养计划是患者快速康复的保证。

（5）通过多学科合作进行治疗、护理可以达到比较满意的效果。

（6）护理人员应对患者进行健康教育与心理护理，通过交流与沟通掌握患者基本情况，针对性地予以护理，加深患者对疾病成因、治疗方式等的了解，配合心理疏导，有助于提升患者依从性，消除或减轻负面情绪。

参考文献

［1］杨君. 腹腔感染和肺部感染引起的脓毒症应用连续性血液净化治疗的回顾性研究［D］. 山东：山东大学，2014.

［2］李乐，余稳稳，曹廷宝，等. 腹腔持续冲洗引流治疗肠瘘合并腹腔感染的临床疗效观察［J］. 中国普外基础与临床杂志，2018，25（12）：1487-1490.

［3］姚震旦，杨宏，崔明，等. 胃癌根治术后60岁以上患者肺部感染危险因素分析［J］. 中华胃肠外科杂志，2019，22（2）：164-171.

（洪珊珊）

◎ 重症肺炎合并胃排空延迟

案例介绍

1. 基本信息

患者女，32 岁。

主诉：咳嗽咳痰、气促 20 余天。

现病史：患者于 20 余天前因在外院行全麻下“原切口后正中入路脑干肿瘤切除术 + 去骨瓣减压术”及气管切开术后出现咳嗽、咳黄黏痰，伴气促，期间有发热，具体热峰不详，先后予美罗培南、硫酸多黏菌素 B、盐酸万古霉素、头孢曲松等治疗，具体不详，患者上述症状好转后转县中医院治疗，查胸部 CT 示：双肺斑片状阴影，考虑感染，双侧胸腔少量积液。痰培养示：肺炎克雷伯菌肺炎亚种（耐碳青霉烯类抗菌药物肠杆菌）、铜绿假单胞菌（耐碳青霉烯类抗菌药物铜绿假单胞菌）。予美罗培南抗感染、呼吸机辅助呼吸等治疗，患者仍有咳嗽、咳黄黏痰，有痰不易咳出，有左眼视物重影及左侧肢体麻木、乏力，有左侧胸痛，无咯血，无大汗淋漓，无畏寒、发热等，现患者为进一步诊治，在门诊拟诊断为“肺炎”收入院。自发病以来精神状态一般，食欲一般，睡眠良好，大便 3 天未排，小便正常，体力情况如常，体重无明显变化。

2. 病史

既往史：平素身体良好，16 年余前曾因“脑干肿物”行颅内手术史，期间曾行两次伽马刀治疗，具体不详。2024-03-25 在外院行全麻下原切口后正中入路脑干肿瘤切除术 + 去骨瓣减压术，术后病理提示不除外节细胞胶质瘤。否认高血压、冠心病、糖尿病等慢性病史，否认肝炎、结核等传染病史，否认外伤史，否认输血史。对美林、白蛋白过敏。

3. 医护过程

2024-04-24 至 2024-04-27：2024-04-24 患者留置胃管，胃潴留明显。气管镜下可见患者右肺内大量黄绿黏痰，痰中混有较多营养液，左肺可见较多黄色分泌物，混有部分吸入物，2024-04-24晚再次发生误吸，2024-04-25至2024-04-27出现高热、血氧饱和度下降、痰多等，每日气管镜吸痰，气管镜下可见左肺较右肺吸入物多。

2024-04-27至2024-05-07：2024-04-27患者出现高热、血氧低，病情危重，转ICU治疗，期间间断行气管镜检查，都可见较多痰液，2024-05-02停用呼吸机改用高流量吸氧；间断饮食及胃肠减压。

2024-05-07至2024-05-10：患者由ICU转回呼吸科，予持续氧疗、间断吸痰等，间断肠内营养＋胃肠减压＋肠外营养，2024-05-10开始禁食，胃肠减压，只进行静脉营养。

2024-05-10至2024-05-17：2024-05-10退出胃管11 cm接负压吸引，引流食管下段及胃内容物；期间间断行气管镜检查，可见痰里仍混有吸入物；期间持续胃肠减压＋静脉营养卡文；持续氧疗。

2024-05-17至2024-05-22：2024-05-17在介入室于局麻下行“经鼻肠营养管置入术”，2024-05-18恢复鼻饲30 mL/h，持续胃肠减压；2024-05-22停止氧疗改低流量吸氧，予择期出院。

护理措施

（一）气体交换受损

1．氧疗护理

氧疗过程中，密切观察患者呼吸频率、呼吸困难情况、生命体征（特别是血氧饱和度情况）；及时监测血气分析。

氧合指数＝（氧分压/吸入氧的百分比）×100％（氧合指数正常值为400～500 mmHg，如果PaO_2明显下降，加大吸入气中氧浓度无助于进一步提高PaO_2，氧合指数小于300 mmHg时，则提示肺呼吸功能障碍）。

2．保持气道通畅，加强气道湿化管理

气管切开患者，上呼吸道完全丧失了气体的加温、湿化及过滤作用，防御功能减弱。湿化不够，将在人工气道或上呼吸道上形成痰痂，痰痂一旦形成，可阻塞支气管，使气道阻力增大，引起呼吸困难、窒息等，该患者肺部感染严重、

痰多、痰液无法自行排出，予间断气切口吸痰促进痰液排且予持续气道湿化，控制湿化温度为 34 ～ 41℃。

3. 合理使用抗生素

多黏菌素 E 甲磺酸钠可作为铜绿假单胞菌感染的首选药物。遵医嘱予多黏菌素 E 甲磺酸钠注射液、左氧氟沙星注射液静脉滴注，观察药物疗效及不良反应。

（二）营养失调护理

（1）营养科会诊：使用安素肠内营养粉鼻饲，每次调配量为水 200 mL 加安素粉 50 g，2 次 / 日，250 mL/ 次。

（2）指导家属给患者按摩足三里、三阴交等穴位以调节脾胃，促进消化。

（3）三腔喂养管的日常维护。

（4）胃潴留的监测与评估。

（5）准确记录患者进食量、大便量等。

（三）康复护理

评估患者肌力，指导患者功能锻炼：①床上踩单车每天两次，每次 3 分钟；②左上肢抗阻运动，每天两次，每次 30 下，以患者耐受为主。

（四）防误吸护理

（1）予留置三腔喂养管，取坐位进食，进食后半小时不宜平卧，以免食物反流。

（2）进食前、后 30 分钟禁止翻身拍背。每天听诊肺部有无湿啰音，合理安排拍背、翻身时间。

（3）予吸痰护理：密切观察呼吸、咳嗽咳痰情况，详细记录痰液性质、颜色、总量，监测呼吸及血氧情况；呕吐时暂停喂食，头偏向一侧，及时清洁口腔。

（五）管道护理

（1）使用黏度高、透气性好的 3M 胶布以“T”字形妥善固定胃管，并做好面颊部的二次固定，固定管道的胶布如出现潮湿、污染、脱落等及时更换。

（2）每班观察胃管外露部分的长度，做好记录，做到班班交接。

（3）在患者意识不清时予约束护理。加强对患者家属的宣教。

小结

胃潴留或称胃排空延迟是指胃内容物积贮而未及时排空。凡呕吐出 4 ~ 6 小时以前摄入的食物，或空腹 8 小时以上，胃内残留量＞ 200 mL 者，表示有胃潴留存在。本病分为器质性与功能性两种，前者包括消化性溃疡所致的幽门梗阻，及胃窦部及其邻近器官的原发或继发的癌瘤压迫、阻塞所致的幽门梗阻。功能性胃潴留多由于胃张力缺乏所致。呕吐为本病的主要表现，呕吐物常为宿食，反流性食管炎患者由胃的内容物反流入食管，食管中的反流物吸入气管、支气管和肺部，会导致吸入性肺炎。胃食管反流、呕吐、呃逆、胃潴留、误吸等均属于鼻饲患者常见的胃肠道并发症，且常常互为因果，护士应熟悉其并发症的临床表现，能够根据患者的个体差异、病情特点采取正确的鼻饲方法，尽量减少并发症的发生，确保患者的护理安全。

参考文献

[1] 陈丁铭，刘震，田志华，等. 刘震基于“郁、痰、瘀”治疗胃食管反流病经验总结［J］. 中国中医基础医学杂志，2024，30（4）：614-617.

[2] 吕迎春，赵炜，蔡翠珠，等. 益气健脾清肝和胃方对脾胃虚弱型胃食管反流患者的临床疗效［J］. 中成药，2024，46（8）：2830-2833.

[3] 李景泽，庞立健，臧凝子，等. 慢性阻塞性肺疾病合并胃食管反流症的中西医研究进展［J］. 辽宁中医药大学学报，2024，26（4）：96-100.

（洪珊珊）

◎ 重症肺炎合并脓毒血症

案例介绍

1. 基本信息

患者男，87 岁。

主诉：反复咳嗽、咳痰 7 个月余，加重 1 天。

现病史：家属代诉，患者于 7 个月前无明显诱因突然出现咳嗽、咳痰，呈阵发性咳嗽，痰为黄色黏液样，伴发热、活动后气促，伴畏寒、寒战，不伴有咽痛，不伴有胸痛，不伴有盗汗、乏力。遂到外院就诊，考虑肺炎，后因病情加重转至 ICU 治疗，因患者痰多、咳嗽能力差，予行气管切开术，后辗转于多个医院行气管镜吸痰、平喘、抗感染等治疗。1 天前家属诉患者痰量增多，气促明显，为进一步诊断治疗就医，在门诊拟诊断为“肺炎”收入院。自发病以来精神状态较差，食欲较差，进食可，睡眠较差，大便正常，小便正常，体力情况如常，体重明显减轻，无意识障碍。

2. 病史

既往史：患高血压 2 年，收缩压最高达 160 mmHg，目前已停用降压药，血压控制尚可。住院期间发现冠心病、心房颤动病史，具体不详，现服用螺内酯片（20 mg，qd）、呋塞米片（20 mg，qd）、酒石酸美托洛尔片（25 mg，bid）、地高辛（0.125 mg，qd）、利伐沙班（15 mg，qd）治疗。否认糖尿病，否认肝炎、结核，否认手术史、外伤史，否认输血史，否认过敏史，预防接种史不详。

3. 医护过程

体格检查：T 36.5℃，P 54 次 / 分，R 22 次 / 分，BP 105/52 mmHg。营养不良，神清，胸廓正常，呼吸运动正常，呼吸节律正常，双肺叩诊呈清音，双肺呼吸音清，未闻及干、湿啰音。心律齐整，各瓣膜听诊区未闻及杂音。腹部平坦，腹肌柔软，无压痛、反跳痛，未触及腹部包块，肝脾肋下未触及，肾脏未触及，墨菲阴性，肝浊音界存在，移动性浊音阴性，肾区无叩击痛，肠鸣音正常。

诊疗计划：① I 级护理，流质饮食。②完成下列检查，三大常规、生化、心电图、胸部 CT、BNP、CTnI、心肌酶、血气分析等。③吸氧、平喘、舒普深抗感染、抗凝、助眠等对症治疗。

护理措施

（一）维持有效循环血量

1．体位

平卧时可适当抬高床头及双下肢。

2．病情观察

给予心电监护，密切观察患者生命体征，包括体温、呼吸、血压、心率、尿量及意识状况，皮肤色泽及肢端温度情况。

3．循环护理

留置 mc 导管，及时补液，以恢复循环血量，准确记录 24 小时出入量，液体控速。

4．血管活性药物治疗

选用了去甲肾上腺素，长期使用会导致心排出量减少，做好药物观察。

5．呼吸道护理

保持患者呼吸道通畅，及时吸痰，纤支镜治疗，呼吸机辅助呼吸以保持患者呼吸功能的稳定。

6．抗菌药物的使用

及时处理原发病灶，根据药物敏感试验及时调整敏感抗生素，并观察药物不良反应。

7．营养支持

给予患者鼻饲（能全力肠内营养液，250 kcal/ 餐）、补充水分、酸碱平衡调节等支持。

（二）用药护理——去甲肾上腺素的应用

1．血压监测

遵医嘱以 0.5 mL/h 为单位逐渐减量，每 10 分钟测量血压一次，相关稳定期 30 分钟测量血压一次。

2．确保药物输注速度稳定

单通道输注，避免任何加快或中断输注药物的因素，制定统一更换药物方式，确保均速给药。

3．观察注射部位及四肢皮温、血运情况

选择深静脉导管，持续用药可导致组织缺血、缺氧坏死，促使局部血管强烈收缩，患者使用 mc 导管输注，使用中若出现四肢湿冷，予加强保暖。

4．根据病情遵医嘱逐渐减量至停用

持续使用时，可使回心血流量减少，外周血管阻力增高，心排出量减少，可引起重要器官供血不足，少数患者可出现心律失常等症状。

（三）房颤护理

（1）病情观察：给予心电监护，密切观察心电图波动，及时发现异常。

（2）抗感染治疗及维持血流动力学稳定：予去甲肾上腺素、平衡液升压治疗。

（3）氧疗：高流量氧疗、有创辅助通气治疗，减少心脏耗氧量。

（4）控制心室率（频率控制）的药物：美托洛尔片 23.75 mg/d，毛花苷 C 注射液缓慢静脉推注处理。

（5）抗凝治疗：利伐沙班片 15 mg 口服。

（6）容量管理：减少或排除增加心脏负荷的原因和诱因，保持大便通畅，限制补液量，准确记录 24 小时出入量，维持负平衡。

（7）各种护理操作要轻柔，观察皮肤黏膜有无瘀点瘀斑，牙龈、大小便有无出血。

（四）预防呼吸机相关性肺炎护理

（1）体位管理：床头摇高 30° ~ 45° 防止误吸；定期检查床头抬高角度，防止下滑。

（2）呼吸道管理：及时处理患者声门下分泌物，痰液黏稠且量多者可持续声门下吸引，动态评估分泌物，做好分泌物吸引护理。

（3）每班护士监测气管导管套囊压力，维持在 25 ~ 30 cmH_2O。

（4）口腔护理：做好口腔护理，采用带有吸引功能的牙刷边擦洗边吸引，口腔护理前气囊充气，避免气管内流入液体。

（5）气道湿化：对湿化效果、痰液黏稠度进行评断。

（6）手卫生管理：严格执行七步洗手法，监测手卫生消毒效果，减少交叉感染。

（7）营养支持：长时间行机械通气者予以肠内营养，避免降低胃酸杀菌效果。

（8）鼓励早期开展康复锻炼：机械通气 24 h 后，开始对患者肩、肘、腕、膝、踝等关节进行被动活动，增加渐进性康复训练，包括床上活动、直立坐起、坐站位转换、床旁站立等。

（9）自主呼吸训练：指导患者进行自主呼吸训练及缩唇呼吸、吹气球等指令性动作。

（10）每日评估患者拔管指征，一旦达到拔管指征立即撤机拔管。

（五）潜在并发症：有静脉血栓风险

（1）遵医嘱予口服利伐沙班，注意观察有无出血情况。

（2）床上肢体功能锻炼。予踝泵运动（急性期被动运动，稳定期主动运动）：予脚尖上勾，脚尖缓缓下压，保持 10 秒，协助其活动下肢肢体。2 次 / 天，5 组 / 次。从被动到主动进行锻炼。

（3）股四头肌运动，2 次 / 天，5 组 / 次。

（4）少量多次鼻饲温开水。

（5）使用润肠通便药，保持大便通畅。

小结

（1）重症肺炎：是由肺组织（细支气管、肺泡、间质）炎症发展到一定疾病阶段，恶化加重，引起器官功能障碍甚至危及生命。其中，老年人由于免疫力下降，受到细菌、真菌及病毒等病原体感染，极易诱发重症肺炎。重症肺炎治疗期间以机械通气为主，可改善呼吸功能及病情稳定效果，但在获得疗效的同时会使患者表现出呼吸机相关性肺炎等系列并发症，治疗和护理干预力度加强对于老年患者病情康复意义显著。

（2）感染性休克（septic shock）也称脓毒休克，是指侵入血液循环的病原微生物及其毒素等激活宿主的细胞和体液免疫系统，产生各种细胞因子和炎症介质，引起全身炎症反应综合征，并进一步作用于机体各个器官系统，导致以休克为突出表现的危重综合征。感染性休克患者病情观察很重要，早期识别感染性休克，并采取相应措施控制休克的发生是保障患者安全、降低病死率的关键。

（3）做好医院感染防控技术，加强消毒隔离，降低院内感染风险。

（4）在心律失常得到控制后，及时指导患者进行康复锻炼。药物联合康复锻炼可明显改善患者呼吸困难症状、运动耐力和生活质量。

参考文献

［1］中国医师协会急诊医师分会．中国急诊感染性休克临床实践指南［J］．中华急诊医学杂志，2016，25（3）：274-287.

［2］严玉娇，丁娟，刘晁含，等．成人危重症患者气道管理的最佳证据总结［J］．护理学报，2021，28（3）：39-45.

［3］蔡春雨，余电有，权里平，等．心房颤动发病炎症机制的研究进展［J］．中国老年学杂志，2023，43（3）：751-756.

［4］郭豫涛．中国老年心房颤动临床流行病学和抗栓管理现状及变化［J］．中华老年心脑血管病杂志，2017，19（9）：988-990.

［5］黄从新，张澍，黄德嘉，等．心房颤动：目前的认识和治疗的建议 -2018［J］．中国心脏起搏与心电生理杂志，2018，32（4）：315-368.

（洪珊珊）

◎ 重症肺炎合并呼吸衰竭

案例介绍

1. 基本信息

患者男，74 岁。

主诉：反复咳嗽咳痰、气促 20 余年，加重 1 个月。

现病史：患者近 20 年前出现咳嗽咳痰及气促等症状，多在感冒受凉后及天气转变时加重，近 5 年持续家庭无创呼吸机辅助通气治疗。1 个月前患者因摔倒致头部外伤，同时伴气促、神志不清症状，急送至外院就诊，于 2024–02–01 行气管切开术，术后尝试脱离呼吸机辅助通气，但脱机后患者出现气促，二氧化碳分压升高，脱机困难，予持续有创呼吸机辅助通气治疗，住院期间偶有躁动、神志错乱等精神症状出现，予奥氮平、地西泮等对症治疗。诊断：重症肺炎；气管切开状态；慢性阻塞性肺疾病伴有急性加重；Ⅱ型呼吸衰竭。自起病来，患者神志不清，精神较差，睡眠一般，胃纳尚可，大小便正常，近期体重未见明显减少。

2. 病史

既往史：2024–01–20 患者于外院住院期间出现精神异常，曾口服奥氮平（2.5 mg，qn）治疗，近 3 天停药。

3. 医护过程

体格检查：T 36.5℃，P 90 ~ 108 次 / 分，R 20 次 / 分，BP 121/61 mmHg，SpO_2 98%。意识不清，呼之不应，瞳孔等大等圆，直径 3.0 mm，对光反射灵敏。带入气切套管、咳嗽咳痰（Ⅱ度咖啡色、大量黏痰），听诊双肺呼吸音粗，叩诊呈清音，可闻及湿啰音。心律整齐，左室收缩功能减退，双下肢无水肿。神志不清，精神状态差，四肢肌力Ⅲ级，格拉斯哥评分为 15 分。消瘦面容、腹肌柔软，无压痛、反跳痛等，大小便正常。

诊疗计划：①一级护理、告病重、流质饮食；②完善相关检查；③有创呼吸机辅助通气，持续心电监护，监测24小时出入量、抗感染、止咳化痰、利尿、加强营养；④保持呼吸道通畅，定时行床边吸痰，定期行气管镜检查；⑤康复护理。

2024-02-20，患者意识不清，呼之不应，瞳孔等大等圆，直径3.0 mm，对光反射灵敏。经气管切开口吸痰，可吸出大量咖啡色痰液。予有创呼吸机辅助通气；予心电监护，记24小时出入量、抗感染、止咳化痰、利尿、加强营养。

2024-02-21至2024-03-14，患者有大量黏痰，排痰困难，间断予经气管套管内吸出大量黄黏痰并行纤维支气管镜吸痰+肺泡灌洗并取气道分泌物行细菌、真菌化验。

2024-03-06至2024-03-15，患者四肢肌力Ⅲ级，进行康复科干预，间断创呼吸机辅助通气18 h。尝试自备呼吸机超过18 h，成功出院。

诊疗计划：①Ⅰ级护理、告病重、流质饮食；②完善相关检查；③有创呼吸机辅助通气，持续心电监护，监测24小时出入量、抗感染、止咳化痰、利尿、加强营养；④保持呼吸道通畅，定时行床边吸痰，定期行气管镜检查；⑤康复护理。

护理措施

（一）气管切开接呼吸机辅助呼吸护理

（1）体位管理：床头摇高30° ~45° 防止误吸。

（2）呼吸机的监护和护理：注意观察通气量及气道压力、加强气道湿化、吸痰护理、纤维支气管镜吸痰护理，每周行呼吸机管路的更换及配件清洗消毒。

（3）遵医嘱行抗感染、止咳化痰、平喘解痉等对症治疗。

（4）口腔护理：口腔护理前给气囊充气，避免气管内流入液体。

（5）手卫生管理：严格执行七步洗手法，减少交叉感染。

（6）营养支持：长时间行机械通气者予以肠内营养，避免降低胃酸杀菌效果。

（7）鼓励早期开展康复锻炼：机械通气24 h后，开始对患者肩、肘、腕、膝、踝等关节进行被动活动，实施渐进性康复训练。

（8）加强皮肤护理：保持皮肤清洁干燥，勤擦洗、勤翻身，防止压力性损伤。

（二）保持呼吸道通畅

（1）按需吸痰，保持呼吸道通畅。

（2）加强气道湿化，遵医嘱使用化痰药物。

（3）有效咳嗽咳痰：晨起，雾化后行 5 ~ 6 次深呼吸，于吸气末身体前倾，张口咳嗽。

（4）予拍背排痰：五指并拢呈空状，以腕关节的力量、10 ~ 20 次 / 分的频率，由下到上、由外向内叩击，每次翻身时给患者拍背。

（三）康复护理

（1）患者神志转清后，生命体征平稳，医生指示请康复治疗师共同制定患者康复计划。联合康复治疗师行低、中频脉冲电治疗，转移动作，关节松动训练，关节被动训练，吞咽功能训练。

（2）在被动运动基础上行抗阻力运动，如被动空中踩车，协助行拉伸起坐训练。

（3）评估其下肢肌力，下肢肌力达 3 级时，指导其行主动空中踩车锻炼，若患者耐力不够，予继续下肢智能康复锻炼，5 分钟 / 次。

（四）营养支持

（1）留置胃管，肠内营养混悬液 50 mL/h+ 间断鼻饲米汤、奶粉（家属自备）以满足患者的营养需求。

（2）鼻饲温度以 40℃为宜，鼻饲注入速度应均匀缓慢，以减少对胃肠的刺激及食物反流。

（3）鼻饲后用温开水冲洗胃管，防止鼻饲液存留变质引起胃肠炎或胃管堵塞。

（4）每班抽吸患者胃残余量并记录。

（5）口腔护理。

（6）肠外营养支持。

小结

重症肺炎合并呼吸衰竭患者的护理需要在呼吸道管理方面严格执行无菌操作，定时协助患者翻身、叩背，促进痰液排出，保持呼吸道通畅。同时注重营养支持，通过合理的饮食安排或必要时的肠内、肠外营养，增强患者的抵抗力。心理护理也不容忽视，积极与患者沟通交流，缓解其紧张、焦虑情绪，增强其战胜疾病的信心。

参考文献

[1] 张淑琴，汤晓玲，张侠．呼吸衰竭的治疗进展 [J]．临床肺科杂志，2009，14（12）：1651–1652，1663.

[2] 陈志苑，张晓静，王伟良．预防性护理在预防老年呼吸衰竭机械通气患者呼吸机相关性肺炎中的价值体会 [J]．中西医结合心血管病电子杂志，2020，8（28）：105–106.

[3] 李俊琰．机械通气治疗慢性阻塞性肺疾病伴 II 型呼吸衰竭的护理 [J]．医药前沿，2017，7（22）：299.

[4] 胥露，江智霞，鲁鑫，等．早期功能锻炼预防 ICU 获得性衰弱的研究进展 [J]．中华护理杂志，2021，56（8）：1267–1271.

[5] 黄秀芳，黄幼平，黎春艳．早期四级康复训练对 ICU 机械通气患者肌力、功能独立性及并发症的影响 [J]．中国临床护理，2019，11（6）：479–483.

[6] 倪莹莹，王首红，宋为群，等．神经重症康复中国专家共识（下）[J]．中国康复医学杂志，2018，33（3）：264–268.

[7] 韩英．护理干预对老年重症肺炎并发呼吸机相关性肺炎的效果观察研究 [J]．当代护士（上旬刊），2017（10）：36–38.

（杨丹丹）

◎肺炎合并心房颤动

案例介绍

1．基本信息

患者男，85 岁。

主诉：咳嗽咳痰伴发热、胸痛 1 周。

现病史：患者于 1 周前无明显诱因突然出现咳嗽、咳痰，痰为白色黏液样，每日咳痰少量，无咯血。伴有发热，发热无规律，体温最高 37.5℃，无畏寒，无寒战。伴胸痛，非压榨样，伴心悸，不伴有咽痛，不伴有胸痛，无气促，不伴有盗汗、乏力。外院就诊住院治疗，考虑不稳定型心绞痛？心房颤动，予胺碘酮控制心室率及利伐沙班抗凝治疗，未见明显改善。为进一步诊断治疗就医，在门诊拟诊断为“肺炎”收入院。自发病以来嗜睡状，精神状态较差，食欲较差，进食少，大便正常，小便正常，体力情况如常，体重无明显变化。

2．病史

既往史：2023–05 住院期间诊断为肺炎；支气管扩张合并感染；双肺肺气肿；心律失常（心房颤动伴快速型心室率）；腔隙性脑梗死；右侧丘脑缺血性脑梗死；胸 11 椎体压缩性改变。曾规律服用达比加群酯胶囊（110 mg，q12h）、瑞舒伐他汀钙片（10 mg，qd）、甲磺酸倍他司汀片（6 mg，tid）、胞磷胆碱钠胶囊（0.20 g，tid）、地高辛片（0.125 mg，qd）、呋塞米片（20 mg，qd）、螺内酯片（20 mg，qd）。否认高血压、糖尿病等慢性病史，否认肝炎、结核等传染病史，否认手术史、外伤史，否认输血史，否认过敏史，预防接种史不详。

3．医护过程

体格检查：T 36.7℃，P 93 次 / 分，R 20 次 / 分，BP 100/70 mmHg。发育正常，营养良好，神志嗜睡，被动体位，应答切题，查体合作。呼吸节律正常，双肺叩诊呈清音，双肺呼吸音清，未闻及干、湿啰音。心前区无隆起，心尖搏动范围正常，心前区未触及震颤和心包摩擦感，心脏相对浊音界正常，心率142次/分，心律绝对不齐，各瓣膜听诊区未闻及杂音。腹部平坦，腹式呼吸存在，腹肌柔软，无压痛、反跳痛，未触及腹部包块。

诊疗计划：①Ⅰ级护理，低盐低脂饮食；②完成下列检查，三大常规、生化、心彩超、心电图、胸片、BNP、CTnI、心肌酶、血气分析、肺功能测定等；③吸氧、头孢哌酮舒巴坦抗感染、止咳化痰、抗凝、控制心室率等对症处理。

护理措施

（一）感染护理

1. 确保呼吸道通畅

定期为其翻身、拍背，以利于痰液的排出。同时，鼓励患者自主进行深呼吸和咳嗽练习，以提升肺功能。

2. 药物干预

依据病原体为患者选择合适的抗生素药物。且要严格按照医嘱使用，以确保患者按时、按量服药，同时监测其对药物的反应。

3. 氧疗护理

氧疗可以通过鼻导管、面罩等方式来进行，可以提高患者的血氧饱和度，要确保患者的血氧饱和度维持在95%以上。

4. 液体管理

应根据患者的实际情况进行调整，来保证患者的体液平衡，但同时也要避免液体过多。

5. 营养支持

可以通过口服或静脉注射营养液等方式来进行；指导患者进食高蛋白、高热量的饮食，帮助患者恢复体力和增强免疫力。

6. 体位干预与呼吸锻炼

体位干预可以通过改变患者的体位来促进痰液排出，呼吸锻炼则可以通过缩唇呼吸、腹式呼吸等方式来增强患者的肺功能。

7．注意预防交叉感染

对患者进行定期的手卫生和口腔护理，保持床单、衣物的清洁。

（二）心律失常观察与护理

（1）急性期予卧床休息，保持情绪稳定，以减少心肌耗氧量。

（2）遵医嘱予毛花苷 C、胺碘酮静脉滴注，正确用药并密切观察用药效果及不良反应。

（3）监测心率及脉率情况。

（4）严格控制输液速度：予 80 mL/h。

（5）准确记录患者出入量情况，发现不平衡及时报告医生。

（6）保持大便通畅：遵医嘱予用开塞露通便，进食粗纤维易消化食物。

（三）预防血栓护理

（1）遵医嘱口服达比加群抗凝药物，注意观察有无出血情况。

（2）床上肢体功能锻炼：予被动踝泵运动，2 次 / 天，2 组 / 次。

（3）密切观察有无栓塞征象。

（4）饮食护理：低盐低脂、易消化饮食，指导饮水量，少量多餐、忌饱餐，多食蔬菜和水果，保持大便通畅。

（5）及时了解患者的实验室检查结果，动态观察患者病情变化。

（四）预防出血护理

（1）观察咯血情况：密切观察并记录咯血颜色、量，及时报告医生，必要时遵医嘱停用抗凝药。

（2）止血：遵医嘱予速乐涓静脉推注，肾上腺色腙片口服。

（3）指导其温凉饮食，少量多餐。

（4）心理护理：和患者讲解咯血相关注意事项，加强心理安抚。

（5）保持大便通畅，观察大便、皮肤黏膜等是否有出血情况。

（五）心理护理

（1）多与患者交谈。

（2）介绍病情。

（3）帮助患者树立信心，缓解焦虑。

（4）患者出现胸痛不适时，做好心理疏导，稳定患者的情绪。

小结

肺炎是由细菌、病毒或其他微生物引起的肺部感染，这类感染主要侵犯肺泡，其中细菌和病毒性肺炎最为常见。心房颤动（AF）是一种室上快速性心律失常，伴有不协调的心房电激动和无效的心房收缩，具有较高的病死率、复发率及出血性转化率。心房颤动时肺部血管容量增加，造成肺淤血，同时影响肺部通气功能， 而老年心房颤动患者由于免疫功能较低，容易发展为肺炎。肺炎合并心房颤动常表现出呼吸困难心悸、厌食、头晕、胸腔积液、咳嗽、咯血等症状。临床护理中，在按医嘱完成护理工作的同时，应密切观察患者的病情变化，多听患者主诉，及时分析、总结护理措施落实效果，做好预见性的护理，防止并发症的出现。

参考文献

［1］蔡春雨，余电有，权里平，等. 心房颤动发病炎症机制的研究进展［J］. 中国老年学杂志，2023，43（3）：751-756.

［2］中华医学会心电生理和起搏分会，中国医师协会心律学专业委员会，中国房颤中心联盟心房颤动防治专家工作委员会. 心房颤动：目前的认识和治疗建议（2021）［J］. 中华心律失常学杂志，2022，26（1）：15-88.

（杨丹丹）

◎ 肺炎合并快速型心房颤动

案例介绍

1．基本信息

患者女，81 岁。

现病史：10 余天前因“言语不利，左侧肢体无力”于外院住院治疗，后出现痰多，不易咳出，有咳嗽，无畏寒、发热、胸痛、咯血等。胸部 CT 示：双肺炎症，双侧胸腔少量积液，并双肺下叶膨胀不全。患者上述症状无明显好转，半天前患者痰多加重，伴意识不清，为进一步诊断治疗来我院就医，在门诊拟诊断为“肺炎”收入院。自发病以来浅昏迷状，食欲欠佳，睡眠一般，大小便正常，体力情况如常，体重无明显变化。

2．病史

既往史：高血压、糖尿病、心悸、右侧股骨骨折术后。

3．医护过程

体格检查：T 35.0 ℃，P 100 次 / 分，R 22 次 / 分，BP 107/84 mmHg，SpO_2 98%。神志浅昏迷，胸廓正常，呼吸运动、节律正常，双肺叩诊呈清音，双肺呼吸音粗，可闻及少量湿啰音。四肢肌力查体不合作，肌张力正常，左侧 Babinski 征阳性。腹部平坦，压痛、反跳痛查体不合作。大便正常，留置尿管。

诊疗计划：① I 级护理，低盐低脂饮食；②完成下列检查，三大常规、生化、心彩超、心电图、胸片、BNP、CTnI、心肌酶、血气分析、血糖、糖化血红蛋白等；③吸氧、抗感染、止咳化痰、抗心律失常、抗凝等对症处理。

2024-05-22，患者反应迟钝，神志浅昏迷，心率快，予完善检查，告病重、抗感染、吸氧、吸痰、心电监护、气垫床等处理。血糖 23.8 mmol/L，予 q1h 监测血糖，予胰岛素注射液 3 mL/h、肠内营养液 50 mL/h 微泵泵入。

2024-05-24，患者心动过速、房颤，心率 130 ~ 150 次 / 分，呼吸 22 ~ 24 次 / 分，予毛花苷 C 注射液微量泵入、呋塞米注射液静推。

2024-05-26，患者末梢血糖波动在6.9 ~ 12.3 mmol/L，遵医嘱予调整胰岛素注射液1 mL/h微泵泵入；患者痰鸣音明显，予吸痰护理经口腔吸出中量白色黏痰，继续保持呼吸道通畅；患者心率过速，148次/分，予倍他乐克口服后缓解。

2024-05-27，患者再发房颤，心率波动111 ~ 134次/分，予去乙酰毛花苷注射液（西地兰）微泵泵入。

2024-06-01，患者胸部疼痛，心电图检查示：房颤，予硝酸甘油0.5 mg舌下含服后缓解。

2024-06-02，患者意识恢复清醒，对答部分切题，心率正常，波动在81 ~ 107次/分，脉搏64 ~ 92次/分，血糖9.4 ~ 13.7 mmol/L，心悸较前缓解，予办理出院。

护理措施

（一）气道护理

（1）间断吸痰护理，保持呼吸道通畅。

（2）抗炎化痰治疗。

（3）指导有效咳嗽咳痰。

（4）予拍背排痰：五指并拢呈空状，以腕关节的力量、10 ~ 20次/分的频率，由下到上、由外向内叩击，每次翻身时给患者拍背。

（5）加强营养，少量多次适当多进食水。

（6）严密监测血糖变化，控制血糖在正常范围。

（二）房颤的护理

（1）急性期予卧床休息，保持情绪稳定，以减少心肌耗氧量和对交感神经的刺激，密切观察患者病情变化。

（2）遵医嘱使用抗心律失常药物及预防血栓药物，正确用药并密切观察用药作用及不良反应。

（3）密切监测心率、脉率、血氧情况。

（4）严格控制输液速度。

（5）准确记录患者出入量情况，做好液体平衡管理。

（6）保持大便通畅，避免用力排便。

（三）预防血栓护理

（1）注意观察有无栓塞征象，遵医嘱使用抗凝药物，观察疗效及有无出血倾向。

（2）指导患者保持正确体位及进行活动。

（3）及时了解患者实验室检查结果，动态观察患者病情变化。

小结

房颤在临床上伴随很多并发症，快速型心房颤动时，心室率加快，有效心输出量减少，冠状动脉灌注减少，可导致心搏骤停，如何预防并发症的发生是护理的重点，如何减缓患者肺功能下降及有效防止患者心律失常再发是护理的难点。因此，需要做好患者的病情观察，及时采取有效的抗心律失常治疗，在此基础上积极控制肺炎，改善肺通气、肺换气，尽可能地减轻心脏负担，同时注意并发症的预防。

参考文献

杨进刚. 心房颤动的诊断与药物治疗（中国专家共识）[J]. 心脑血管病防治，2008，8（4）：215-222.

（杨丹丹）

◎ 脑出血后遗症合并吸入性肺炎

案例介绍

1. 基本信息

患者男，72 岁。

主诉：脑出血术后 1 年余，咳嗽咳痰增多、气促 1 周。

现病史：患者于 1 年余因脑出血在外院行开颅手术，术后颅内感染、抽搐、昏迷，行气管切开，遂转我院神经外科治疗，并行腰大池 – 腹腔分流术，之后在多家医院康复治疗，并于今年 3 月进行气管切开封堵，之后患者苏醒，但自主排痰能力欠佳，继续于多家医院康复治疗。2018 年 6 月、8 月均因咳嗽咳痰增多，伴发热，最高体温 40℃，伴抽搐，遂住院，予抗感染、祛痰等治疗后好转出院，出院后于院外康复治疗。1 周前咳嗽、咳黄白色黏痰较前增多，痰较难咳出，偶有气促，无畏寒、发热，无胸闷、胸痛、心悸，无夜间阵发性呼吸困难及端坐呼吸。为进一步治疗就诊，门诊拟以“吸入性肺炎”收入呼吸内科。自该次疾病加重以来精神状态一般，留置鼻胃管，睡眠良好，大小便正常。体重无明显变化。

2. 病史

既往史：脑出血后出现高血压，但行“腰大池 – 腹腔分流术”后血压下降，未服用降压药物，术后长期服用德巴金（0.5 g，bid）及氯硝西泮（1/3 片，qn），否认冠心病、糖尿病等慢性病史，否认肝炎、结核等传染病史，1 年余前因脑出血在外院行开颅手术，否认外伤史，否认输血史。对丹红注射液、丁苯注射液、西林过敏。

个人史：吸烟 30 年，平均 20 支 / 日，已戒烟。否认嗜酒史。

3. 医护过程

体格检查：T 36.5℃，P 79 次 / 分，R 22 次 / 分，BP 123/84 mmHg。发育正常，营养良好，神志清楚，自主体位，应答切题，查体合作。鼻腔通气良好，鼻饲管固定通畅，双鼻窦区均无压痛。呼吸节律正常，双肺叩诊呈清音，双肺呼吸音清，双下肺可闻及吸气相湿啰音，未闻及干啰音。心前区无隆起，心尖搏动范围正常，心前区未触及震颤和心包摩擦感，心脏相对浊音界正常，心律齐整，各瓣膜听诊区未闻及杂音。腹部平坦，腹式呼吸存在，腹壁静脉无曲张，无胃型、肠型、蠕动波。

诊疗计划：① Ⅰ 级护理，流质饮食；②完善三大常规、肝肾功能、电解质、胸部 CT、心电图、痰培养等相关检查；③暂予抗感染、祛痰、解痉平喘等治疗。

护理措施

（一）误吸护理

（1）根据患者肺炎情况遵医嘱予抗生素治疗。

（2）体位管理：进食前后取坐位。

（3）进食护理：对食物的选择、进食量、进食速度有严格要求。

（4）患者进食速度不宜过快，每进食一口要让患者反复吞咽数次，以确保食物完全咽下。

（5）指导吞咽功能的训练：口腔操、空吞咽动作、VVST 吞咽测试。

（6）要注意口腔卫生的护理，每餐进食后充分刷牙，保持咽、口腔的卫生。

（7）床旁宣教：误吸后的处理。

（二）呼吸道护理

（1）治疗原发病，选用哌拉西林进行抗感染治疗。

（2）稀释痰液：雾化吸入。

（3）行纤维支气管镜肺泡灌洗治疗。

（4）呼吸功能锻炼：吹纸巾法，先深吸气 + 用力吹气（把纸巾吹起来）松动痰液。

（5）痰液松动后指导有效咳嗽排痰的方法。

（三）肢体功能锻炼

（1）坐位平衡：可依靠他人支持坐在床上。

（2）关节活动度训练：健侧肢体主动训练，患侧肢体被动进行运动训练（健侧肢体带动下）。

（3）生活能力训练：吃饭、喝水、梳头、洗脸。

（4）协助进行踝泵运动锻炼。

（5）改善营养，提高营养水平。

（四）安全护理

意识障碍、偏瘫症状、癫痫发作者加床栏防止坠床；视力障碍、偏瘫、认知障碍、年老者防止碰伤、烫伤、跌伤和走失。

（五）健康教育

（1）生活有规律，注意休息，避免劳累。

（2）保持大便通畅、避免用力咳嗽，防止再出血。

（3）肢体瘫痪及语言功能障碍的患者及早进行功能锻炼，应循序渐进，持之以恒。

（4）按医嘱正确服药，积极控制高血压，保持血压稳定。

（5）营养支持护理：给予营养丰富、低盐低脂饮食，增加蔬菜水果，以利于大便通畅。

（6）瘫痪肢体保持功能位置，禁用热水袋，及早进行关节按摩及被动运动，鼓励主动运动，预防肌萎缩。

小结

脑出血具有高复发率、致残率及病死率。脑出血患者经治疗后所遗留下的吞咽障碍是导致吸入性肺炎的重要原因。脑出血后遗症合并吸入性肺炎患者病死率高达 40% ~ 50%。脑出血患者的护理除了急性期的救治外，大部分时间花在并发症的预防及护理上。只有预见性地掌握好并发症的护理，通过护理干预，不断完善脑出血后遗症患者的有效排痰护理、进食护理、口腔护理、心理护理、体位护理、营养支持护理，才能最大限度地降低脑出血后遗症患者吸入性肺炎的病死率，有利于患者的早日康复。

参考文献

[1] 刘秋莹. 脑血管病后遗症的治疗中应用早期物理治疗与康复训练的临床价值[J]. 当代医药论丛，2024，22（9）：50-52.

[2] 魏长英. 脑血管病后遗症患者功能康复与心理护理研究[J]. 饮食保健，2019，6（1）：6.

（洪珊珊）

◎ 免疫性肺炎

案例介绍

1．基本信息

患者男，63 岁。

现病史：患者于 4 个月前在我院确诊肺鳞状细胞癌后至外院行化疗，化疗后容易出现气促、发热症状。1 天前患者再次出现发热，体温最高 37.5℃，伴有气促，为进一步诊断就医，在门诊抽血结果显示：白细胞计数 0.71×10^9/L，红细胞计数 2.83×10^{12}/L，血红蛋白 97 g/L，血小板计数 66×10^9/L，门诊拟诊断为“肺癌”收入呼吸内科。自发病以来精神状态较差，食欲一般，睡眠良好，大小二便正常。

2．病史

既往史：10 年前行“痔疮手术”，具体不详。

个人史：吸烟 20 年，平均 15 支 / 天，未戒烟。

3．医护过程

体格检查：T 37.5 ℃，P 76 次 / 分，R 21 次 / 分，BP 135/78 mmHg，SpO_2 97%。胸廓正常，呼吸运动正常，双肺叩诊呈清音，双肺呼吸音清，未闻及干、湿啰音，心律齐整，各瓣膜听诊未闻及杂音。神志清楚，自主体位，应答切题，双侧瞳孔等大等圆，对光反射灵敏，四肢肌力正常。腹肌柔软，无压痛、反跳痛。

诊疗计划：① I 级护理，低盐低脂饮食；②完成下列检查，三大常规、生化、心脏彩超、心电图、胸片、BNP、CTnI、心肌酶、血气分析等；③予吸氧、抗感染、止咳化痰、升白细胞、升血小板、补血、保护性隔离等对症处理。

2024-02-06 至 2024-02-10，患者化疗后出现反复发热、抽血检查见三系减少，予降温、升白针注射等对症处理。

2024-02-11，患者气促加重，血氧持续不升，实验室检查示：肺炎支原体抗体阳性、肺炎加重，予心电监护、呼吸机高流量氧疗治疗、告病重。

2024-02-15，患者无发热，气促明显，活动后血氧下降明显，D- 二聚体升高，予持续呼吸机氧疗、免疫球蛋白静滴、抗凝等处理。

2024-02-16，呼吸机氧浓度逐渐下调，静息状态下患者血氧可维持在 95% 以上。

2024-02-18，患者气促较前缓解，抗生素降级使用。

2024-02-22，患者体温持续正常，气促明显缓解，予出院。

护理措施

（一）常规护理

（1）密切监测病情变化，持续心电监护，积极完善相关检查。若患者出现胸闷憋气、呼吸困难等呼吸衰竭症状时及时调整用氧，必要时使用机械通气治疗，以维持血氧饱和度正常。

（2）为患者提供安静舒适的休息环境，保证充足睡眠，半卧位，每 2 h 翻身、叩背一次，鼓励深咳，进行雾化吸入，促进排痰；自主排痰不畅时，给予吸痰以保持呼吸道通畅。

（3）及时进行痰液培养及药敏试验，对症使用有效抗生素。

（4）饮食指导：以清淡、易消化、流质或半流质饮食为主，并做到多样化、合理搭配富有营养。避免辛辣、刺激的食物，多饮水，戒烟。

（5）生活指导：保证足够的休息，注意保暖避免受寒，预防各种感染；注意气候变化特别是冬春季节，气温变化剧烈，要及时增减衣物，避免受凉后加重病情。

（6）卧床期间进行被动活动，防止发生压疮及肌肉萎缩；呼吸困难缓解后适度下床活动，以不加重呼吸困难为宜，量力而行，对患者微小的进步要给予鼓励。指导患者进行有效呼吸及呼吸功能锻炼的方法。

（二）气促护理

（1）予持续呼吸机高流量氧疗，密切观察患者生命体征及病情变化情况，协助患者采取舒适体位。

（2）遵医嘱用药：头孢、西林、左氧及甲泼尼龙，控制患者炎症。

（3）协助拍背排痰，促进患者痰液排出，保持气道通畅，加强气道湿化，降低痰液黏稠度。

（4）患者气促较前缓解时，指导患者进行吹纸巾、缩唇腹式呼吸训练，能加强胸膈呼吸肌的肌力和耐力。

（三）治疗及预防感染

（1）密切观察体温变化情况，予 q4h 为患者测量体温。

（2）予升白针皮下注射，定期复查患者血常规，密切关注患者白细胞计数变化情况。

（3）积极控制肺部炎症，遵医嘱正确使用消炎抗感染药物，观察药物疗效和不良反应。

（4）注意病房环境，医护人员注重手卫生，防止交叉感染。同时指导患者及家属勤洗手，注意个人卫生。

（四）防血栓护理

（1）按医嘱及时、正确给予抗凝剂，并监测疗效及不良反应，观察有无出血征象。

（2）减少和避免下肢静脉穿刺。

（3）指导患者进食低脂、高维生素、易消化的食物，保持大便通畅，鼓励患者多饮水，每日饮水 1 500 mL；改善生活方式：戒烟。

（4）指导患者进行适当的下肢活动；指导患者进行踝泵运动和直腿抬高运动。

小结

免疫性肺炎是指在患者接受免疫检查点抑制剂（ICI）治疗后，临床排除新的肺部感染或肿瘤进展等情况下，出现呼吸困难和（或）其他呼吸体征 / 症状，胸部影像学出现新的浸润影。临床表现具有非特异性，最常见的症状为气促、低氧血症及咳嗽，也可出现发热、胸痛等表现。是临床上常见的一种肿瘤疾病，该病病情危急，给患者的生命健康造成了严重威胁。免疫性肺炎患者需要全面、有效、针对性的护理，及时针对患者症状、体征采取行之有效的护理措施，选择合理氧疗方式维持患者血氧饱和，控制肺部感染，预防并发症具有极为重要的作用和意义。

参考文献

冯思芳，郑雪梅，杨彩玲，等. 探讨集束化护理在免疫损害宿主性肺炎中的作用效果[J]. 世界最新医学信息文摘，2014（36）：468-469.

（杨丹丹）

◎ 非结核分枝杆菌感染

案例介绍

1．基本信息

患者男，65 岁。

现病史：患者于半天前突然出现气促，胸闷不适，到我院急诊就诊，胸部 CT+ 全腹部 CT 提示：肺炎、肺不张，右侧胸腔少量积液，考虑肺炎，在急诊拟诊断为“肺炎”收入呼吸内科。自发病以来精神状态良好，食欲一般，睡眠良好，大小便正常。

2．病史

既往史：既往身体良好。

个人史：既往有嗜酒史，已戒酒，无吸烟史。

3．医护过程

体格检查：T 36.8 ℃，P 88 次 / 分，R 23 次 / 分，BP 116/74 mmHg，SpO_2 99%。胸廓正常，呼吸节律正常，双肺叩诊呈清音，双肺呼吸音清，未闻及干、湿啰音，心律齐整，各瓣膜听诊未闻及杂音。神志清楚，自主体位，应答切题，双侧瞳孔等大等圆，对光反射灵敏，四肢肌力Ⅳ级。腹部平坦，腹肌柔软，无压痛、反跳痛。

诊疗计划：①Ⅰ级护理，低盐低脂饮食；②完成下列检查，三大常规、生化、心彩超、心电图、CT、BNP、CTnI、心肌酶、血气分析、痰液检查等；③予吸氧、抗感染、止咳化痰、平喘等对症处理。

2023-12-20，患者气促半天急诊就诊后入院，抽血检查示 CRP、白细胞、降钙素升高，予西林等抗感染治疗。

2023-12-22，患者气促好转，予气管镜检查，并送痰培养。

2023-12-23 至 2023-12-25，患者反复发热，痰 NGS 提示脓肿分枝杆菌感染，予阿米卡星、克拉霉素、替加环素等治疗。

2023-12-27，患者复查CT：右肺炎症较前相仿，胸腔积液较前进展，予留置胸管，加利奈唑胺抗感染。

2023-12-28至2023-12-30，患者暂无发热，咳嗽咳痰、气促较前缓解。

2023-12-31，患者痰液减少，气促明显缓解，予拔除胸管后出院。

护理措施

（一）发热护理

（1）遵医嘱正确使用抗感染药物，减少炎症，并且观察药物疗效和不良反应。

（2）加强患者体温监测，及时予退热处理。注意病房温湿度环境，医护人员注重手卫生，防止交叉感染。同时指导患者及家属勤洗手，注意个人卫生。

（3）保持痰液引流通畅，鼓励咳嗽咳痰，观察痰液颜色、性状、量。

（4）加强营养，指导患者进食高蛋白、低盐低脂饮食。

（二）引流管引流护理

（1）保持管道妥善，避免打折弯曲及受压，保持引流通畅。

（2）每班观察引流液颜色、性状、量，每次放胸腔积液量不超800 mL，每日统计24小时胸腔积液引流量并报告主管医生。

（3）观察穿刺口情况，注意有无皮下气肿。

（4）无菌条件下定期更换引流袋，避免逆行感染。

（三）肺康复护理

（1）予持续低流量吸氧、化痰、平喘等对症治疗。

（2）指导患者进行吹纸巾、缩唇腹式呼吸训练，增强胸膈呼吸肌的肌力和耐力。

（3）哈气排痰：在吹纸巾基础上，增加哈气排痰训练，患者痰液可排出。

（4）上肢抗阻运动：每天2次，10个动作/次。

（5）拉伸起坐：指导患者由抗阻运动过渡到拉伸起坐，每天2次，5个动作/次。

（6）原地踏步：指导患者在器械辅助下空中踩车，但患者强烈拒绝，指导患者家属搀扶下行下床原地踏步活动。

（7）病情允许下保持水分摄入，每日查房指导家属协助患者拍背排痰，促进患者痰液排出。

（四）预防血栓护理

（1）避免下肢静脉穿刺，有创操作时动作轻柔。

（2）指导患者进食低脂、高维生素、易消化的食物，保持大便通畅，病情允许鼓励患者多饮水。

（3）指导睡姿及勤翻身；鼓励患者下床活动。

（4）指导患者进行踝泵运动和直腿抬高运动：膝关节伸直，脚尖向上勾，脚尖朝下压至最大限度保持 10 s；以踝关节为中心，脚趾做 360° 绕环，尽力保持动作幅度最大。

（5）伸直膝关节，足背伸，缓慢抬离床面 15 ~ 20 cm，持续运动 5 ~ 10 秒，再缓慢放下。

小结

非结核分枝杆菌（NTM）是指除结核分枝杆菌复合群和麻风分枝杆菌以外的一大类分枝杆菌的总称，NTM 病是指感染了 NTM 并引起相关组织、脏器的病变。我国 NTM 感染率呈上升趋势，主要的菌种有鸟型分枝杆菌、脓肿分枝杆菌和偶发分枝杆菌。非结核分枝杆菌感染的患者在护理过程中要注意痰液的引流，保持气道通畅；规范合理地使用抗生素，并观察药物的疗效及不良反应，及时根据痰检结果调整抗感染使用方案。如患者存在发热的情况，注意及时予退热治疗。若患者存在气促、呼吸困难等情况时可予以肺康复干预，能有效改善患者呼吸状况，提高血氧饱和度。

参考文献

中华医学会结核病学分会，《中华结核和呼吸杂志》编辑委员会. 非结核分枝杆菌病诊断与治疗专家共识［J］. 中华结核和呼吸杂志，2012，35（8）：572-580.

（杨丹丹）

第九章　通气功能障碍性疾病护理

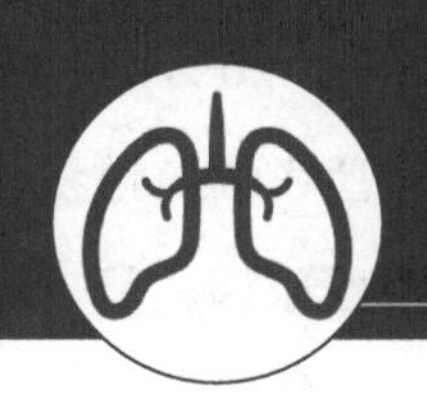

◎ 支气管哮喘

案例介绍

1．基本信息

患者男，53 岁。

主诉：发作性喘息、咳痰 10 余年，加重 10 天。

现病史：患者于 10 余年前开始出现反复发作性喘息，伴有咳嗽、咳少许白痰，多于春季、冬季发病，刺激性气味可诱发，经应用沙丁胺醇及激素等治疗后缓解，缓解后不影响日常工作，曾在门诊诊断为“支气管哮喘”。2020-12-08 患者因“咳嗽、咳痰、气促”加重在呼吸内科住院，胸部平扫示双肺广泛支气管肺炎合并支气管轻度扩张，较前进展。予抗感染、化痰、止咳、平喘等对症支持治疗后好转出院。2022-06-20 因咳嗽、咳痰、喘息气促加重伴有血氧下降到呼吸内科住院。查肺功能：中重度混合性通气功能障碍；支气管舒张试验阳性；FeNO 53 ppb。副鼻窦 + 胸部 CT 平扫：左侧上颌窦、双侧筛窦炎症，同前；双肺小结节，右肺上叶前段多发磨玻璃结节影，建议治疗后复查；双肺支气管扩张合并感染，较前略有进展。考虑肝左叶囊肿；胆囊结石，同前。

予哌拉西林舒巴坦抗感染、甲强龙抗炎、止咳化痰、平喘、降糖等对症治疗，病情好转后出院。2022-09-16 再次因咳嗽、咳痰、气喘加重入呼吸内科治疗，考虑肺曲霉病可能性大，予头孢哌酮舒巴坦 + 伏立康唑抗感染及对症治疗后，症状明显好转出院。患者自 2023 年 1 月开始自行停用伏立康唑，2023-03-07 至 2023-03-18 再次住院，诊断为“变应性支气管曲霉病；支气管哮喘急性发作；慢性阻塞性肺疾病伴有急性加重；支气管扩张合并感染；2 型糖尿病；鼻 – 鼻窦炎；肝囊肿；胆囊结石；高胆固醇血症”。于 2023-03-10 行支气管镜检查 + 肺泡灌洗提示：支气管炎症（重度），各段支气管开口均可见黄色痰栓阻塞。肺泡灌洗液送检 NGS：具核梭杆菌（序列数 171），EB 病毒（序列数 12）。再次予伏立康唑抗真菌治疗后好转出院。出院后规律口服伏立康唑 3 个月后停药，规律吸入“倍泽瑞”（2 吸，q12h）。2023-11 再次因气促加重于我院住院，予抗感染、止咳、祛痰治疗好转出院。10 天前无明显诱因出现咳嗽、咳痰增加，痰难以咳出，黄白黏痰，喘息发作，夜间明显，气促加重，诉左下肢无力，左上肢麻木，无畏寒、发热，无胸闷、胸痛、心悸等。今到门诊就诊，为进一步诊治收入呼吸内科。患者自起病以来，精神、胃纳、睡眠可，二便如常，体重无明显改变。

2．病史

既往史：平素身体较差，有糖尿病 10 余年。患有“鼻窦炎”10 余年。2022-06-20 于医院住院期间诊断为“高胆固醇血症；肝囊肿”。否认高血压、冠心病等慢性病史，否认肝炎、结核等传染病史。

3．医护过程

体格检查：T 36.2℃，P 100 次 / 分，R 22 次 / 分，BP 152/102 mmHg。胸廓正常，呼吸运动双侧增强，呼吸节律正常，双肺叩诊呈过清音，双肺呼吸音减弱，闻及散在双相干啰音。心前区无隆起，心尖搏动范围正常，心前区未触及震颤和心包摩擦感，心脏相对浊音界正常，心律齐整，各瓣膜听诊区未闻及杂音。腹部平坦，腹式呼吸存在，腹壁静脉无曲张，无胃型、肠型、蠕动波。腹肌柔软，无压痛、反跳痛，未触及腹部包块，肝脏肋下未触及，脾脏肋下未触及，肾脏未触及，Murpby 征阴性，肝浊音界存在，移动性浊音阴性，肾区无叩击痛，肠鸣音正常。

诊疗计划：① I 级护理，糖尿病饮食。②完成下列检查，三大常规、生化、肝肾功能、心脏彩超、心电图、胸部 CT、BNP、CTnI、心肌酶、血气分析、气管镜检查等。③予吸氧、抗炎、平喘、祛痰、降糖。

护理措施

（一）远离过敏原

发现和避免诱发因素，脱离过敏原；温、湿度适宜，取舒适体位。

（二）氧疗护理

遵医嘱给予鼻导管吸氧，氧流量 1 ～ 2 L/min，吸入的氧气需要湿化，以减少对呼吸道的不良刺激。

（三）呼吸道护理

（1）及时清理痰液：鼓励患者自行咳嗽、咳痰，要指导有效地咳痰，减少不必要的体力消耗。

（2）对痰液黏稠易于结痂者，应及早给予雾化吸入化痰，也可使用药物化痰或化痰药直接雾化吸入，必要时予纤维支气管镜下呼吸道内吸痰。

（3）及时留取痰标本：尤其在应用抗生素之前留取痰标本对指导抗生素选择有重要意义，留取痰标本时，要掌握正确方法，以免痰液污染影响检查结果。正确留痰方法：清水漱口 3 遍，第一口痰弃去，深咳，使气管深部的痰咳出。痰标本留取后，要立即送检。

（4）应用支气管扩剂：扩张气管，有助于排痰通畅。

（四）用药护理

（1）β_2 受体激动剂：可舒张气道平滑肌，解除气道痉挛和增强黏液清除功能。

（2）应用支气管扩张剂后要注意输液过快可引起不良反应，如恶心呕吐、心慌、气短等症状。

（3）应用糖皮质激素吸入药后，要及时漱口，以防止口腔炎症等发生。

（4）支气管哮喘患者需长期坚持治疗，要指导其提高用药依顺性，并需与患者建立长期伙伴关系。

（五）呼吸功能锻炼

（1）呼吸功能锻炼，指导患者行缩唇呼吸、腹式呼吸、吹纸条训练；频率：每天 2 ~ 3 次，每次 5 ~ 10 min。

（2）指导患者行横膈肌阻力训练，以改善呼吸肌的肌力，改善呼吸通气功能。

（3）指导气道廓清技术：指导主动呼吸循环技术（ACBT），ACBT 由三个循环往复的通气阶段构成，即呼吸控制、胸廓扩张训练、呼气。循环数量和每个通气阶段的长度、数量和顺序随患者痰液的位置而调节。

（六）健康教育

（1）指导患者选择正确饮食，少量多餐，发放糖尿病食谱，进行糖尿病饮食宣教。

（2）向患者讲解低血糖的症状和处理方法。

（3）了解可以诱发哮喘的各种因素，结合患者具体情况，找出各自的诱发因素，以及避免的方法。

（4）了解常用药物的作用特点及不良反应，正确用药，学会自行监测病情变化并进行预测，教育患者在哮喘发作时进行简单的紧急处理，并鼓励其记录哮喘日记。

（5）多与患者沟通，解释病情，及时回应患者的需求，利于减轻其紧张情绪。

小结

支气管哮喘作为临床比较常见的慢性肺部疾病，以咳嗽、胸闷、气促、喘息等症状为主要表现，容易在发病后给患者呼吸系统造成较大损伤，若未能及时给予有效的治疗措施，存在因疾病进展导致肺源性心脏病、心血管相关性疾病的可能性，易给患者的生活质量带来不利的影响。需要持续且规范化的治疗与护理来对疾病进行有效控制，减少哮喘的发作次数。一般来说，可结合患者的病情发展程度展开不同的治疗，急性发作期患者易在短时间内产生缺氧、气喘等症状，可选用平喘解痉的药物，常见为茶碱类、糖皮质激素等，且需要配合适当吸氧、卧床休息等。危重期患者容易对生命安全产生威胁，除了平喘解痉药物与吸氧治疗外，还需配合抗生素治疗与维持水电解质平衡。此外，临床会采取护理手段针对患者的疾病认知情况、用药、环境、心理、肺康复锻炼展开干预。相关研究指出，针对支气管哮喘患者实施科学、合理的健康教育，能够帮助患者提升自身管理能力，对其治疗依从性进行有效提升。

参考文献

高云秀，王晶，董海妹，等. IMB模型下的护理干预对支气管哮喘患者的影响［J］. 齐鲁护理杂志，2024，30（15）：78-81.

（洪珊珊）

◎ 咳嗽变异性哮喘

案例介绍

1．基本信息

患者男，32 岁。

主诉：反复咳嗽 1 余年，加重 3 周。

现病史：患者于 1 年前始反复出现发作性、刺激性干咳，偶可咳少许白痰。随环境温度改变、闻及刺激性气味咳嗽症状加重，休息缓解后不影响日常工作。咳嗽症状多于凌晨及夜间出现，无睡眠中咳醒。平素未规律诊治。3 周前无明显诱因再次出现发作性咳嗽，伴有活动后喘息，呈进行性加重，于门诊对症治疗，症状仍反复，为进一步治疗收入呼吸内科。

2．医护过程

体格检查：T 36.7 ℃，P 84 次 / 分，R 20 次 / 分，BP 115/89 mmHg，SpO_2 96%。全身皮肤色泽正常，无皮疹，头面部无畸形，眼睑正常，双侧瞳孔等圆等大，甲床、指甲无紫绀，胸廓正常，呼吸节律正常，双肺呼吸音清，未闻及干、湿啰音。神志清楚，精神状态可，双侧瞳孔等圆等大，直径约 3.0 mm，对光反射灵敏。皮肤完整、色泽正常，未见皮疹。

诊疗计划：① Ⅰ 级护理，低盐低脂饮食；②完成下列检查，三大常规、生化、心彩超、心电图、CT、BNP、CTnI、心肌酶、肺功能、痰液检查等；③予吸氧、抗感染、止咳化痰、平喘等对症处理。

2024-06-25，患者门诊胸片提示纵隔积气，予告病重、吸氧、卧床休息、床边指导踝泵运动、抗感染、止咳等治疗。

2024-06-26，患者检查结果提示：纵隔积气较前吸收，停告病重及卧床休息，指导其在病房慢步行走，继续吸氧，予抗感染、止咳治疗。

2024-06-28，患者肺功能结果提示确诊咳嗽变异性哮喘，予药物舒利迭进行治疗，予宣教舒利迭的作用及用法。

2024–06–30，患者剧烈咳嗽症状明显减轻，无喘息发作，择期出院。

护理措施

（一）纵隔气肿的护理

（1）卧床休息，进行氧疗，保持情绪稳定，避免激动紧张。

（2）遵医嘱使用止咳药，保证呼吸道通畅，避免剧烈咳嗽导致纵隔气肿加重。

（3）预防纵隔感染及上呼吸道感染。

（4）多吃新鲜水果和蔬菜，保持大便通畅，避免用力排便。

（5）规律作息，避免剧烈运动，指导床上行踝泵运动，避免下肢血栓。

（6）密切观察患者生命体征变化，注意患者有无出现胸痛、呼吸困难和颈部皮下气肿的症状，重视患者主诉，有特殊不适及时报告医生。

（二）生活护理

（1）病房定期开窗通风，保持空气流通；使用空调时保持温度在25 ~ 26℃。

（2）外出时注意避免吸入刺激气味、冷空气、粉尘。

（3）指导饮食不宜过热过冷，要清淡，易消化，同时避免食用辛辣刺激及过敏食物的食物。

（4）多食新鲜水果及蔬菜：苹果、香蕉、梨、萝卜、土豆等，指导饮水温度不宜过热过冷，饮水量大概在 7 ~ 8 杯 / 天。

（三）心理护理

（1）主管医生每日查房，向患者讲解疾病的知识及治疗措施。护士多与患者沟通，了解患者的心理情况，助其树立信心。

（2）解释疾病的相关知识，让患者及时知晓检查结果，了解病情及治疗方案。

（3）保持心情绪稳定，避免情况激动引起咳嗽加剧。

（4）患者住院期间无家属陪护，鼓励患者与家属电话或微信视频聊天。

（5）与家属沟通，多关心、多联系患者。

（四）康复护理

（1）卧床时指导患者进行踝泵运动。

（2）可下床活动时指导患者在病房慢步行走。

（3）指导患者做呼吸操。

（五）健康宣教

（1）对患者进行床边咳嗽变异性哮喘知识的宣教，让患者了解疾病的知识，重视疾病的治疗及预防。

（2）每日评估患者咳嗽咳痰、喘息程度及活动情况，及时向患者讲解治疗目的，观察用药效果及有无不良反应。

（3）重视与患者的沟通，提供多种了解疾病信息的渠道，增加患者对疾病的认识。

（4）进行药物相关的知识宣教，指导正确使用吸入剂，每日评估患者使用方法，及时纠正错误，直至正确使用。

（5）提供患者自学渠道，如提供医院、科室公众号及科普资料。

小结

咳嗽变异性哮喘（CVA），又称隐匿性哮喘，表现为慢性、顽固性咳嗽，以夜间发作性干咳多见的一种特殊类型哮喘，病程在 8 周以上，甚至达数年，严重影响患者的生活质量，近年来发病率呈上升趋势。

流行病学调查显示：在哮喘发病早期阶段，有 5% ~ 6% 是以持续性咳嗽为主要症状的，多发生在夜间或凌晨，常为刺激性咳嗽，此时往往被误诊为支气管炎。临床诊断：主要通过肺功能和气道反应性测定（支气管激发试验 / 舒张试验）检查，结合血常规、影像学、痰液检查等及临床症状确诊。

未经有效治疗的 CVA 患者 30% ~ 47% 在 1 ~ 5 年内可发展为典型支气管哮喘（CA），故 CVA 被认为是 CA 的前身，因此 CVA 的诊治受到日益广泛的关注，CVA 的有效治疗一方面有利于患者生活质量的改善，另一方面可减少向 CA 的发展。因此，在护理过程中注意疾病知识的宣教，提高患者治疗的依从性，使之能根据医嘱合理有效使用吸入剂，规范诊疗，从而控制疾病的进展。同时在护理的过程中注意患者心理状态，帮助其树立控制疾病、战胜疾病的信心。

参考文献

[1] 高龙霞，阎玥，包海鹏，等. 咳嗽变异性哮喘现代研究进展 [J]. 中华中医药杂志，2019，34（9）：4171-4174.

[2] 李忠保. 舒利迭与孟鲁司特联用对咳嗽变异性哮喘患者的疗效及价值评价 [J]. 饮食保健，2021（5）：72.

[3] 郭超文，黎艳聪. 呼出气一氧化氮在咳嗽变异性哮喘患者中的临床应用价值评估 [J]. 吉林医学，2020，41（9）：2085-2087.

[4] 苏华. 沙美特罗替卡松对咳嗽变异性哮喘及疾病延缓复发的疗效评价 [J]. 首都食品与医药，2021，28（3）：50-51.

[5] 余长永，刘武新，王强. 创伤性纵隔气肿与自发性纵隔气肿的临床特征及预后 [J]. 临床肺科杂志，2020，25（8）：1197-1201.

（杨丹丹）

◎ 支气管扩张合并咯血

案例介绍

1. 基本信息

患者男，50 岁。

主诉：反复咳嗽、咯血 1 年余，再发加重 5 小时。

现病史：患者诉 1 年余前因救火时吸入二氧化碳粉末后出现咳嗽、咯血，咳血丝痰，无发热、畏寒、鼻塞、流涕，无胸痛、胸闷、气促、心悸，无头晕、乏力、盗汗、消瘦，无呕血、腹痛、腹泻、便血等。曾在当地医院就诊，予静脉药物治疗后稍好转，但时有反复，2023 年 2 月、9 月及 12 月因咯血增多，曾在呼吸内科住院，诊断为“支气管扩张合并咯血；肺炎；肺动脉栓塞术后；右肾结石；前列腺增生并钙化；肝囊肿”，住院期间分别予头孢哌酮钠舒巴坦钠针（舒普深）及哌拉西林钠舒巴坦钠抗感染，并分别行“右侧支气管动脉、右侧胸廓内动脉造影 + 栓塞术”及“支气管动脉干、右支气管动脉、右胸廓内动脉、右膈动脉造影 + 栓塞术”，手术效果明显，术后咯血停止。5 小时前患者上述症状再发并加重，咯整口鲜血 6 次，量共约 20 mL，遂来我院急诊，急诊拟诊断为“支气管扩张合并感染、咯血”收入院。患者自本次发病以来，精神状态一般，食欲一般，睡眠良好，大便正常，小便正常，体力情况如常，体重无明显变化，无意识障碍。

2. 医护过程

体格检查：T 36.0 ℃，P 89 次 / 分，R 22 次 / 分，BP 117/70 mmHg，SpO_2 98%。神志清，双肺叩诊呈清音，双肺呼吸音清低，可闻及干、湿啰音。脊柱四肢无畸形，双上肢肌力为Ⅴ级，双下肢肌力为Ⅲ级，肌张力正常。腹部平坦，腹肌柔软，无压痛、反跳痛。大小便正常。

诊疗计划：①一级护理，低盐低脂温凉饮食；②完善相关检查，三大常规、肝肾功、电解质、凝血、PCT 、CRP、痰培养、肺炎支原体和衣原体抗体、心电图、胸部 CT；③暂予止血、抗感染、化痰等治疗；④咯血护理；⑤介入手术术前护理。

2024–05–25，11：30 患者咳鲜红色血丝痰，予止血对症处理。19：50 患者再次咯鲜红色血约 200 mL，并伴有血氧下降，立即开发双静脉通道，遵医嘱予垂体后叶注射液 4 mL/h 微泵泵入，予甲磺酸酚妥拉明注射液微泵泵入，调高氧流量，禁饮禁食。22：00 行急诊支气管动脉栓塞术。

2024–05–26，患者介入手术后持续予甲磺酸酚妥拉明注射液微泵泵入，垂体后叶注射液微泵泵入，密切观察患者咯血及生命体征情况。

2024–05–30，患者无咳嗽咳痰及咯血情况，停甲磺酸酚妥拉明注射液及垂体后叶注射液微泵泵入，择期出院。

护理措施

（一）保持呼吸通畅

（1）遵医嘱给予低流量吸氧，维持机体氧耗，保持血氧饱和度稳定。

（2）卧床休息，保持室内空气流畅，维持适宜的温湿度，注意保暖。

（3）保持呼吸道通畅，咯血时勿屏气，咯血后用清水或温开水漱口。

（4）遵医嘱使用止血、抗感染、化痰等药物；积极完善相关检查，及时对症处理。

（5）养成良好的习惯，戒烟戒酒，减少对肺部的刺激。

（6）保持情绪稳定，避免刺激，以减少耗氧量。

（7）清理呼吸道无效时，迅速行气管插管，保持呼吸道通畅。

（二）大咯血护理

（1）绝对卧床休息，尽量避免搬动患者，减少活动，可选择患侧卧位，既防止病灶向健侧扩散，又有利于健侧肺的通气功能。

（2）专人护理，保持口腔的清洁、舒适，及时清理患者咯出的血块，避免因精神过度紧张而加重病情。

（3）在床边备吸引器，鼓励患者将气道中的痰液和血液咳出，保持呼吸道通畅，必要时行气道吸引。

（4）饮食指导：大咯血者暂时禁食，小量咯血者宜进食少量温凉的流质饮食，避免饮浓茶、咖啡、酒等刺激性的饮料。

（5）多饮水及多食用富含纤维素的食物，保持大便通畅，勿用力排便。

（6）围介入术护理：做好术前准备，术后卧床制动6小时，观察穿刺口有无出血渗血，注意穿刺侧下肢血运情况，密切监测病情变化。

（三）心理护理

（1）安慰患者，进行必要的解释和心理护理。

（2）咯血污染的衣物或者床单位及时更换，血液、痰液及时倾倒，避免产生不良的刺激。

（3）治疗时以积极的态度对待患者，使其信任，增加患者信心，积极配合治疗。

（4）介绍疾病的有关知识和自我护理的知识，使用放松的技巧，如看书、听音乐等。

（四）健康教育

（1）说明感染与支气管阻塞的危害，清除上呼吸道慢性病灶。

（2）建立良好的生活习惯，戒烟。

（3）保证高热量、高蛋白、高维生素饮食，增强机体抗病能力。

（4）指导患者正确的体位引流及呼吸功能锻炼方法。

（5）咯血时不屏气，将血咯出，以避免窒息，病情有变，及时就诊。

小结

对于咯血的治疗，首先要保持患者呼吸道通畅，这是咯血患者护理的首要任务，其次需要根据病因和咯血量的大小来确定治疗方案。一般来说，保持良好的生活习惯，避免吸烟和过度劳累，有助于预防咯血的发生。对于已经发生咯血的患者，需要进行药物治疗、止血治疗或介入手术治疗等。咯血患者的护理需要综合考虑多个方面，包括病情观察、急救措施、饮食调整、药物护理及心理支持等。通过科学、细致地护理，帮助患者控制咯血症状，促进康复。

（杨丹丹）

◎ 慢性阻塞性肺疾病

案例介绍

1．基本信息

患者男，57 岁。

主诉：反复咳、痰、喘 10 余年，再发 10 天。

现病史：患者有长期大量吸烟史，于 10 年前始出现慢性咳嗽、咳痰，咳嗽呈阵发性、非金属样咳嗽，多为白色泡沫样痰，多于感冒、受凉后咳嗽咳痰加重。每年发作时间累计超过三个月，多于天气转变或受凉后出现。近年来出现活动后气短，劳动耐力逐年下降，上楼时、快步行走即有喘息。平素发作时自服茶碱片、顺尔宁、盐酸溴己新片治疗，间断吸入布地格福气雾剂治疗，症状有好转，仍反复发作。10 天前疑受凉后再次出现咳嗽加重，无明显咳痰，伴有喘息，以活动时明显，无发热，无双下肢水肿。口服上述药物治疗后仍无明显缓解，今为进一步诊断治疗来我院就医，在门诊拟诊断为“慢性阻塞性肺疾病急性加重期”收入院。自发病以来，精神、饮食、睡眠可，大小便未见异常，近期体重无明显增减。

2．病史

既往史：否认高血压、冠心病、糖尿病等慢性病史，否认肝炎、结核等传染病史，否认手术史、外伤史，否认输血史。对头孢克洛分散片过敏，表现为全身红色皮疹，伴全身瘙痒，预防接种史不详。

个人史：否认血吸虫疫水接触史，否认到过地方病高发及传染病流行地区。吸烟 30 余年，平均 20 支 / 日，未戒烟。否认嗜酒史。无常用药品及麻醉毒品嗜好。否认工业毒物、粉尘、放射性物质接触史。否认冶游史。否认疫区接触史。

3．医护过程

体格检查：T 36.2℃，P 82 次 / 分，R 20 次 / 分，BP 153/107 mmHg。发育正

常，营养良好，神志清楚，自主体位，应答切题，查体合作。鼻腔通气良好，双鼻窦区均无压痛。口唇红润，咽正常无充血，扁桃体无肿大。颈部无抵抗，颈静脉正常。桶状胸，呼吸运动正常，呼吸节律正常，双肺叩诊呈过清音，双肺呼吸音减弱，左下肺可闻及少许湿啰音。心脏相对浊音界正常，心律齐整，各瓣膜听诊区未闻及杂音。腹部平坦，无胃型、肠型、蠕动波。腹肌柔软，无压痛、反跳痛。

诊疗计划：①Ⅰ级护理，低盐低脂饮食；②完善相关检查，三大常规、生化、肝功、血脂、痰涂片、胸部 CT 检查，予抗感染、止咳、化痰、平喘等对症治疗；③待相关检查结果回报后再制定下一步诊疗计划。

护理措施

（一）气体交换受损

1. 氧疗护理

予低流量吸氧（2 L/min），指导患者正确氧疗，避免吸入氧浓度过高而加重 CO_2 潴留，观察患者呼吸困难的程度，监测血氧饱和度。

2. 用药护理

遵医嘱应用抗生素、支气管舒张药和祛痰药，控制肺部炎症及肺部感染，注意观察疗效及不良反应。

3. 饮食指导

指导患者避免吃易产气食物，如马铃薯、奶制品、碳酸饮料等，以免引起腹胀，使膈肌上抬，影响呼吸而加重呼吸困难。

4. 呼吸功能锻炼

根据患者肺功能结果、CAT 评估、mMRC 评分指导患者进行吹纸巾、缩唇呼吸、腹式呼吸等呼吸功能锻炼，以患者耐受程度为主，增加呼吸肌力和耐力，提高通气量，改善呼吸功能，促进 CO_2 排出。

（二）康复护理

（1）根据患者心功能分级为Ⅲ级（NYHA 分级）、肺功能检查结果、6 分钟步行测试结果，为患者制定个性化肺康复计划。

（2）指导患者进行哑铃抗阻训练，每日两次，每次 5 分钟。

（3）指导患者进行床上空中踩车，每日两次，每次 2 组，每组 20 个动作。

（4）指导患者进行拉伸起坐，每日两次，每次 2 组，每组 10 个动作。

（5）与患者在病区走廊步行，每日 2 次，每次 15 分钟。

（三）知识缺乏

（1）长期规律、规范使用吸入剂指导：指导患者关注科室公众号观看视频，学习布地格福吸入气雾剂使用方法并宣教规律使用的重要性。

（2）指导正确氧疗：每日氧疗时间 15 小时以上，氧流量 1 ～ 2 L/min。

（3）提高患者对疾病认知水平：使用各种方法给患者科普疾病的相关知识，方便患者自我监测学习。

（4）举办公休座谈会：通过健康教育提高患者的长期依从性、自我管理能力和健康知识水平。

（5）制定出院计划单，开展延续性护理，延缓病情进展，提高生活质量和肺功能。

（四）出院后延续性护理

（1）患者出院前发放康复训练手册，指导其关注科室公众号观看相关视频，方便患者自我监测学习。

（2）出院前进行评估，制定出院计划单。

（3）出院后 3 天开始延续性护理内容。①吸烟状况：戒烟或避免被动吸烟，避免职业暴露和空气污染。②肺功能情况：呼吸功能锻炼、有氧训练、抗阻训练。③吸入剂的使用：规范用药、严密监测用药效果、预防不良反应的发生。④患者理解疾病及自我管理的能力：长期氧疗 15 h/d、保证用氧安全、营养支持、心理护理。⑤减少急性加重期频率：预防感冒、减少疾病发作次数。

（4）线上指导，关注患者出院后康复效果。

小结

慢性阻塞性肺疾病是一种异质性肺部病变，其特征是慢性呼吸系统症状

（呼吸困难、咳嗽、咳痰），原因与气道异常（支气管炎、细支气管炎）和（或）肺泡异常（肺气肿）相关，通常表现为持续性、进行性加重的气流阻塞。是最常见的慢性气道疾病，也是健康中国2030行动计划中重点防治的疾病。

慢性阻塞性肺疾病患者需根据肺功能结果、CAT评估、mMRC评分指导患者进行吹纸巾、缩唇呼吸、腹式呼吸等呼吸功能锻炼，以患者耐受程度为主，增加呼吸肌力和耐力，提高通气量，改善呼吸功能，促进CO_2排出。在病情稳定后，可通过讲解慢性阻塞性肺疾病相关知识及规律使用吸入剂的重要性，带领患者参加工休会调动积极性，提高自我管理能力。

通过延续性护理，患者出院后在家有坚持康复功能锻炼、规律使用吸入剂及每天家庭氧疗时长可达到12小时。长期规律、规范地使用吸入药物，并进行家庭氧疗和肺康复锻炼，可以延缓患者肺功能下降，预防急性加重的发生，降低再入院率和死亡率，提高生活质量，延长患者寿命。

参考文献

[1] 中华医学会呼吸病学分会慢性阻塞性肺疾病学组，中国医师协会呼吸医师分会慢性阻塞性肺疾病工作委员会. 慢性阻塞性肺疾病诊治指南（2021年修订版）[J]. 中华结核和呼吸杂志，2021，44（03）：170-205.

[2] 中华医学会，中华医学会杂志社，中华医学会全科医学分会，等. 中国慢性阻塞性肺疾病基层诊疗与管理指南（2024年）[J]. 中华全科医师杂志，2024，23（00）：600-624.

[3] 中华医学会心血管病学分会，中国康复医学会心肺预防与康复专业委员会，中华心血管病杂志编辑委员会. 六分钟步行试验临床规范应用中国专家共识[J]. 中华心血管病杂志，2022，50（5）：432-442.

[4] 国家心血管病中心，国家心血管病专家委员会心力衰竭专业委员会，中国医师协会心力衰竭专业委员会，等. 国家心力衰竭指南2023[J]. 中华心力衰竭和心肌病杂志，2023，07（4）：215-311.

[5] 陶国芳，鲍杨娟，杨苏，等. 慢性阻塞性肺疾病患者家庭氧疗管

理的最佳证据总结［J］. 中华护理杂志，2021，56（7）：983-990.

［6］刘雨，黄蔚萍，鲍克娜，等. 基于知识转化框架的COPD患者长期家庭氧疗管理方案的构建及应用［J］. 中国护理管理，2022，22（7）：1043-1049.

［7］李雪儿，杨雪凝，AKIMANA SANDRA，等. 慢性阻塞性肺疾病患者长期家庭氧疗的最佳证据总结［J］. 护理学杂志，2021，36（3）：42-46.

［8］王昌，冯加喜. 慢性阻塞性肺疾病患者使用吸入剂药物依从性的研究进展［J］. 慢性病学杂志，2023，24（4）：543-547.

（洪珊珊）

◎ 慢性阻塞性肺疾病急性加重合并Ⅱ型呼吸衰竭

案例介绍

1．基本信息

患者男，85 岁。

主诉：反复咳嗽、咳痰 10 余年，气促 4 年，加重伴下肢水肿 10 余天。

现病史：患者 10 余年前开始出现慢性咳嗽、咳痰，活动后气短，劳动耐力逐年下降，上楼时、快步行走即有喘息，于外院就医诊断为“慢性阻塞性肺疾病急性加重”，治疗好转后出院。4 年前开始出现活动后气促，无胸闷、胸痛等不适，于我院按“AECOPD”住院治疗，病情基本稳定。10 天前患者再次出现咳嗽咳痰、气促症状，性质及程度较前加重，并出现双下肢水肿，遂来我院急诊，拟诊断“慢性阻塞性肺疾病急性加重”收入呼吸内科。自发病以来，患者精神、睡眠、胃纳可，体重无明显变化。患者偶有便秘，平均 2 ~ 3 天一次大便，小便正常，双下肢中度水肿散在皮疹，不伴有瘙痒感。

2．病史

既往史：高血压病史 30 余年，平时口服氨氯地平、比索洛尔，血压控制良好；糖尿病史 20 余年，平时口服瑞格列奈片、阿卡波糖片，血糖控制尚可；无过敏史。

个人史：大学文化程度，吸烟 40 余年，平均 20 支 / 日，已戒烟；无饮酒。

3．医护过程

体格检查：T 36.8 ℃，P 76 次 / 分，R 20 次 / 分，BP 148/90 mmHg，SpO_2 81%。神志清楚，自主体位，应答切题，双侧瞳孔等大等圆，对光反射灵敏，四肢肌力Ⅴ级，胸廓桶状胸，气促明显，双肺叩诊呈清音，双肺呼吸音较粗，可闻及少许湿啰音，腹部平坦，腹肌柔软，无压痛、反跳痛，肠鸣音正常，心律齐整，各瓣膜听诊区未闻及杂音。

诊疗计划：①Ⅰ级护理，低盐低脂饮食；②完成下列检查，三大常规、生化、心脏彩超、心电图、CT、BNP、CTnI、心肌酶、血气分析、痰液检查等；③予吸氧、抗感染、止咳化痰、平喘、肺康复等对症处理。

2024-03-08，患者咳嗽、咳黄黏痰，稍活动即有气促，双下肢中度水肿伴散在皮疹，抽血 $PaCO_2$ 46.8 mmHg，中性粒细胞比例 84.1%，淋巴细胞比例 9.9%，绝对值 0.6×10^9/L，高敏肌钙蛋白 21.7 pg/mL，BNP 2 063 pg/mL。予告病重、心电监护、无创辅助通气、化痰止咳、加强利尿抗心衰治疗、记 24 小时出入量、控制感染、控制血压、血糖等对症治疗。

2024-03-09 至 2024-03-12，患者血氧波动在 95% ~ 98%，气促情况较前好转，予停告病重，间断无创辅助通气治疗，指导康复锻炼，促进患者心肺康复。

2024-03-13，患者胸闷气促症状减轻，但精神状态转差，复查相关指标：$PaCO_2$ 61 mmHg，BNP 468 ng/mL，心衰指标明显改善，CO_2 潴留加重。予呼吸兴奋剂、静脉茶碱舒张气道、调整无创呼吸机参数通气对症处理。

2024-03-16，患者病情稳定，双下肢水肿、皮疹已完全消退。予继续指导康复锻炼。

2024-03-19，患者经治疗后，病情好转，生命体征平稳，复查血气分析示 $PaCO_2$ 50.4 mmHg，予办理出院，予患者康复锻炼处方，指导其继续康复锻炼。

护理措施

（一）气体交换受损的护理

1．体位管理、饮食指导

给予半卧位，指导其卧床休息，指导陪护协助患者于床旁解大小便及进行日常活动，避免进食易产气食物。

2．病情观察

密切观察有无发绀、缺氧和 CO_2 潴留表现，监测动脉血气分析。

3．促进 CO_2 排出

遵医嘱予无创辅助通气，检查各管路及面罩佩戴情况，教会患者用鼻吸气、用口呼气，随机送气而吸气，调整呼吸与呼吸机同步，避免人机对抗。

4. 用药护理

遵医嘱予抗生素、呼吸兴奋剂、支气管舒张药及祛痰药物，观察药物疗效和不良反应。

（二）预防心衰的护理

（1）调整饮食：根据心功能不全程度、利尿效果及电解质情况调整钠盐的摄入量，每日食盐量不超过 2 g。

（2）遵医嘱使用利尿药，维持体液平衡，纠正电解质紊乱，观察低钾反应（乏力、腹胀、肠鸣音减弱等），遵医嘱予间断口服补钾。

（3）观察下肢水肿消长、皮肤情况，注意皮肤护理，用枕头抬高水肿下肢，定时变换体位，避免在水肿肢体或部位进行注射或静脉输液。

（4）控制液体入量：限制摄入量、控制输液速度，准确统计出入量，出入量以 –1 000 至 –500 为宜，教会患者及家属准确记录出入量的方法。

（三）康复护理

（1）休息与活动：取半卧位，摇高床头 30°，急性期予卧床、被动踝泵运动（陪护协助），让患者了解充分休息有助于心肺功能的恢复。

（2）指导其进行吹纸巾训练，每天 2 次，每次 5 min，指导其进行缩唇腹式呼吸锻炼及床上肢体功能锻炼，逐步提高运动耐力，指导其于床上双手举哑铃及床上仰卧空中踩单车，每天 2 组，每组 15 个，每组 4 次，以不感觉疲乏为宜。

（3）运动时监测患者的生命体征及意识形态，有无发绀和呼吸困难，心率波动在 97 ~ 103 次 / 分，SpO_2 96%，患者未出现不适症状。

小结

慢性阻塞性肺疾病急性加重（AECOPD）是一种急性事件。慢性阻塞性肺疾病患者呼吸困难和（或）咳嗽、咳痰症状加重，症状恶化往往发生在 14 d 内，可能伴有呼吸急促和（或）心动过速。通常是由呼吸道感染、空气污染造成局部或全身炎症反应加重，或者因损伤气道的其他原因所致。对慢性阻塞性肺疾病急性加重合并呼吸衰竭患者进行细致、全面、个性化的护理干预非常重要。进行无创呼吸机与患者的连接前教育和详细具体的配合指导，使患者的恐惧焦虑感减轻，使其更好地配合治疗，可以保证无创通气的顺利进行，从而纠正低氧及改善 CO_2 潴留。在病情稳定时，从慢性阻塞性肺疾病的病理生理、临床基础知识、吸入药物和吸入装置的正确使用、肺康复功能锻炼等方面对患者进行全面的宣教和指导等不仅有效促进患者的疾病康复，也促进了护患和谐关系的形成。

参考文献

［1］慢性阻塞性肺疾病急性加重诊治专家组. 慢性阻塞性肺疾病急性加重诊治中国专家共识（2023 年修订版）［J］. 国际呼吸杂志，2023，43（2）：132-149.

［2］蔡柏蔷. 慢性阻塞性肺疾病急性加重的治疗［J］. 中华全科医师杂志，2014，13（3）：169-172.

［3］中华医学会重症医学分会. 慢性阻塞性肺疾病急性加重患者机械通气指南（2007）［J］. 中华急诊医学杂志，2007，16（4）：350-357.

［4］王辰，商鸣宇，黄克武. 有创与无创序贯性机械通气治疗慢性阻塞性肺疾病所致严重呼吸衰竭的研究［J］. 中华结核和呼吸杂志，2000，23（4）：212.

［5］中华医学会呼吸病学分会呼吸生理与重症监护学组，< 中华结核和呼吸杂志 > 编辑委员会. 无创正压通气临床应用专家共识［C］. // 第三届 301 呼吸危重症高峰论坛论文集，2009：186-198.

（杨丹丹）

◎ Ⅱ型呼吸衰竭患者使用无创呼吸机辅助通气 1

案例介绍

1．基本信息

患者男，70 岁。

主诉：反复咳嗽、咳痰 30 年，气促 10 年，加重 1 天。

现病史：1 天前患者无明显诱因出现咳嗽咳痰、气促加重，咳白色黏痰，伴有嗜睡，至我院急诊就诊，查血气分析提示：pH 7.37，$PaCO_2$ 87.3 mmHg，PaO_2 103 mmHg，考虑“Ⅱ型呼吸衰竭”收入呼吸内科。自起病来，患者精神、睡眠差，胃纳一般，大小便正常，近期体重未见明显减少。

2．病史

既往史：曾多次因“肺部感染，慢性阻塞性肺疾病急性加重”于我院住院，规律门诊复诊及使用吸入药物，规律运动。有高脂血症、脂肪肝、胆囊结石、前列腺增生病史；2022 年 11 月因“左下肺鳞癌”行微波消融术，术后气胸行胸腔闭式引流术 + 胸膜修补术。

个人史：久住本地，退休，否认吸烟史，否认饮酒史。

3．医护过程

体格检查：T 36.6℃，P 107 次 / 分，R 25 次 / 分（辅助呼吸），BP 139/86 mmHg，血氧饱和度 100%（无创呼吸机辅助通气状态下）。神志清楚、嗜睡，球结膜水肿，桶状胸，呼吸节律正常，双肺呼吸音清可闻及散在湿啰音，咳白色黏痰，气促；心律齐整，各瓣膜听诊区未闻及杂音，无四肢及全身水肿；食欲缺乏，无腹胀腹痛，大便正常；四肢肌力正常。

诊疗计划：①Ⅰ级护理，低盐低脂饮食；②完成下列检查，三大常规、生化、心彩超、心电图、CT、BNP、CTnI、心肌酶、血气分析、痰液检查等；③予吸氧、抗感染、止咳化痰、平喘、醒脑、呼吸机辅助通气等对症处理。

2024-01-27，血气分析：酸碱度 7.333，二氧化碳分压 76.0 mmHg，氧分压 83.1 mmHg，实际碳酸氢盐 40.7 mmol/L，实际碱剩余 12.5 mmol/L，氧合指数

286.7；生化检查：白蛋白 30.6 g/L，钠 136.0 mmol/L，氯 90.0 mmol/L。予告病重、抗感染、祛痰、平喘、醒脑、间断无创辅助通气治疗。

2024–01–31，痰培养：有酵母样真菌生长（少量）；痰真菌免疫荧光染色检测：涂片检出孢子（少许）。予抗真菌治疗，高流量湿化治疗与无创呼吸机交替使用，$PaCO_2$ 85.4 mmHg，夜间烦躁，人机配合差，予约束护理。

2024–02–10，床旁胸部正位片：左中肺野团片状密影及钙化灶，考虑慢性感染；左肺炎症；慢性支气管炎、肺气肿；主动脉硬化。胸部 CT：双侧胸腔积液，术区空洞性病灶伴周围渗出，慢性肺气肿，肺大疱。血氧饱和度最低 80%，改无创通气，FiO_2 60%，持续无创通气，经纤支镜吸出大量黄脓痰。

2024–02–19，无创通气状态下血氧 70%，经口鼻吸痰可吸出大量黄白黏痰，神志转为浅昏迷，予气管插管转 ICU 治疗。

2024–02–25，患者转回呼吸科，予镇静、约束，持续无创通气治疗，呼吸功能训练。

2024–03–01，持续呼吸功能训练，低流量吸氧状态下血氧持续正常，择期出院。

护理措施

（一）气体交换受损的护理

（1）合理氧疗：根据血气分析结果选择正确氧疗方式（低流量吸氧、高流量湿化、无创通气、有创通气）；根据患者血氧、血气、人机配合情况及时调整湿化仪、呼吸机参数；兴奋呼吸中枢。

（2）雾化治疗，扩张气道，改善小气道通气；呼吸功能训练：指导缩唇 + 腹式呼吸。

（3）控制肺部炎症：规律使用抗菌药物。

（4）促进痰液排出，保持气道通畅：化痰药物使用 + 吸痰 + 鼓励咳痰。

（5）引流积液：留置胸腔引流管，保持有效引流。

（二）清理呼吸道低效的护理

（1）减少痰液产生：抗生素抗炎，化痰药深部化痰，规律用药。

（2）增加气道湿化，降低痰液黏稠度：雾化 + 高流量湿化；小口多次饮水 / 留置胃管鼻饲补水。

（3）增强排痰能力：鼓励咳嗽咳痰，间断吸痰减少脱机时间，避免过度耗氧。

（4）陈氏面罩辅助下纤支镜吸痰。

（5）增加肺容量及呼吸肌肉力量：半坐卧位，病情许可下的呼吸功能训练，引流积液。

（三）呼吸机依赖的护理

（1）脱机前呼吸肌训练：嘱患者做深而慢的腹式呼吸，根据病情而定。开始时可以 3 ～ 4 次 / 日，每次 5 ～ 10 min，选择患者精力许可的时间段落实；随着患者耐力增加，可逐渐增加活动次数、延长活动时间。

（2）脱机后的呼吸训练：鼻导管给氧的条件下，指导患者缓慢按“平静呼吸 – 腹式呼吸 – 缩唇呼吸”过渡，密切监测血氧变化，不要血氧一低就上回呼吸机，给患者适应的时间。

（3）过渡脱机、间断脱机：在患者情绪状态稳定、生命体征平稳、血压持续 95% 以上时选择脱机，无创通气 – 高流量湿化仪 – 鼻导管给氧，脱机时间从 10 min—30 min—1 h—2 h 逐渐增加。

（4）支持治疗：控制肺部炎症、积极引流积液、营养支持、心理支持。

（四）肺性脑病的护理

（1）密切观察患者神志变化。持续无创辅助通气、尼可刹米醒脑、合理氧疗。

（2）解痉平喘、止咳化痰、合理选择抗生素防治感染，同时在纠正水电解质平衡紊乱的基础上给予营养支持治疗。

（3）专科会诊：遵医嘱正确使用镇静药物，观察药物疗效及不良反应。

（4）约束护理：约束告知，取得理解，约束松紧度以容纳 1 ～ 2 横指为宜，患者双手自然放置身体两侧；每 2 h 观察患者约束肢端的血流、皮肤情况。

（5）密切观察病情变化：若出现病情加重、意识障碍恶化、气促加剧或难以耐受、血气分析结果持续恶化等，立即行气管插管有创机械通气。

（五）营养支持

（1）计算患者目标需要量，提供静脉及肠内营养。

（2）留置胃管，无创通气早期留置胃管患者获益增加，瑞代 50 ～ 70 mL/h 鼻饲泵泵入，每日 16 ～ 20 小时；鼻饲温水 100 ～ 150 mL/2 ～ 3 小时；每 4 小时回抽胃管观察消化情况。

（3）根据患者饮食习惯、饮食结构及目标需要量制定饮食计划。

（4）观察患者营养指标变化，及时调整营养干预方案。

小结

COPD 急性加重引起的低氧血症伴或不伴高碳酸血症可导致慢性呼吸衰竭，严重威胁患者生命健康。因此，及时有效治疗对其非常重要。目前，无创机械通气联合常规药物治疗常作为临床首选治疗方式，在减少患者呼吸做功，促进呼吸肌肌力恢复，使患者呼吸功能改善等方面取得了较好效果。

危重症患者病程长，病情复杂，常多病共存，临床表现多样化，需要采用恰当的评估观察方法进行系统管理，选择合理的呼吸支持方式既能维持生活质量、提升血氧饱和度又能帮助二氧化碳排出。重视气道管理，增强患者自主排痰能力，同时重视肺康复训练在慢性阻塞性肺疾病患者治疗过程中的作用，合理的肺康复训练方案有助于缩短患者病程，增加患者和家属的康复信心。

参考文献

［1］张金峰，王爱民．呼吸机依赖患者呼吸康复锻炼的研究进展［J］．中华护理杂志，2011，（10）：1034-1037.

［2］徐媛．双水平无创正压通气联合呼吸兴奋剂在 COPD 合并肺性脑病治疗中的应用［J］．山东医药，2015，（26）：77-79.

［3］由振华，黄锦宏，赵云根，等．经鼻高流量氧疗在Ⅰ型呼吸衰竭和二氧化碳潴留不明显的Ⅱ型呼吸衰竭中的疗效［J］．中国医药导报，2021，18（16）：82-85，90.

［4］石群，高小雁．体位护理干预呼吸机相关性肺炎的研究进展［J］．护理研究，2009，23（33）：3009-3010.

［5］孙裕强，刘伟，刘志．呼吸机困难撤机 23 例治疗分析［J］．中华危重症医学杂志（电子版），2008，1（2）：111-114.

［6］刘鹏珍，姚翠岭，乔丽霞．呼吸机依赖病人原因分析及撤机方法［J］．临床肺科杂志，2009，14（4）：511-512.

（杨丹丹）

◎ Ⅱ型呼吸衰竭患者使用无创呼吸机辅助通气 2

案例介绍

1. 基本信息

患者男，68 岁。

主诉：反复咳嗽咳痰、气促 4 年余，加重伴下肢水肿 1 周。

现病史：患者于 4 年前始出现慢性咳嗽、咳痰，咳嗽呈阵发性、非金属样咳嗽，多为白色泡沫样痰，多于感冒、受凉后咳嗽咳痰加重，伴有活动后气促，经应用抗菌药物（具体不详）等治疗后，症状可好转。每年发作时间累计超过三个月，多于天气转变或受凉后出现。半年前活动后气促加重，伴有双下肢水肿，活动耐力明显下降，在当地医院住院，诊断“慢性阻塞性肺疾病伴有急性下呼吸道感染；慢性肺源性心脏病；Ⅱ型呼吸衰竭”，出院后开始家庭氧疗。2024-04-13 再次因病情加重在当地医院住院，诊断同前，予抗感染、无创通气及利尿、补充白蛋白等对症治疗，住院 17 天，病情好转于 2024-04-30 出院。出院后继续家庭氧疗及无创呼吸机治疗，一般情况尚可。3 天前开始咳嗽气促再发加重，伴有双下肢水肿，痰不易咳出，为黄白痰，伴有喘息，以活动时明显，无发热。为进一步诊断治疗就医，在急诊拟诊断为“慢性阻塞性肺疾病急性加重”收入院。自发病以来精神状态较差，食欲一般，进食少，睡眠良好，大便正常，小便正常，体力情况如常，体重无明显变化。

2. 病史

个人史：生于出生地，吸烟 50 年，平均 30 支 / 日，已戒烟 3 个月。否认工业毒物、粉尘、放射性物质接触史。否认冶游史。否认疫区接触史。

3. 医护过程

体格检查：T 36.9℃，P 98 次 / 分，R 28 次 / 分，BP 122/54 mmHg。神志清楚，自主体位，应答切题，查体合作。胸廓桶状胸，呼吸运动正常，呼吸节律正常，双肺叩诊呈过清音，双肺呼吸音低，闻及干、湿啰音。心前区无隆起，心尖搏动范围正常，心前区未触及震颤和心包摩擦感，心脏相对浊音界正常，心律齐整，各瓣膜听诊区未闻及杂音。腹部平坦，腹式呼吸存在，腹壁静脉无曲张，无胃型、肠型、蠕动波。腹肌柔软，无压痛、反跳痛，未触及腹部包块。

诊疗计划：①Ⅰ级护理，低盐低脂饮食；②完善相关检查；③告病重，予吸氧、抗感染、止咳、化痰对症治疗，并根据检查结果调整治疗。

护理措施

（一）环境与休息

去半卧位或坐位，保持环境安静、舒适，空气清新、流通，调节室温在22 ~ 24℃，湿度在50% ~ 60%；减少环境对患者的不良刺激。

（二）病情观察

（1）呼吸困难程度。

（2）缺氧及 CO_2 潴留情况。

（3）循环情况：监测心率、心律及血压，必要时进行血流动力学监测。

（4）意识状态及精神症状：出现头痛、烦躁不安、淡漠、嗜睡和昏迷等症状及时报告。

（5）观察和记录每小时尿量和液体出入量，有肺水肿的患者需适当保持负平衡。

（6）监测动脉血气分析和生化检查了解电解质和酸碱平衡情况。如有异常情况，应及时报告医生。

（三）氧疗护理

（1）Ⅰ型呼吸衰竭：给予高浓度（> 50%）氧气吸入，使血氧分压≥ 60 mmHg或血氧饱和度≥ 90%。当血氧分压≥ 70 mmHg时，应逐渐降低氧浓度，防止发生氧中毒。

（2）Ⅱ型呼吸衰竭：给予持续低流量吸氧。必要时使用呼吸机辅助呼吸。

（3）无创呼吸机的护理。体位与气道管理：取半卧位；持续无创通气，设置合理呼吸机参数；指导用鼻吸气、用口呼气，教会患者随机送气而吸气；注意选用合适的呼吸机面罩；调整患者的头带，松紧一般以伸入1 ~ 2指为宜。

（4）有效沟通，做好心理护理，选择成功案例，并引导治疗成功者“现身说法”，增强患者的治疗信心，使患者主动参与治疗。

（四）呼吸道护理

（1）取半卧位或坐位，指导有效咳嗽咳痰（ACBT 技术），减少肺组织的塌陷、增加患者的肺通气量从而松动患者分泌物，促进痰液的排出。

（2）呼吸功能锻炼：吹纸巾、缩唇呼吸、腹式呼吸，增加通气量，改善呼吸协调性，尽可能排除多余残气，维持及增大胸廓活动度（图 9–1）。

（3）雾化吸入，湿化痰液，2 ~ 3 次 / 日，10 ~ 20 min/ 次。

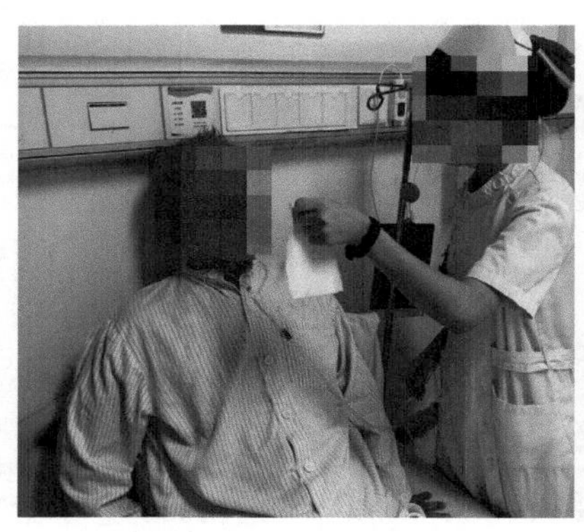

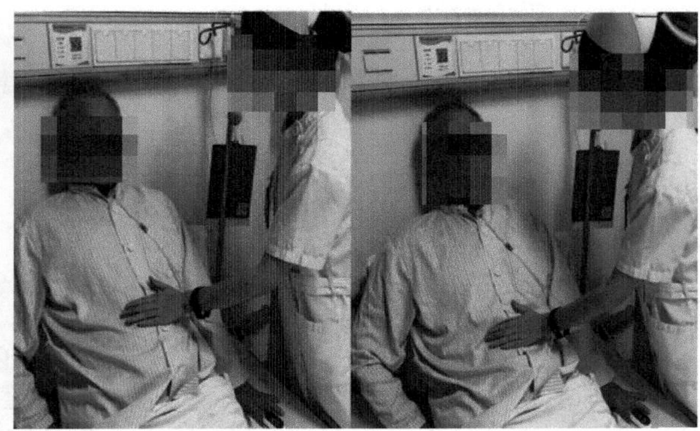

图 9–1 呼吸功能锻炼护理

（五）用药护理

（1）遵医嘱选择使用有效的抗生素控制呼吸道感染。

（2）遵医嘱使用呼吸兴奋药，必须保持呼吸道通畅。注意观察用药后反应，以防药物过量。

（3）对烦躁不安、夜间失眠患者，慎用镇静剂，以防引起呼吸抑制。

（六）饮食护理

（1）避免进食易产气食物。

（2）指导患者每天进食高蛋白、低脂肪、高碳水化合物、高纤维素、富含多重维生素食物，少食多餐。必要时给予静脉高营养治疗。

（七）肺康复锻炼

（1）肢体锻炼：根据患者情况，循序渐进增加活动量；床上卧位康复操（空中踩单车）及哑铃康复训练，频率为每天 2 次，每次 5 ～ 10 分钟，增强患者肌力和运动耐力。

（2）踝泵运动锻炼，频率为每天 3 次，每次 5 ～ 10 分钟，预防下肢血栓。

具体护理措施见图 9–2。

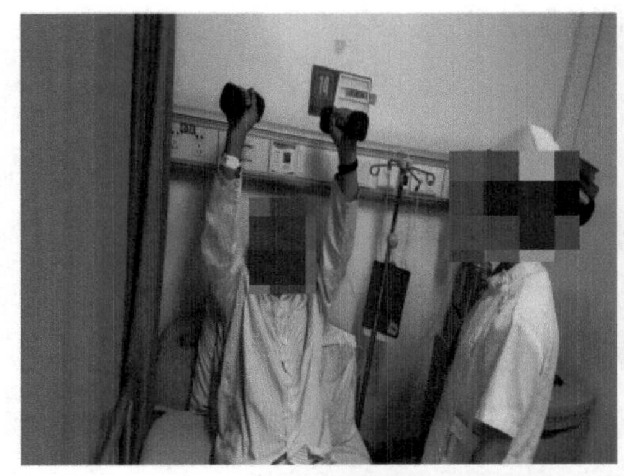
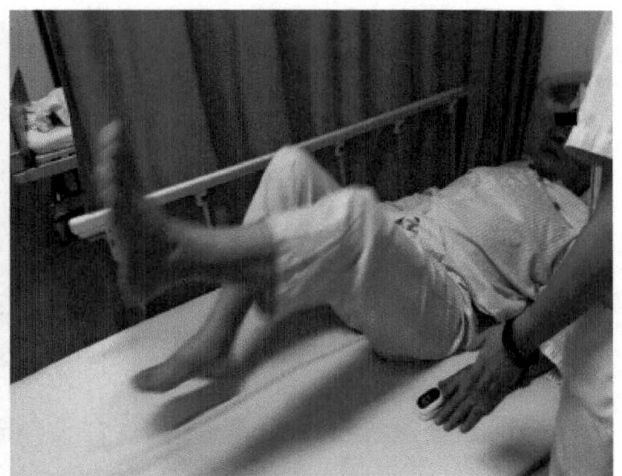
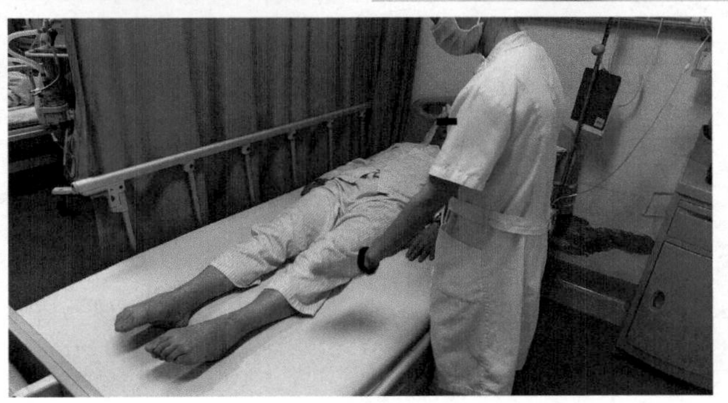

图 9–2　肺康复锻炼护理

小结

Ⅱ型呼吸衰竭又称高碳酸性呼吸衰竭，是各种原因引起的肺通气和（或）换气功能严重障碍，以致不能进行有效的气体交换，导致缺氧伴二氧化碳潴留，从而引起一系列生理功能和代谢紊乱的临床综合征。血气分析特点是 $PaO_2 < 60$ mmHg，同时伴有 $PaCO_2 > 50$ mmHg。

对Ⅱ型呼吸衰竭患者进行细致、全面的护理是十分重要的。在护理过程中，熟练掌握无创呼吸机的使用和调整方法是保证治疗顺利进行的关键，同时要根据患者的反应和病情不断优化参数设置，能有效提高患者的舒适度和治疗效果。近数十年，在药物疗效进展甚微的情况下，临床实践不断证明了呼吸康复对于呼吸系统疾病的有效性，早期开展肺康复对于整体康复过程至关重要，可提高患者存活率，改善生活质量。

此外，患者的心理护理不容忽视，要给予充分的关怀和鼓励，增强其治疗信心和依从性。还有团队协作在护理过程中发挥了重要作用，医生、护士及其他相关人员密切配合，能为患者提供更优质的医疗服务。

参考文献

［1］熊伟，张能文，杨敏．无创呼吸机治疗COPD合并Ⅱ型呼吸衰竭的临床效果及安全性观察［J］．当代医学，2018，24（18）：43-45.

［2］贡惠．无创正压通气治疗慢性阻塞性肺疾病合并呼吸衰竭患者护理综合干预的效果分析［J］．世界中医药，2016，01（B03）：852-853.

［3］刘佳美，李春，徐玲．慢性阻塞性肺疾病合并慢性呼吸衰竭的老年患者护理干预研究［J］．中国医药导刊，2015（8）：858-859.

［4］李菡，黄鹤，王月明．呼吸衰竭机械通气患者的排痰护理改良方法［J］．实用临床医药杂志，2017，21（16）：133-135.

［5］路银生．慢性阻塞性肺疾病合并重症呼吸衰竭应用无创呼吸机治疗的效果分析［J］．中国实用医药，2021，16（20）：88-90.

（洪珊珊）

◎ 肺栓塞

案例介绍

1．基本信息

患者女，23 岁。

主诉：发热、咳嗽、胸痛 2 周，咯血 3 天。

现病史：患者于 2 周前无明显诱因突然出现发热，发热无规律，体温最高 38.5℃，口服退热药物体温可下降，伴有咳嗽、咳痰，痰为白色黏痰。同时出现右侧胸痛，可放射至肩部，伴有头痛，无头晕，无畏寒，无寒战，到中医院就诊。查胸部 CT 示：双肺感染，以右肺下叶明显；右肺上叶后段多房小囊样透亮影，考虑局部支气管扩张合并少许炎症；少量心包积液；少量胸腔积液。考虑为社区获得性肺炎，入院后查 D– 二聚体升高，予左氧氟沙星 + 多西环素抗感染，3 天前患者出现咯血，量少。查肺动脉 CTA 示：左肺动脉干、左上肺舌段动脉、左下肺动脉、左下叶前内段肺动脉、左下叶外段肺动脉、左下肺后段肺动脉血栓形成。查心彩超示：LVEF 65%，加用肝素（0.6 mL，q12h）抗凝治疗，后患者血氧饱和度出现波动，转至 ICU 继续治疗，经中流量吸氧、抗凝、雾化、祛痰、平喘治疗症状好转。现为进一步诊断治疗就医，在门诊拟诊断为“急性肺栓塞”收入院。自发病以来精神状态较差，食欲较差，进食少，睡眠良好，大便正常，小便正常，体力情况较差，体重无明显变化，无意识障碍。

2．病史

既往史：5 年前曾在外院诊断为“多囊卵巢综合征”，曾服用药物至 2022 年。否认高血压、冠心病、糖尿病等慢性病史，否认肝炎、结核等传染病史，否认手术史、外伤史，否认输血史，否认过敏史，预防接种史不详。

3．医护过程

体格检查：T 36.9℃，P 78 次 / 分，R 21 次 / 分，BP 108/72 mmHg。神清，全身皮肤黏膜色泽正常，全身浅表淋巴结未扪及肿大。胸廓正常，呼吸运动、呼吸节律正常，双肺叩诊呈清音，双肺呼吸音清，右下肺可闻及少许湿啰音。心律齐整，各瓣膜听诊区未闻及杂音。腹部平坦，腹软，无压痛、反跳痛，未触及腹部包块，肝脾肋下未触及，肾脏未触及，墨菲阴性，肝浊音界存在，移动性浊音阴性，肾区无叩击痛，肠鸣音正常。

诊疗计划：①Ⅰ级护理，普通饮食；②完成下列检查，三大常规、生化、双下肢彩超、心电图、肺动脉CTA、BNP、CTnI、心肌酶、血气分析等；③告病重，予吸氧、抗炎、平喘、祛痰、左氧氟沙星抗感染、抗凝、护胃治疗。

护理措施

（一）感染护理

1. 药物治疗

予左氧氟沙星、哌拉西林舒巴坦抗感染治疗。

2. 术口伤口护理

患者有淋巴结活检术口，严格执行无菌操作技术，防止交叉感染。

3. 病情观察

监测体温。根据患者体温情况予相应降温处理，给予物理降温或口服降温。

4. 饮食指导

予指导进食高蛋白、高维生素、易消化的流质饮食，注意少量多餐，以补充体温异常的消耗。

（二）气体交换受损护理

1. 保持室内空气新鲜

定时通风，每次通风30分钟，通风时注意给患者保暖。

2. 体位

抬高床头帮助患者取半坐卧位，可有效缓解患者呼吸困难的症状。

3. 氧疗

给予患者持续低流量吸氧，以维持患者的血氧饱和度。

4．鼓励患者排痰

病情允许的情况下，可以指导患者进行自主咳嗽、排痰；病情严重不能自主排痰者，可以帮患者叩背或借助机器排痰，必要时用吸痰管吸痰，以保持患者呼吸道通畅。

5．用药护理

予可必特氧气雾化吸入、盐酸氨溴索注射液静脉滴注稀释痰液。

6．病情观察

观察患者有无发绀和呼吸困难及其严重程度，以及呼吸的深浅、节律、频率；监测患者动脉血气分析，了解病情和治疗效果。

（三）并发症预防：再栓塞

1．运动指导

入院当天指导患者卧床的方法，鼓励患者床上翻身、坐起。适当的运动可以促进血液循环，减少下肢静脉血栓的发生。病情稳定后逐步指导患者行踝泵运动及床边活动，踝泵运动 3 次 / 天，20 个 / 组，指导患者床上行坐式八段锦，2 组 / 天，3 个 / 组，可预防血栓。

2．药物治疗

予依诺肝素钠注射液皮下注射（q12h）及利伐沙班、华法林口服进行抗凝治疗，需格外注意有无出血反应。

3．健康宣教

保持充足的水分摄入，降低血液黏稠度。

4．病情观察

密切注意患者是否有胸闷、气短、胸痛、咳痰带血等症状出现，因为这些症状意味着患者可能发生血栓脱落，从而引起肺动脉栓塞。

（四）并发症预防：出血

1．自我监测

指导患者对早期出血征象和体征进行自我监测，包括牙龈、鼻腔、皮肤黏膜、大小便颜色等。如出现皮下、口腔黏膜出血，血尿，黑便等应及时反馈。

2. 术后护理

颈部切勿用力活动，观察术口纱块情况。

3. 运动指导

抗凝治疗期间，患者不可参加剧烈运动，预防跌倒和外伤。

4. 检验指标

关注患者凝血指标，包括 PT、INR、APTT 等，以确保药物的剂量和疗效，并及时发现异常情况。

5. 减少有创操作

避免深静脉穿刺、减少穿刺次数，采血后要增加按压的时间和力度。

6. 饮食宣教

饮食上给予低盐、富含维生素、高蛋白、清淡、易消化的饮食，多食新鲜蔬菜和水果，多饮水，降低血液黏稠度，保持大便通畅。

（五）心理护理

（1）加强心理护理，保证安全：患者由于缺氧、胸痛、恶性肿瘤等因素，容易出现烦躁不安等心理表现，多与患者交流，给予鼓励安慰的言语。

（2）医护人员要耐心做好解释和劝慰工作，增强患者信心。患者咯血时应给予安慰，保持患者情绪稳定，避免因情绪波动加重出血。

（3）用科室治疗成功患者的案例疏导患者情绪，增加其战胜疾病的信心。

（4）告知患者在靶向治疗过程中可能出现不良反应，缓解焦虑和恐惧。

（六）健康教育

（1）告知患者定期复查的时间，指导其定期到医院检查凝血酶原时间等。若出现突然加重的呼吸困难、胸痛、胸闷、发作性晕厥、低血压、下肢无力及不对称性水肿等时，应及时就医。

（2）长期小剂量口服利伐沙班抗凝药能明显降低深静脉血栓和急性重症 PE 的再发率，因此患者出院后仍需口服利伐沙班等抗凝药物 6 个月左右，以预防 PE 复发。

（3）护士向患者讲解坚持服药的重要性，除严格遵医嘱服药外，还需注意观察有无出血现象，停药时宜逐渐减少。指导患者如何观察皮肤黏膜出血点。

小结

因内源性或外源性栓子堵塞肺动脉主干和（或）其分支导致肺循环障碍的病理综合征，称为肺动脉栓塞（pulmonary embolism，PE）。临床工作中，常见PE发生原因多为深静脉血栓因静脉压力升高或血流加快而脱落，经血液循环至肺部，导致堵塞。肿瘤患者患PE率为正常患者的4倍之多，多考虑与身体机能、凝血状态有关系。临床工作中，为防止患者发生PE，多采取抗凝药物治疗给予预防。PE有着极高的致死率，如不及时给予干预治疗，患者生命安全将受到严重威胁，因此，护理干预作用尤为重要。采取综合护理干预，从心理着手，本着优秀的护理操作技术及以人为本的护理理念，真切地站在患者角度思考问题。患者在患恶性肿瘤后，负性情绪会有所增长，会产生焦虑、抑郁不良心理，对治疗失去信心，对未来失去兴趣，进而降低患者对治疗的依从性。

综上所述，对于恶性肿瘤合并肺栓塞患者，应采取综合的护理干预措施，有效地满足患者的身心健康需要，为患者提供科学的、系统的、整体的护理，提高护理质量，促进患者康复。

参考文献

陈慧芳，钱红．恶性肿瘤合并肺栓塞的护理对照研究［J］．母婴世界，2019，（19）：207.

（洪珊珊）

◎ 肺腺癌合并恶性胸腔积液

案例介绍

1．基本信息

患者男，63 岁。

主诉：确诊肺腺癌 2 个月余，气促 2 天。

现病史：患者于 2 个月前至外院就医，2024-06-08 查胸部 CT 示：左肺上叶前段占位性病变；双肺多发炎症；双肺门及纵隔多发淋巴结影，部分钙化；双侧腋窝多发淋巴结及右侧腋窝脂肪浑浊；主动脉及冠状动脉粥样硬化；双侧胸腔积液；心包及前纵隔大量积液；胸壁皮下积液及脂肪浑浊；所见平面，肝周间隙积液。行心包穿刺术，心包积液病理提示：检出腺癌细胞。免疫组化：CK7（+），CK20（-），CDX2（-），Villin（-），TIF-1（-），NapsinA（-），p40（-），P63（-），CD163（巨噬细胞 +），CK5/6 及 Calretinin（间皮细胞 +）。患者及家属拒绝行进一步治疗，要求出院，考虑患者气促较前好转，予出院。出院后患者再次出现气促，到医院就诊，行胸腔穿刺术，胸腔积液提示非小细胞肺癌伴有神经内分泌分化。查 PET-CT 示：左肺上叶前段肿块，符合肺癌影像学表现；多部位淋巴结转移可能性大；心包局限性增厚伴轻度代谢增高，考虑转移可能性大；腹膜后多发小淋巴结，部分代谢增高，不除外部分转移瘤可能。左肺上叶尖后段条片影，代谢稍高，考虑早期肺癌可能性大；左侧液气胸伴左肺下叶膨胀不全，右侧胸腔、心包少量积液；双肺肺气肿，双肺散在慢性炎症。完善基因检测未见突变，考虑患者有化疗 + 免疫治疗指征，家属及患者不同意治疗方案，予以出院。8 天前曾到外院复查胸部 CT 左上肺肿块较前增大、胸腔积液较前增多。3 天前患者无明显诱因出现气促，夜间不能平卧，同时伴有右上肢水肿，无发热、畏寒，无恶心、呕吐，无腹痛、腹泻，不伴有咽痛，不伴有胸痛，不伴有盗汗、乏力。为进一步诊断治疗来我院就医，在门诊拟诊断为“左肺腺癌”收入院。自发病以来精神状态较差，食欲一般，进食少，睡眠很差，大便正常，小便正常，体力情况较差，体重无明显变化，无意识障碍。

2．病史

既往史：外院诊断糖尿病患病10余年，现予门冬胰岛素注射液（诺和锐笔芯）（8 U，tid）+ 甘精胰岛素注射液（来优时）（14 U，qn）控制血糖，血糖控制欠佳。否认高血压、冠心病等慢性病史，否认肝炎、结核等传染病史，否认手术史、外伤史，否认输血史，否认过敏史，预防接种史不详。

个人史：否认血吸虫疫水接触史，否认到过地方病高发及传染病流行地区，吸烟40年，平均10支/日，未戒烟。否认嗜酒史。无常用药品及麻醉毒品嗜好。否认工业毒物、粉尘、放射性物质接触史。否认冶游史。否认疫区接触史。

3．医护过程

体格检查：T 36.6℃，P 89次/分，R 21次/分，BP 110/61 mmHg。神清，全身皮肤黏膜色泽正常，全身浅表淋巴结未扪及肿大。胸廓正常，呼吸运动、呼吸节律正常，双肺叩诊呈清音，双下肺呼吸音减弱，未闻及干、湿啰音。心律齐整，心音减弱，各瓣膜听诊区未闻及杂音。腹部平坦，腹软，无压痛、反跳痛。右上肢水肿，双下肢无水肿。

诊疗计划：① Ⅰ级护理，低盐低脂饮食；②完成下列检查，三大常规、生化、心脏彩超、血管彩超、心电图、胸部CT、BNP、CTnI、心肌酶、血气分析等；③告病重，予心电监护、吸氧、降糖治疗，择期行化疗。

护理措施

（一）病情观察

（1）动态监测生命体征，注意呼吸频率和节律、意识状态及瞳孔变化，了解动脉血气分析变化、血电解质检查结果。

（2）注意观察血糖的变化，控制血糖正常水平。

（二）呼吸道护理

（1）指导患者取半卧位，使膈肌下降，胸腔扩大，肺活量增加，利于患者呼吸。

（2）保持呼吸道通畅，吸氧，保证氧浓度；予雾化吸入治疗，2次/日；及时复查血气，保证胸腔穿刺引流管通畅。

（3）呼吸功能锻炼：吹纸巾，一天 3 次，每次 5 ～ 8 分钟。

（三）化疗期间护理

（1）做好保护性隔离，预防感染。加强口腔护理，每天可用盐水漱口，预防细菌或真菌感染。用软毛牙刷刷牙，以避免口腔黏膜损伤。

（2）熟悉化疗药物的应用方法，准确掌握剂量及用药时间。用药期间密切观察药物的毒性反应，如食欲减退、恶心、呕吐、口腔炎、脱发、粒细胞缺乏等，除对症护理外，出现严重反应要及时报告医生。静脉注射化疗药物时，注意保护血管，以免引起静脉炎。

（四）引流管护理

（1）妥善固定，保持引流通畅，定时挤捏引流管，勿打折、受压、牵拉。

（2）严格无菌操作，定时更换引流装置，保持引流口处敷料清洁、干燥。

（3）保持引流低位，预防逆行感染。

（4）密切观察引流液的量、性状、颜色。

（五）营养护理

（1）化疗前药物治疗：使用维生素 B_{12}、欣贝、地塞米松等药物减少化疗药物的过敏反应和胃肠道反应。

（2）饮食指导：介绍何为糖尿病食物与高蛋白、高热量、高维生素饮食，指导其选择适宜的饮食。

（3）控制血糖：予门冬胰岛素 + 甘精胰岛素控制血糖，注意血糖变化。

（4）合理运动：如踝泵运动、抗阻运动、协助走廊步行。可提高胰岛素敏感性，减轻胰岛素抵抗，改善血糖。

（5）监测血清蛋白及电解质，维持水电解质平衡。

（六）心理护理

（1）晚期肿瘤患者的日常生活质量不仅严重受损，心灵也遭受到损害，舒适的护理会使患者及家属得到最大的精神安慰。

（2）不强制性给予很多的治疗、护理措施，而是考虑到患者的感受。真正走进患者内心，倾听需求，让护理措施建立在解决需求的基础上。

（3）帮助家属宣泄情绪，协助家属学习正面适应方法，使家属摆脱无助感。

小结

恶性胸腔积液是指胸膜原发性恶性肿瘤或其他部位恶性肿瘤转移至胸膜引起的胸腔积液，在治疗恶性胸腔积液的过程中，需要局部治疗和全身抗肿瘤治疗相互结合、互为补充，以达到最佳的治疗效果。全身治疗的主要目的是杀灭癌细胞，控制病情的进展，而局部治疗的主要目的是控制胸腔积液的生成和减少积液的积累。

对于肺腺癌合并恶性胸腔积液患者，要加强胸腔引流管的护理，以及病情观察、维持有效呼吸、营养支持，并采取有效的护理措施，避免发生严重的并发症。

对于肿瘤晚期患者需注重人文关怀，为患者提供身体与心理的治疗，减轻疾病带给患者的痛苦，促进患者康复，提高患者的生活质量。

参考文献

［1］王鼎，车成日，蔡建辉．胸腔积液细胞外囊泡作为晚期非小细胞肺癌生物标志物的研究进展［J］．现代肿瘤医学，2023，31（17）：3309–3314.

［2］李会桥，王金祥，张帅，等．初诊合并胸腔积液的淋巴瘤临床分析［J］．临床肺科杂志，2023，28（08）：1135–1140.

［3］彭飞．肺腺癌恶性胸腔积液相关 EMT 的检测及其临床意义研究［D］．西安医学院，2023.

［4］陈慧芳．贝伐珠单抗联合 PC 化疗方案治疗肺腺癌伴恶性胸腔积液患者的效果［J］．中国民康医学，2023，35（10）：69–71+75.

［5］胡巍，袁明霞，康艺．贝伐珠单抗胸腔注射对肺腺癌恶性胸腔积液患者 VEGF、CEA 水平及免疫功能的影响［J］．中国医学创新，2023，20（03）：65–68.

（洪珊珊）

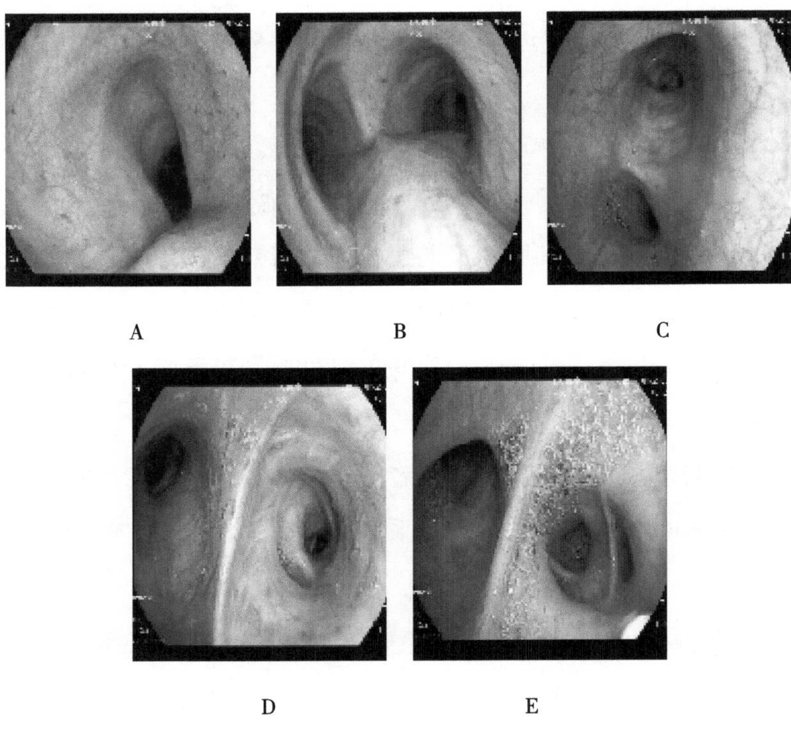

彩插 1　支气管镜情况（见正文见第 15 页）

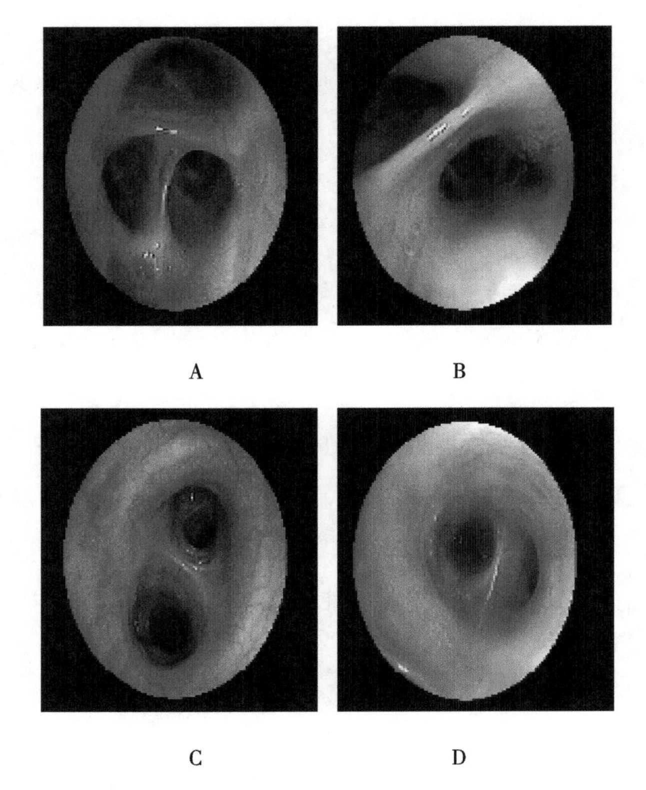

彩插 2　入院时支气管镜检查（见正文第 79 页）

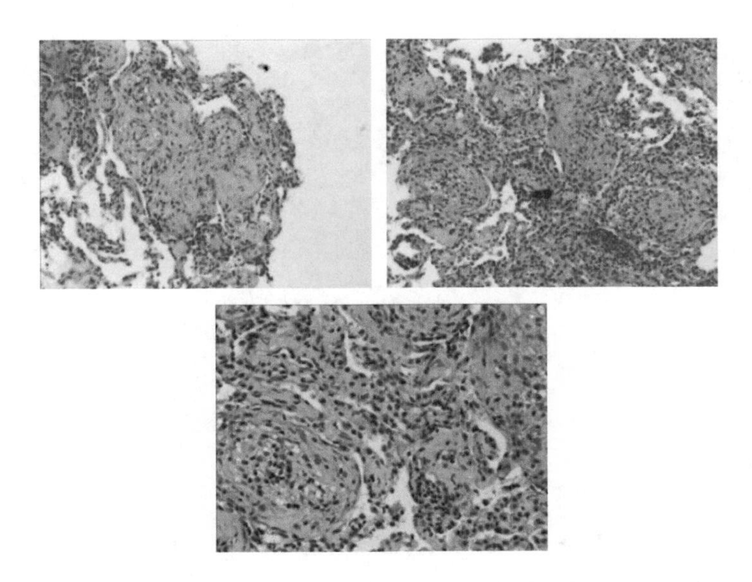

彩插 3　2023-04-26 右中叶内侧段活检病理（见正文第 84 页）

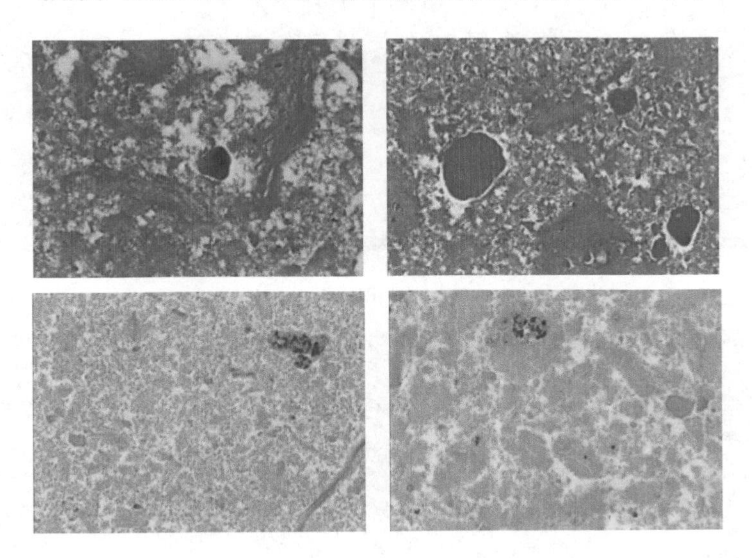

彩插 4　肺泡灌洗液及病理（见正文见第 90 页）

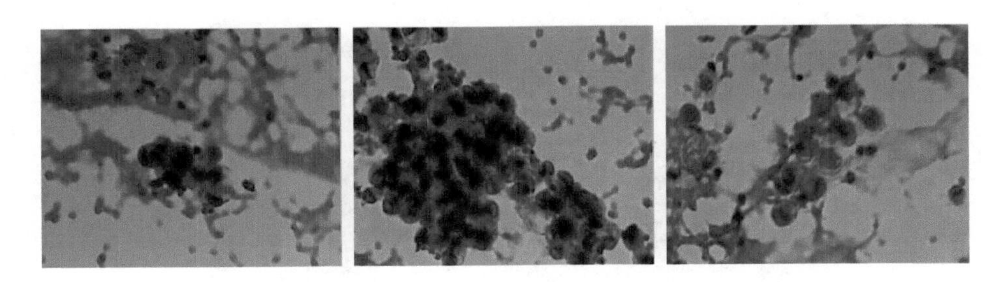

彩插 5　病理结果（见正文见第 100 页）

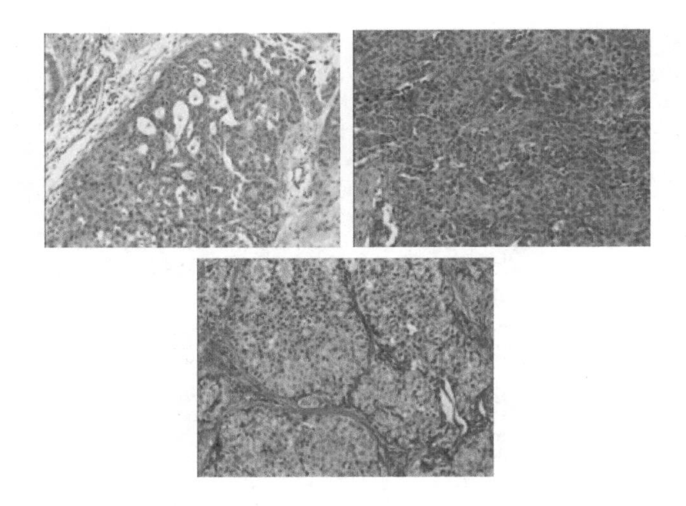

彩插 6　右锁骨上淋巴结病理（见正文见第 110 页）

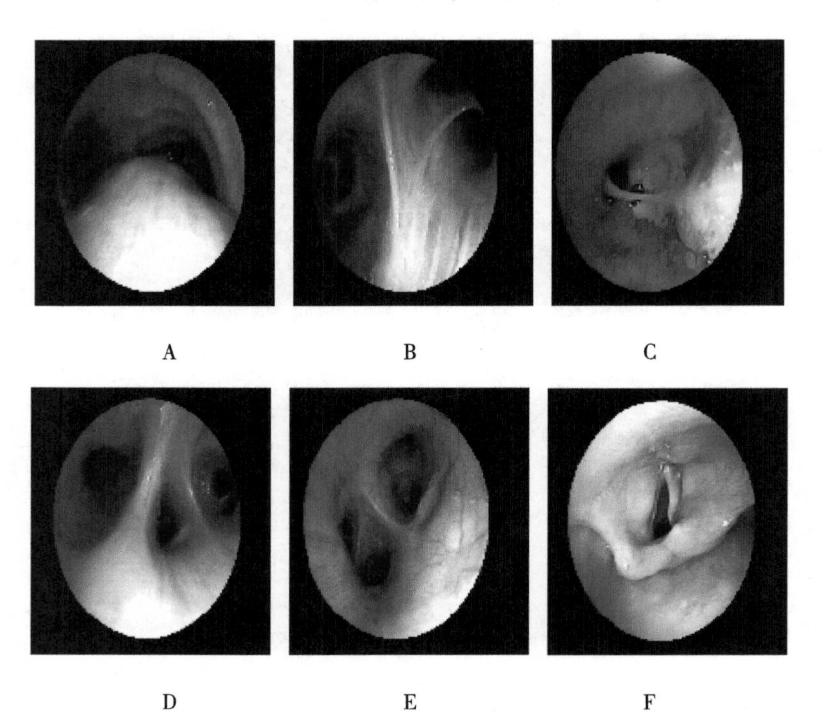

彩插 7　支气管镜检查（见正文见第 125 页）

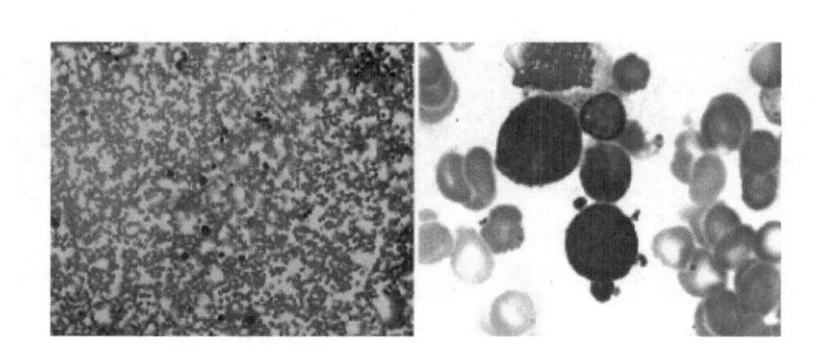

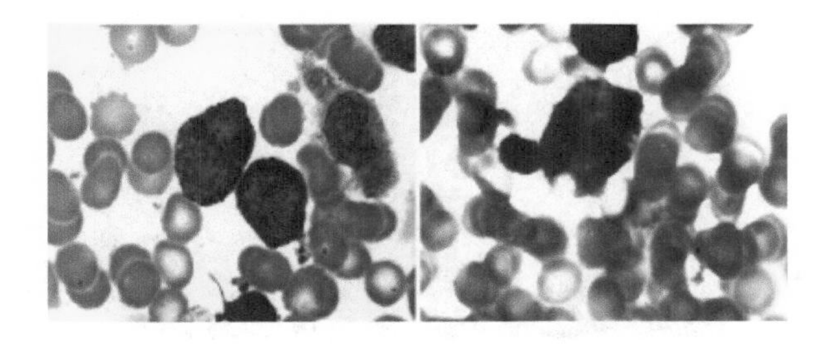

彩插 8　骨髓涂片（见正文见第 132 页）

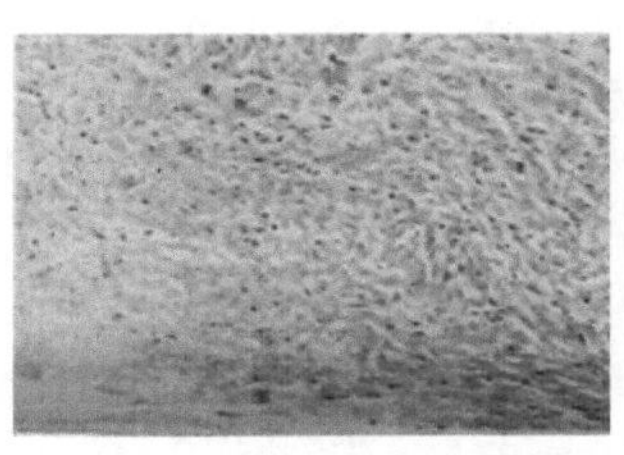
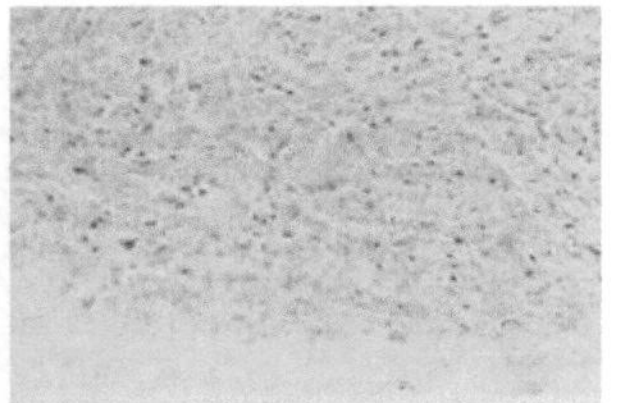
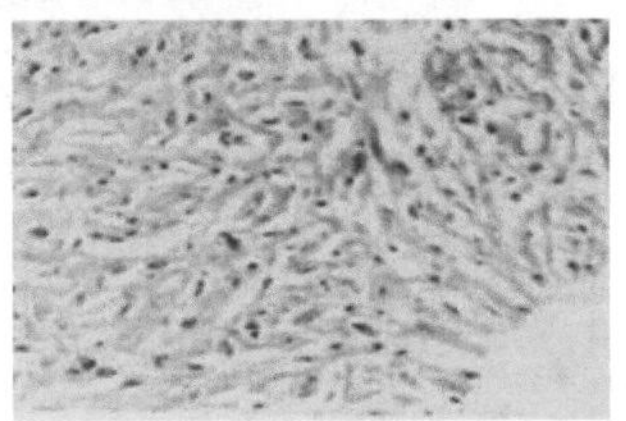

彩插 9　第二次胸膜活检病理（见正文见第 140 页）

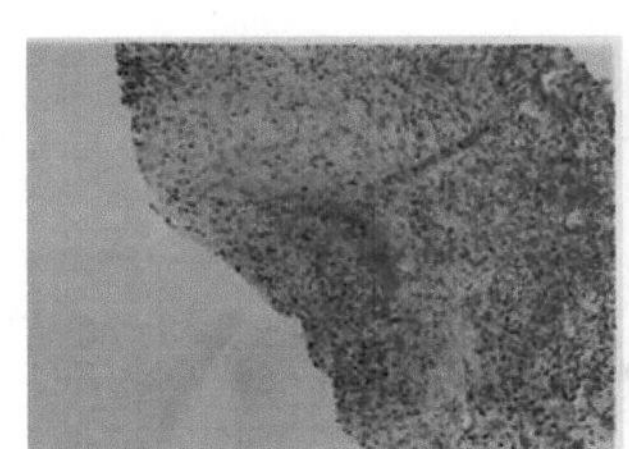
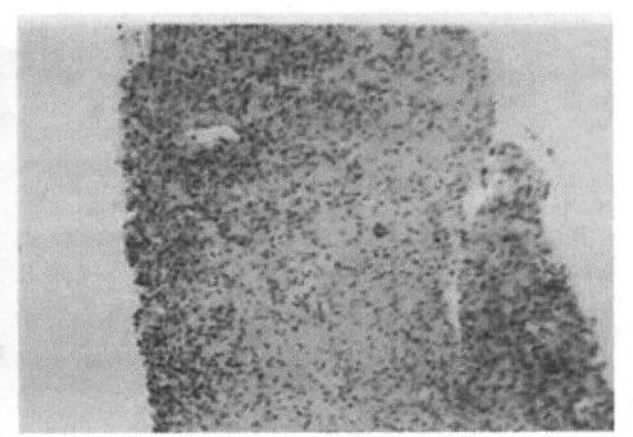

彩插 10　外院肺活检病理（见正文见第 144 页）

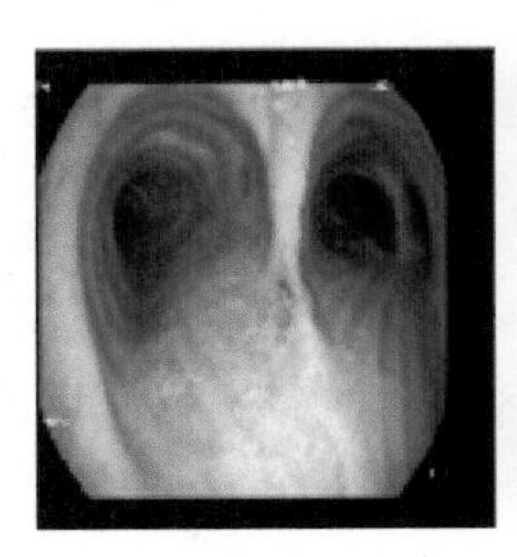
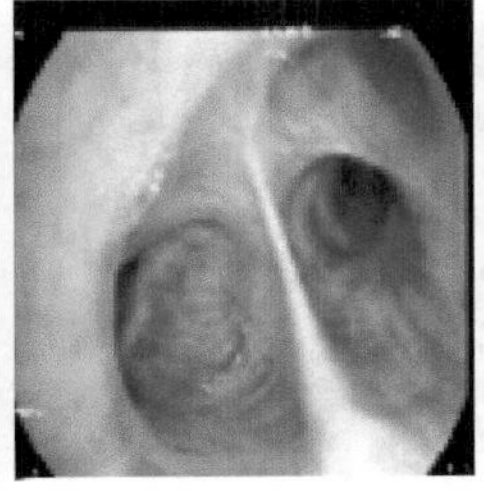
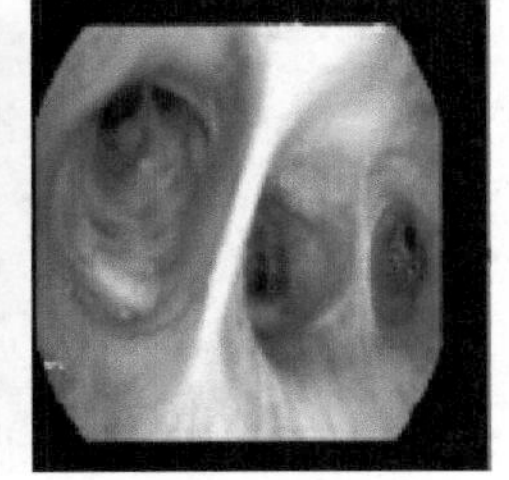

A　　B　　C

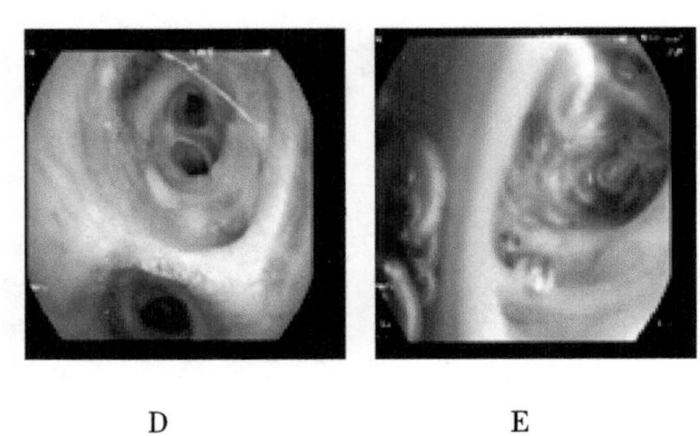

D　　　　E

彩插 11　2023-06-30 支气管镜检查（见正文见第 172 页）

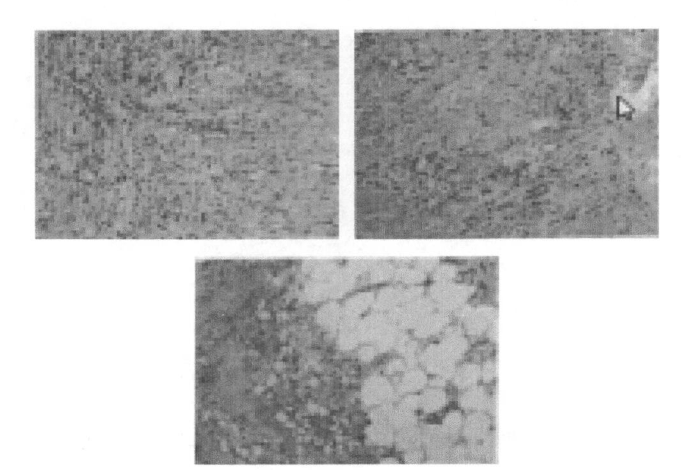

彩插 12　心包活检病理（见正文见第 182 页）